Un trombone rouge

Kyle MacDonald

Un trombone rouge

Traduit de l'anglais par
Louis Trudel

AMÉRIK MÉDIA

Catalogage avant publication de Bibliothèque et Archives nationales du Québec et Bibliothèque et Archives Canada

MacDonald, Kyle, 1979 -

Un trombone rouge

Traduction de: One red paperclip.

ISBN: 978-2-923543-02-4

1. MacDonald, Kyle, 1979 -.

2. Troc.

3. Échange, Théorie de l' (Économie politique).

4. Commerce électronique.

5. http://Craigslist.com.

HF1019.M3314 2007 381'.142 C2007-941175-4

AMÉRIK MÉDIA

3435, de Rouen, bur. 6

Montréal (Québec)

H1W 1L6

(514) 652-5950

www.amerikmedia.com

Distribution: Messageries de Presse Benjamin

101, rue Henry-Bessemer

Bois-des-filion (Québec)

J6Z 4S9

(450) 621-8167

Édition: Julien Brault

Traduction: Louis Trudel

Révision de la traduction: Elizabeth Poitras

Révision:Hélène Paraire

Mise en pages et conception de la couverture:

Jean-Daniel Picard et Benoît Desroches

Dépôt légal: 2007

Bibliothèque et Archives nationales du Québec

Bibliothèque nationale du Canada

À papa et maman et à tous ceux qui vous ont aidés
à devenir qui vous êtes.

Si tu restes ton maître alors qu'autour de toi
Nul n'est resté le sien, et que chacun t'accuse ;
Si tu peux te fier à toi quand tous en doutent,
En faisant cependant sa part juste à leur doute ;
Si tu sais patienter sans lasser ta patience,
Si, sachant qu'on te ment, tu sais ne pas mentir ;
Ou, sachant qu'on te hait, tu sais ne pas haïr,
Sans avoir l'air trop bon ou paraître trop sage ;

Si tu aimes rêver sans t'asservir au rêve ;
Si, aimant la pensée, tu n'en fais pas ton but,
Si tu peux affronter, et triomphe, et désastre,
Et traiter en égaux ces deux traîtres égaux ;
Si tu peux endurer de voir la vérité
Que tu as proclamée, masquée et déformée
Par les plus bas valets en pièges pour les sots,
Si voyant s'écrouler l'œuvre qui fut ta vie,
Tu peux la rebâtir de tes outils usés ;

Si tu peux rassembler tout ce que tu conquis
Mettre ce tout en jeu sur un seul coup de dés,
Perdre et recommencer du point d'où tu partis
Sans jamais dire un mot de ce qui fut perdu ;
Si tu peux obliger ton cœur, tes nerfs, ta moelle
À te servir encore quand ils ont cessé d'être,
Si tu restes debout quand tout s'écroule en toi
Sauf une volonté qui sait survivre à tout ;

Si t'adressant aux foules tu gardes ta vertu ;
Si, fréquentant les Rois, tu sais rester toi-même,
Si ton plus cher ami, si ton pire ennemi

Sont tous deux impuissants à te blesser au cœur,
Si tout homme avec toi compte sans trop compter;
Si tu sais mettre en la minute inexorable
Exactement pesées les soixante secondes
Alors la tienne est tienne et tout ce qu'elle porte
Et mieux encore tu seras un homme mon fils!

Rudyard Kipling (1865-1936)

À MON AMI KYLE

Kyle MacDonald m'a tout d'abord impressionné par son audace de concrétiser son idée, d'aller jusqu'au bout. Ce qui a touché une corde sensible chez moi, comme chez tous ceux qui ont suivi son histoire, c'est de voir ce jeune homme brillant consacrer son énergie et ses talents à une idée complètement folle. En entreprenant sa quête avec un trombone rouge en poche, Kyle sortait de son quotidien pour réaliser un rêve.

Si tant de personnes ont embarqué dans son histoire, si Kyle a finalement eu sa maison, c'est que les gens ont apprécié le brin de folie que Kyle apportait au monde, qu'ils ont voulu y prendre part. Personnellement, je me suis en quelque sorte reconnu dans sa folie. Je me souviens d'avoir tout laissé tomber pour aller en Californie. Ça n'a rien d'extraordinaire; d'autres laissent tout tomber pour faire le tour du monde en voilier! Le rêve de Kyle avait cependant cela de particulier : il rejoignait le rêve qu'on a tous eu, qu'on caresse secrètement. C'est d'ailleurs ce rêve, cette belle folie, qui m'a amené à échanger avec lui ma motoneige contre son baril de bière.

Lorsque j'ai rencontré Kyle et sa charmante moitié Dominique Dupuis – qui se sont entre-temps mariés –, j'ai compris que la belle folie du trombone rouge n'était possible que grâce à l'amour. Si les proches de Kyle, sa conjointe et ses parents en premier, l'avaient détourné de son projet, si on lui avait dit de se trouver un vrai travail plutôt que de perdre son temps avec son idée folle, il est fort probable qu'elle n'aurait jamais vu le jour et que je ne serais pas en train d'écrire cette préface. Mais comme ses proches l'ont encouragé, son idée a pu se propager et des millions d'inconnus ont suivi l'aventure de Kyle sur son blogue comme autant d'amis. Quatorze d'entre eux, dont moi, ont eu la chance d'échanger avec Kyle quelque chose qui dépasse, et de loin, le matériel impliqué. J'ai nommé l'amitié.

Quand Kyle a entrepris sa quête, l'important n'était pas de devenir une vedette ou d'obtenir une maison. Ce n'était pas la destination qui comptait, mais le voyage. Rencontrer tous ces gens, vivre toutes ces aventures, voilà de quoi se composait l'essence de sa quête. Aussi, le «comment» de l'histoire d'*Un trombone rouge* est tout ce qui importe. Tout le monde sait que Kyle a finalement obtenu sa maison, qu'il a fait tel et tel échange. Cependant, l'expérience humaine que Kyle relate dans ce livre est unique et extraordinaire. Elle m'inspire et me convainc que les rêves les plus fous ont leur place dans ce monde. Et s'il apparaît irréel dans ce livre, il ne faut jamais l'oublier, ce monde, vous pouvez, comme Kyle, décider un bon matin de le changer.

Michel Barette

LE JEU DU TROC

Un coup de génie. Le jeu du troc! Le potentiel était immense. Le jeu du troc est un croisement entre une course au trésor et une collecte de bonbons à l'Halloween. On prend un petit objet et on fait du porte-à-porte jusqu'à ce qu'on trouve quelqu'un qui veuille nous l'échanger contre quelque chose de mieux et de plus gros. Quand c'est fait, on continue le porte-à-porte jusqu'à ce qu'on troque le nouvel objet contre quelque chose d'encore mieux et d'encore plus gros. En y mettant les efforts nécessaires, on peut en arriver à quelque chose de beaucoup mieux et de beaucoup plus gros que ce avec quoi on a commencé.

Prenons une cuiller par exemple. Vous montrez la cuiller à votre voisin, qui vous offre une botte en échange. Vous acceptez, puis vous proposez la botte à un autre voisin, qui vous répond: «Ça tombe bien, j'ai justement besoin d'une botte. La semaine dernière, j'ai échappé une des miennes par la fenêtre de la voiture, sur l'accotement de l'autoroute. Veux-tu troquer ta botte contre un four à micro-ondes?»

Bien sûr, vous faites oui de la tête. Vous saisissez le micro-ondes et vous vous empressez d'aller montrer votre nouveau micro-ondes à vos amis. Vous avez maintenant une bonne anecdote à raconter, et chaque fois que vous voyez une botte solitaire sur l'accotement de l'autoroute, vous vous demandez s'il s'agit de la botte grâce à laquelle vous détenez un nouvel électroménager. Puis, quelques semaines plus tard, votre mère fait irruption dans votre chambre et vous demande: «As-tu vu ma cuiller ancienne? Je n'arrive pas à la trouver.» Bien sûr, vous faites non de la tête. Elle enchaîne alors : « Il y a un vieux micro-ondes qui pue dans le garage. Sais-tu ce que ça fait là ? »

Le jeu du troc, c'était génial.

J'ai grandi à Port Moody, une banlieue à l'est de Vancouver. À l'école secondaire, mes amis racontaient toutes sortes d'exploits accomplis au jeu du troc. Un groupe qui avait démarré avec une pièce de un sou avait réussi, par une série d'échanges, à obtenir une causeuse en un après-midi. Un autre avait commencé avec une pince à linge pour finir avec un frigo la même soirée. La rumeur voulait même que dans la banlieue avoisinante, des ados aient commencé la journée avec un cure-dent et, à coups de trocs, aient mis la main sur une voiture avant la fin de la soirée. Une voiture ! Bien sûr, on ne pouvait prouver aucune de ces histoires, mais ce n'était pas grave. Légende banlieusarde ou pas, c'était possible. Tout était possible. Et nous voulions tous prouver que tout était possible.

Nous avions seize ans. Nous venions de réussir nos examens de conduite et il nous démangeait d'utiliser nos permis de conduire tout neufs. Nous n'avions qu'une idée en tête : posséder une voiture. Nous nous prenions pour Marty McFly. Nous rêvions de stationner notre rutilante camionnette Toyota 1985 noire cirée en biais dans le garage, les roues avant tournées pour lui donner une allure encore plus sport. Nous voulions emmener Jennifer à la fête qui avait lieu au lac durant la fin de semaine… Là où nous voulions aller, nous n'aurions même pas besoin de routes. Rien n'était impossible. Un jour, nos enfants feraient la rencontre d'un savant fou dans la cinquantaine au volant d'une De Lorean qui invente-rait le convecteur temporel. Ils se feraient envoyer par accident dans le passé et pourraient rectifier tous les mauvais choix que nous avons faits dans notre vie. Nous réaliserions notre rêve d'être des écrivains de science-fiction.

C'était possible.

Mais nous avions seize ans. Nous n'avions lu aucun livre de science-fiction. Et nous n'avions même jamais envisagé de devenir écrivains.

Nous nous sommes regardés et nous avons acquiescé d'un signe de tête. C'est ce soir-là que ça se passerait. Nous allions exécuter notre plan. Nous jouerions au jeu du troc et nous nous procurerions une voiture. C'était décidé. Tout ce qui nous manquait, c'était un cure-dent. Mais nous étions sans cure-dent. Nous avons donc «déniché» une solution de rechange: un sapin de Noël au marché de sapins du coin.

Nous avons choisi un sapin et l'avons transporté jusqu'à la maison la plus proche où il y avait de la lumière. Nous avons frappé et nous avons entendu des pas. Nous avons échangé des regards approbateurs: nous pouvions presque déjà toucher à nos voitures. Une silhouette s'est approchée de la porte. Nous humions déjà nos voitures. La porte s'est ouverte, un homme est apparu sur le seuil, il nous a regardés avec notre sapin et, l'air interdit, nous a lancé: «Oui?» Nous nous sommes empressés de lui dire que nous jouions au troc et que nous prévoyions finir la soirée avec une voiture, puis nous avons impatiemment attendu sa réaction. Il n'avait qu'à nous donner quelque chose pour l'échange. Ça pouvait être n'importe quoi. En jetant un coup d'œil au sapin, il n'a pu s'empêcher de rire. «J'aimerais beaucoup vous aider, les gars, mais je n'ai pas besoin d'un deuxième sapin», a-t-il dit en pointant son salon, où resplendissait le sapin de Noël le plus richement décoré qu'on puisse imaginer. Il brillait de tous ses feux. C'est comme si le paradis avait pris la forme d'un sapin de Noël. Nous avons regardé notre arbuste chétif, nous avons baissé la tête et nous avons vu nos voitures disparaître d'un seul coup. L'homme a haussé les épaules et nous a encouragés en souriant: «Le voisin est peut-être intéressé. Bonne chance!»

En partant, nous avons regardé notre sapin une fois de plus et, s'il était trop tard pour jouer au troc ce soir-là, nous étions tout de même déterminés à aller chez le voisin le lendemain. Le lendemain, c'était la journée parfaite pour aller chez le voisin. Le lendemain, c'était la journée parfaite pour se trouver une voiture.

Mais nous n'avons pas joué au troc le lendemain.

Nous avons abandonné parce que le jeu du troc n'était pas aussi facile que nous le croyions. C'était il y a dix ans. Une décennie entière s'est écoulée depuis la soirée où nous avons tâté du troc. Il s'est passé toutes sortes de choses entre-temps. J'ai fini l'école, j'ai voyagé, j'ai rencontré des gens et j'ai travaillé un peu partout sur la planète. J'ai vécu plein de choses. J'ai même serré la main d'Al Roker, météorologue du petit écran aux États-Unis. Jamais pendant ces dix ans je n'ai rejoué au troc. Mais ce n'en est pas moins l'idée du siècle!

En portant mon regard vers l'horizon, je me mets à imaginer les possibilités. D'un cure-dent à une voiture! C'est possible. Mais comment passer d'un cure-dent à une voiture aujourd'hui? Mon visage prend de l'assurance et je scrute attentivement l'horizon, comme si ça pouvait m'aider. J'ai l'impression d'être dans une scène grandiose de film où le héros cherche son inspiration, sauf qu'à l'horizon, il n'y a ni coucher de soleil flamboyant au-dessus des ruines d'une civilisation de méchants extraterrestres qui vient tout juste d'être anéantie, ni plage balayée par les vents et caressée par les vagues offrant un paysage à couper le souffle. Mon horizon s'arrête à 1,50 m de ma tête, au mur de briques du petit 3 ½ où j'habite avec ma copine Dominique à Montréal.

Je suis venu vivre à Montréal avec Dom l'été dernier, quand elle a décroché un emploi comme agente de bord pour une compagnie aérienne qui a fait faillite depuis. Mais elle a vite été engagée comme technicienne de diététique dans un hôpital. Nous sommes ensemble depuis trois ans. Pendant que je regarde à l'horizon en me remémorant mes frasques de jeunesse, Dom travaille. Dom a un emploi. Moi, je suis «en transition». Ça fait presque un an que je suis «en transition». De temps en temps, je dépanne des amis en faisant la promotion de produits dans des foires commerciales, mais c'est rare.

Je ne suis qu'un gars parmi tant d'autres. Qu'est-ce que j'imagine? Je viens de passer une heure à fixer un mur de briques. J'ai presque gaspillé l'après-midi au complet. Mon curriculum vitæ et ma lettre de motivation me rappellent ce que j'ai à faire aujourd'hui: penser à mon avenir, me trouver un emploi.

Il faut bientôt payer le loyer et je ne peux plus être à la remorque de Dom. Ça fait des mois que je vis à sa charge. Il faut que ça arrête. Il est grand temps que je contribue à payer les factures. Je pose mon regard sur mon curriculum vitæ à mon écran d'ordinateur.

Les conseils prodigués par ma professeure de formation personnelle et sociale au secondaire résonnent dans ma tête: «Il faut que vous vous vendiez à l'employeur, que vous mettiez en valeur vos aptitudes.» Ensuite, elle a montré à la classe, à l'aide d'un projecteur, la recette du curriculum vitæ parfait en cinq points. Et ça s'est avéré d'une efficacité redoutable : en moins d'une semaine, tout le monde avait trouvé un emploi auprès d'une chaîne de restauration rapide. Il y a dix ans, une poignée de hamburgers gratuits était un gage de succès. Tout est plus facile quand on habite chez ses parents.

Dom risque de me couper les vivres si je ne me prends pas en main. Il faut que je trouve une solution, et vite. La question est simple : est-ce que je veux mettre en pratique la recette du curriculum vitæ parfait en cinq points ou faire autre chose ? Faire autre chose me semble extraordinaire !

Je ne veux me vendre à personne. Je veux réaliser des choses. Je veux explorer l'inconnu. Je veux jouer. Je veux laisser ma marque.

Mais les choses ont changé. Je ne suis plus un ti-cul qui habite chez ses parents et qui « emprunte » des sapins de Noël. Je suis un chômeur de 25 ans et j'ai la chance d'avoir une copine qui paye ma part du loyer pendant que je suis « en transition ».

J'en ai assez de dépendre des autres. Je suis écœuré d'être « en transition ». Écœuré d'avoir recours à des euphémismes entre guillemets pour masquer le fait que je suis au chômage. Il y a juste une chose que je veux faire : assurer notre subsistance. Je veux pouvoir nous procurer de la nourriture. Je veux briser le cycle qui nous emprisonne. Nous gagnons notre argent à la sueur de notre front, pour ensuite garnir le portefeuille du propriétaire. En fait, c'est Dom qui gagne de l'argent à la sueur de son front, mais je l'aide à garnir le portefeuille du proprié-taire. Soit dit en passant, la condition de locataire n'est pas si mauvaise qu'on pourrait le croire. Il y a un avantage à pouvoir paqueter ses affaires en vitesse en plein milieu de la nuit et s'envoler à l'autre bout de la planète. Qu'il n'y ait pas de malentendu : les propriétaires sont souvent d'honnêtes gens très gentils. J'aimerais juste ne pas en avoir.

Quand on paye un loyer pour vivre quelque part, ça veut seulement dire qu'on n'a pas les moyens d'être propriétaire. Mais en y mettant le temps et l'effort nécessaires, on peut se trouver un chez-soi. J'aimerais rentrer chez moi le soir, suspendre mon chapeau haut-de-forme à un crochet, me tenir sur le seuil de la porte, regarder le plafond et sourire avec satisfaction en me disant que ce plafond m'appartient.

Le plafond, les murs et le toit seraient à nous. Nous pourrions y faire ce que bon nous semblerait. Si l'envie nous prenait de démolir un mur, nous démolirions un mur. Personne n'aurait un mot à dire.

Il suffit de commencer avec quelque chose de petit, de voir grand et de ne jamais perdre le plaisir de vue, et mon rêve pourrait se réaliser.

C'est possible.

Mais pour ça, il faut commencer quelque part. Il faut que je me rende plus loin que la première fois que j'ai essayé de jouer au troc. La fois où je n'ai pas réussi à faire un seul troc. Ça fait maintenant dix ans que le jeu du troc me nargue. Qu'il se paye ma gueule. Qu'il est plié en deux. C'est très simple : je peux dénicher un boulot en quelques semaines, mais si je veux, je peux commencer à jouer au troc à l'instant même. Soudain, ça me saute aux yeux. Ça y est, c'est décidé. L'heure H est arrivée. Non seulement je vais jouer au troc, mais je vais jouer comme un as. Je vais devenir rien de moins que le meilleur joueur de troc au monde. Point final. Sinon, je viens de concocter le meilleur truc qui soit pour se dispenser de trouver un emploi. De toute façon, je ne peux pas ne pas essayer. Je jette un regard furtif sur mon bureau puis je baisse la tête. Mon curriculum vitæ et ma lettre de motivation peuvent attendre. Mais j'ai un compte à régler avec le jeu du troc.

Pour atteindre mon but, j'ai besoin d'un objet pour commencer. Quelque chose qui ressemble moins à un sapin de Noël qu'un sapin de Noël. Et surtout, quelque chose que je n'ai pas carrément volé.

Mon bureau est un véritable bazar, un ramassis de vestiges : un stylo, du ruban adhésif, des fils trop nombreux et pêle-mêle, une agrafeuse, des enceintes d'ordinateur, mon curriculum vitæ et ma lettre de motivation, une lettre que je n'ai jamais postée, une carte postale, une pelure de banane, la photo d'un aigle encadrée, divers bols de céréales dont les contenus se trouvent à diverses étapes de décomposition… Mon regard est accroché par la version imprimée de mon curriculum vitæ et de ma lettre de motivation, reliée par un trombone rouge.

Un vulgaire trombone rouge.

Je retire le trombone rouge des feuilles qu'il retient et je l'examine.

C'est exactement ce que je cherchais.

Tout ce qu'il me reste à faire, c'est le troquer contre un objet. Il y a sûrement quelqu'un qui a quelque chose de mieux et de plus gros qu'un trombone rouge à m'offrir en échange.

Ça y est, c'est parti. Je vais montrer au jeu du troc à qui il a affaire !

Après avoir remis le trombone rouge sur le bureau, je le prends en photo. Je me dirige ensuite vers la porte et tourne la poignée. La porte s'ouvre, je lève mon pied droit et, avant qu'il ne traverse le seuil, le téléphone retentit. Mon pied s'immobilise dans les airs, à quelques centimètres du corridor de l'immeuble. J'entends de nouveau le téléphone sonner. Je pivote calmement sur moi-même, comme au ralenti. Je me dirige tranquillement vers l'appareil pour décrocher le combiné :

« Allô ?

- Salut !

C'est Dom.

Qu'est-ce que tu fais ?

- Pas grand-chose.

- As-tu fini ton curriculum vitæ ?

- Pas encore, je prends une pause.

- Une pause ! Tu travailles là-dessus depuis combien de temps ? »

Je me sens coupable. Dom est très généreuse envers moi. Ça fait des mois qu'elle paye le loyer toute seule. Elle pourrait me jeter à la rue. Moi-même, je me flanquerais à la rue. Je lui en dois une. Après avoir bavardé un peu, nous décidons ce que nous mangerons pour souper.

Je retourne à mon bureau et je fourre le trombone rouge dans mon portefeuille. Où ai-je la tête ? Moi, établir un record mondial ? Au jeu du troc ? C'est un jeu d'adolescents ! Je hoche la tête et j'allume mon ordinateur. Je jouerai au troc une autre fois. Je vais attendre de me trouver un emploi, de payer le loyer et d'avoir un jour de congé. Après, je jouerai au troc.

L'écran d'ordinateur prend vie et je retourne à mon curriculum vitæ. Je consacre les trois jours suivants à le peaufiner, puis, à demi convaincu, je l'envoie en guise de réponse à des offres d'emploi que j'ai vues sur des sites Web. Je prends aussi une photo du trombone rouge et je me l'envoie par courriel, pour ne pas oublier mon projet amusant, que je réaliserai quand j'aurai un emploi et un jour de congé.

Les lendemains se suivent et se ressemblent. Plus je pense à mes perspectives d'emploi, moins je pense à mes ambitions au jeu du troc. Dans mon portefeuille, le trombone rouge est vite enseveli sous des cartes, des reçus et des pièces de monnaie. Je finis par recevoir des appels de gens qui me convoquent en entrevue pour différents emplois. Rien de bien extraordinaire, mais il s'agit d'emplois honnêtes, et j'apprécie le fait qu'on me donne une chance. Je me rends à diverses entrevues, mais sans trop de conviction. Je ne fais que suivre le courant, comme dirait ma mère. Est-ce parce que je suis un fainéant, ou parce que les emplois qu'on m'offre ne correspondent pas à mes besoins? Je n'arrive pas à trancher. Je ne me résignerai pas à accepter un emploi que je n'aime pas. Je veux m'investir corps et âme dans un projet. Je ne veux pas survivre, je veux me surpasser. Mon réservoir est à sec, mais je refuse de faire ce qu'il faut pour le remplir.

Quelques semaines plus tard, Dom et moi nous envolons vers Vancouver, pour rendre visite à ma famille. En fait, l'avion s'envole tandis que nous, nous restons bien assis sur nos sièges. Une semaine après notre arrivée, comme Dom et ma mère décident de passer une soirée entre femmes, je me rends avec mon père chez mon cousin Ty. Je profite d'une pause dans notre conversation pour faire le ménage de mon portefeuille et je vide le contenu sur la table. Que ne vois-je pas rebondir? Le trombone rouge!

L'idée du troc me revient alors à l'esprit, sauf que cette fois-ci, je la partage:

« Dites-moi ce que vous pensez de ça.

Je les mets au courant de mon projet et ils y réfléchissent.

- Je trouve que c'est une bonne idée, me répond mon père.

- Moi aussi, renchérit Ty.

- Pourquoi avoir choisi un trombone rouge? me demande mon père.

- C'est ce que j'ai vu en premier.

- Quand feras-tu ton premier troc? demande Ty.

- J'ai des choses plus urgentes à faire avant.

- Comme quoi? enchaîne mon père.

- Il faut d'abord que je gagne de l'argent, pour me permettre de faire des échanges. Je devrais créer un site Web et prendre une meilleure photo du trombone, dis-je en regardant mon paternel.

- Pourquoi? » interroge-t-il.

C'est une bonne question! Pourquoi devrais-je attendre la situation idéale avant d'agir? Tout ce que je veux, c'est échanger mon trombone rouge contre autre chose.

Je regarde le trombone et j'hésite. En me voyant fixer le petit objet, mon père esquisse un sourire et me lance la phrase d'encouragement toute faite qu'il préfère:

« Que ferais-tu si tu n'avais pas peur? »

Soudain, l'envie de mordre dans un morceau de fromage me saisit. Que ferais-je si je n'avais pas peur? Est-ce que je dirais à mon père de ne pas en faire tout un fromage?

« Si je n'avais pas peur, je troquerais le trombone rouge.

- Qu'est-ce qui t'en empêche? » répond-il en souriant.

Je sais que je peux demander au premier passant dans la rue s'il a quelque chose à m'offrir en échange de mon trombone, mais ce n'est pas ce que je souhaite. Je ne veux pas écœurer les gens. Il y a sûrement une autre façon de procéder.

« Ce qui serait génial, c'est que les gens intéressés à faire un troc prennent l'initiative de me joindre. Je repense à l'homme au sapin de Noël majestueux que nous avons importuné avec notre arbuste rabougri (et volé). Je ne veux pas déranger les gens. Il faut que ceux qui veulent faire un échange avec moi le fassent de leur propre chef. »

Ty lève alors les bras, comme s'il venait de se rendre compte d'une évidence qui nous avait échappé jusque-là.

« Craigslist! dit-il. As-tu mis une annonce sur Craigslist? C'est un site très populaire.

- Est-ce qu'on peut faire des échanges sur Craigslist?

En guise de réponse, Ty me regarde interloqué, les yeux ronds comme des trente sous, et répète ma question:

- Est-ce qu'on peut faire des échanges sur Craigslist? »

Nous nous dirigeons vers l'ordinateur, et je consulte le calendrier.

Nous sommes le 12 juillet.

Ty trouve rapidement le site de Craigslist de Vancouver. Je me dirige vers la section des échanges et, dans la fenêtre

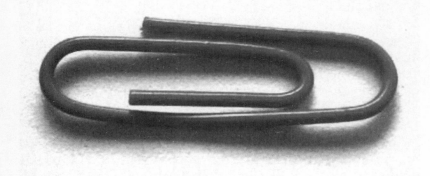

Le fameux trombone rouge, croqué par Kyle sur son bureau à Montréal.

« Identification », j'inscris « Un trombone rouge ». Je télécharge la photo du trombone que je me suis envoyée par courriel, et j'écris la description suivante :

Vous voyez ici la photo d'un trombone. Il est rouge. Ce trombone rouge se trouve présentement sur mon bureau, à côté de mon ordinateur. Je souhaite le troquer contre quelque chose de mieux et de plus gros, comme un stylo, une cuiller ou même une botte. Si vous me promettez de faire l'échange, j'irai à votre rencontre où que vous soyez. Donc, si vous avez quelque chose de mieux et de plus gros qu'un trombone rouge à m'offrir en échange, envoyez-moi un courriel à biggerorbetter@gmail.com !

J'espère faire bientôt un troc avec vous !

Kyle

PS : Je compte faire une série de trocs jusqu'à ce que j'obtienne une maison ou une île, ou une maison sur une île. Enfin, vous voyez ce que je veux dire.

Je clique sur « Publier » pour dévoiler mes intentions. Ma stratégie, consistant à afficher mon offre et à attendre qu'on y réponde, relève à la fois de l'optimisme et de la paresse, mais c'est mieux que rien. Tout ce que je veux, c'est échanger un vulgaire petit trombone rouge contre quelque chose de mieux et de plus gros. J'accède à ma boîte de réception, j'attends quelques minutes et je clique sur le bouton de rafraîchissement. Rien.

Quelques minutes s'écoulent. Je reclique sur le bouton de rafraîchissement. Toujours rien. L'anxiété me gagne. Je trouve les sites de Craigslist de villes plus ou moins proches de Vancouver et de Montréal, et j'y ajoute mon annonce. Nous attendons quelques minutes. Je reclique sur le bouton de rafraîchissement puis je constate que ma boîte de réception contient déjà quelques offres !

```
*****J'ai une cuiller-fourchette noire à
échanger. J'adore les trombones rouges !


-------


*****J'ai un morceau de crayon HB brisé à
échanger contre votre trombone rouge.


-------


*****Je suis prête à échanger un marqueur
bleu contre votre trombone rouge, mais je
crains que ce ne soit pas équitable, puisqu'il
est croche. MDR. Si votre offre est sérieuse
et que vous consentez à venir à Woodbridge, je
serai ravie de faire le troc. Merci !

Bethany


-------


Jacky
```

Comme j'ai mis des annonces sur les sites de Craigslist de différentes villes, je ne sais pas d'où m'écrivent ces gens. (Je me suis rendu compte par la suite qu'afficher une annonce sur plusieurs sites de Craigslist est une chose à ne pas faire. On appelle ça du «pourriellage», ou quelque chose comme ça.) Je réponds à chacune des personnes qui m'ont écrit pour leur demander leur emplacement, et j'écris le numéro de téléphone de mes parents, en invitant les gens de Vancouver à m'appeler. C'est très important parce que je veux faire l'échange en personne, et vite. Si je fais un troc, il faut que ça se fasse maintenant. C'est le moment où jamais d'entreprendre quoi que ce soit. Il faut que je commence quelque part, sinon mon projet ne se réalisera jamais.

Je remets les affaires dans mon portefeuille et je retourne avec mon père à la maison, où je constate que ma boîte de réception est à nouveau remplie de messages !

```
*****Bonjour, nous avons un stylo en forme de
poisson, et il ondule ! Il est amusant et très
mignon. Si ça t'intéresse, écris-nous !

Corinna


-------


*****Je t'offre un flacon de correcteur
liquide vide. Qu'en dis-tu ? Dépêche-toi, je
suis pressé !

Chris


-------


*****MADAME, MONSIEUR

Je viens de prendre connaissance de votre offre
concernant l'[ANNONCES] que vous avez mis en
vente. S'il est encore à vendre, j'aimerais
connaître son état actuel. Transmettez-moi
votre meilleure offre avec une photo.
```

En espérant obtenir rapidement une réponse de votre part, je vous prie d'agréer, MADAME, MONSIEUR, l'expression de mes sentiments distingués.

Cusin Malone

*****Je vous échange mon superbe trombone bleu poudre contre votre trombone rouge! J'adore le rouge, c'est ma couleur préférée. Le trombone rouge est donc fait pour moi. Qu'en pensez-vous? Je suis même prête à vous donner aussi une efface de rechange pour crayon à mine, tellement je souhaite mettre la main sur votre trombone rouge!

Ciao

June

*****Je vous offre un crayon de couleur bleu ciel, mais il n'est pas neuf.

Raine

*****Je t'offre une paire de bottes pour femmes en échange de ton trombone rouge. Je suis un gars et je ne porte pas de bottes de femmes, mais j'utilise du papier, et un trombone me serait utile.

```
*****J'ai un stylo, un crayon, un crayon de
cire, une enveloppe, une petite boîte de
pansements... Veux-tu faire un échange avec
moi?


-------


*****Si vous êtes une femme et que vous
acceptez de prendre un café avec moi, je
veux bien troquer un café contre votre
trombone. Si nous nous entendons bien, qui
sait où ça pourrait nous mener?

Ciao

Cezaro


-------
```

Le lendemain soir, des membres de la famille viennent nous rendre visite chez mes parents. Ricky, le mari de ma cousine Carmen, vient me voir pour me dire : « J'ai un cadeau pour toi, le jeune. » Il me remet une boîte de Wheaties, ma sorte de céréales préférée. Elle arbore des photos de sportifs légendaires.

« Une boîte de Wheaties, Ricky ? Tu n'aurais pas dû !

- Ouvre la boîte, tu sais bien que ce n'est pas des Wheaties. Comme tu m'as donné un t-shirt à Noël, je voulais te rendre la politesse. »

Pour Noël, mon frère Scott et moi avons donné un t-shirt de démocrate à Ricky et un t-shirt de républicain à Ty. Ils les avaient enfilés sur-le-champ. Rien de tel que des t-shirts à saveur politique pour mettre de l'ambiance dans une fête de famille à Noël ! Je déchire la boîte de Wheaties et en sors une chemise de travail à manches courtes, bleu pastel avec de fines rayures roses. En la tournant, je découvre, au-dessus de la poche poitrine gauche, une étiquette avec « Ricky » écrit dans le magnifique lettrage que l'on brode sur les uniformes de travail. La poche poitrine droite, quant à elle, est surmontée d'une étiquette où on peut lire en grosses lettres :

«CINTAS» et en dessous: «*The Uniform People*» [Les pros de l'uniforme].

« Ricky, c'est ton ancienne chemise de travail. Merci!

En le regardant, je poursuis, le plus sérieusement du monde:

Tu n'aurais pas dû!

Il sourit, me donne une tape dans le dos et répond:

- Ce n'est même pas la peine d'en parler, le jeune!

J'enfile aussitôt la chemise par-dessus mon t-shirt, pour bien lui montrer qu'il ne m'impressionne pas, avant de dissiper ses craintes:

- Ne t'inquiète pas, je n'en parlerai à personne! »

Quand tout le monde est parti, un peu avant minuit, je regarde si j'ai reçu des courriels. Les offres de crayons de cire, de clés et autres rendez-vous galants dans un café continuent à affluer, entrecoupées de réponses automatisées d'entreprises qui commencent par MADAME, MONSIEUR... Je trouve soudain un courriel écrit par quelqu'un de Vancouver.

```
DE: Corinna

Bonjour, nous sommes à Vancouver, près de
Commercial. Tu comprendras que notre stylo
n'est pas un stylo comme les autres. Il est en
bois et il ondule comme un vrai poisson. Il
est vert, bleu et rouge! Tu n'as qu'à nous
dire quand tu veux faire le troc. Normalement,
nous refuserions d'échanger notre merveilleux
stylo contre un simple trombone, mais il est
temps pour lui de nager vers d'autres horizons.
Un trombone pourrait en revanche nous être
très utile. Nous nous appelons Corinna et
Rhawnie.

À bientôt

P.-S. Qui es-tu, à part quelqu'un qui s'appelle
Kyle? Où es-tu?
```

Le téléphone retentit. Il est tard, et comme je ne veux pas que la sonnerie réveille mes parents, je me précipite pour répondre avant le deuxième coup.

«Allô?

- Bonsoir! Kyle, s'il vous plaît?

J'entends quelqu'un pouffer de rire en arrière.

- C'est moi.

- Je m'appelle Rhawnie, dit une femme en souriant. Mon amie Corinna et moi avons vu ton trombone rouge sur Craigslist, et nous voudrions faire un troc avec toi.

- Super! Qu'est-ce que vous voulez échanger?

- Un stylo qui a la forme d'un poisson. Corinna t'a envoyé un courriel.

- Oui! Le stylo en forme de poisson!

- Il est très beau.

- Je n'en doute pas. Je quitte la ville demain vers midi. Pourrions-nous nous rencontrer avant pour faire le troc?

- Oui, mais je pars tôt pour le travail, répond Rhawnie.

- À quelle heure?

- Je me lève à 7 h et je travaille à 8 h.

- Pourrions-nous nous rencontrer avant 8 h?

- Peux-tu te déplacer? me demande-t-elle.

- J'imagine. Où habitez-vous?

- Près de Commercial.

- Parfait. De toute façon, je passe par là demain matin, lui réponds-je. Où et quand nous rencontrons-nous?

- Connais-tu le dépanneur 7-Eleven, coin First et Nanaimo?

- Oui.

- À huit heures moins quart devant le 7-Eleven?

- Parfait. À demain!

- À demain!» confirme-t-elle.

Je raccroche. Ça y est. C'est demain que ça se passe. Je jette un coup d'œil à l'horloge: il est minuit et trois. Nous sommes déjà demain!

TROUVER SON TROMBONE ROUGE

Que troquer pour réussir? Par où commencer? Ce peut être très simple. Ce peut n'être qu'un appel, ou le fait de se résoudre à poser une question qu'on rêve de poser depuis longtemps. Échanger un trombone rouge contre un stylo en forme de poisson ne nécessite pas de gros efforts, mais c'est un début.

COMMENT TERMINER
CE QU'ON NE COMMENCE PAS?

C'est simplissime. Si on ne commence jamais, on ne finit jamais. Chaque périple mémorable débute par un pas. Il suffit de franchir le seuil de la porte et d'agir. Ce peut être avec le pied gauche ou droit, à vous de choisir.

LE PLUS DUR EST DE FRANCHIR
LE SEUIL DE LA PORTE

Le premier geste à poser pour transformer un «si» en réalité requiert un effort dérisoire. Bien sûr, si on se met le bout du nez dehors, on peut devoir porter un blouson ou s'enduire de lotion solaire, mais c'est bien mieux que de rester chez soi en se disant: «Que se passerait-il si…?»

UN STYLO EN FORME DE POISSON

Jusqu'ici, ma relation avec Rhawnie et Corinna s'est limitée au courriel et au téléphone. Donc, j'ignore de quoi elles ont l'air. Mais je me dis que je n'aurai pas de mal à les trouver. Il n'y a aucune raison d'aller au 7-Eleven avant midi, sauf un lendemain de veille, quand on rentre chez soi en taxi et qu'on entreprend de calmer une fringale avec des hamburgers à réchauffer au micro-ondes. Il y a beaucoup de mauvaises idées qui, après l'absorption d'une certaine quantité d'alcool, peuvent prendre l'apparence de l'idée du siècle. L'achat de hambourgers à un dépanneur 7-Eleven en est une.

Mes parents sont dans la fourgonnette avec moi. J'entre dans le stationnement où il n'y a que quelques véhicules. Tout de suite, je m'imagine être le dindon d'une farce ourdie par un internaute via Craigslist. Comme si deux femmes se déplaceraient de si bonne heure pour troquer un stylo en forme de poisson contre un trombone rouge avec un gars qu'elles ont connu sur Internet! Franchement! Je me mords la lèvre. Quand on s'est déjà fait avoir, on ne veut surtout pas paraître vulnérable. On encaisse les coups sans broncher, comme si de rien n'était.

Nous passons devant une voiture garée puis nous nous stationnons. C'est à ce moment que je vois deux femmes assises sur le bord du trottoir, devant le dépanneur. Comme elles sont dépourvues d'hamburger à réchauffer au micro-ondes, je pousse un soupir de soulagement. Dans le fond, il n'y a peut-être personne qui se paye ma gueule grâce à Craigslist!

Le stylo en forme de poisson de Rhawnie et Corinna.

Ma mère regarde les deux femmes et rit :
« On dirait que ce sont elles ! As-tu ton trombone rouge ?
Je lui fais des yeux de merlan frit avant de lui répondre :
- Oui, maman ! »
Je n'en tapote pas moins la poche de la chemise de Ricky, pour vérifier. Le trombone est là. De toute façon, j'en étais sûr. Je mets le levier de vitesses à P et j'ouvre la portière. Les deux femmes se lèvent tandis que je souris nerveusement. Je suis timide. C'est bizarre de rencontrer en personne quelqu'un qu'on a connu sur Internet.
« Rhawnie et Corinna ?
- Oui ! répondent-elles en chœur.
- Kyle ! Enchanté ! Voici ma mère et ma copine, Dom.
- Salut ! nous lancent-elles.
- Salut ! » leur répondons-nous.
Nous échangeons des sourires et des politesses. C'est un peu comme la première journée d'école. Après quelques minutes de bavardage, Corinna lance :
« As-tu le trombone rouge ?
- Oui ! Avez-vous hâte de faire le troc ?

- C'est sûr! Nous ne ratons jamais une occasion d'échanger un stylo en forme de poisson contre un trombone rouge! me répond Corinna en riant.

- Où l'avez-vous trouvé?

- Nous étions au festival de musique Bonfire, sur la Sunshine Coast, et Rhawnie l'a trouvé par terre.

- Oui monsieur! corrobore Rhawnie.

Je sors le trombone rouge de ma poche, je le regarde et je le leur tends:

- Le voici!

Corinna pose son regard dessus, sourit et admet:

- Il est franchement plus beau que j'imaginais!»

Nous partons à rire puis elles me donnent le stylo.

Je viens de faire un troc.

Je leur demande:

« Que ferez-vous avec le trombone rouge?

- Nous le collerons probablement sur le frigo, me répond Rhawnie.

- Que feras-tu avec le stylo en forme de poisson? s'enquiert à son tour Corinna.

Je prends le temps de penser à sa question, je souris tout naturellement et je lui réponds:

- Je vais l'échanger!

- Avec qui? poursuit Rhawnie.

- Je n'en ai aucune idée. Avec la prochaine personne qui m'appellera, j'imagine.

- J'adore ta façon de voir les choses, s'exclame Corinna.

- Mais je devrai tout de même me départir du stylo!

- Ce n'est qu'un stylo en forme de poisson.

- Ça, c'est vrai» dis-je.

S'ensuit un silence qui crée un léger malaise, puis je continue:

« Je me souviens qu'à mon école secondaire, certains élèves ont joué au troc et ont mis la main sur une voiture en une seule journée!

- Ce serait super de te rendre jusqu'à une voiture aujourd'hui! dit Rhawnie.

Je lui réponds en riant:

- Ce serait génial! Mais je vais à Seattle cet après-midi et j'ai un avion à prendre à Sea-Tac demain. Je ne crois pas que

Rhawnie, Corinna et Kyle font le troc devant le dépanneur 7-Eleven à Vançouver : un trombone rouge contre un stylo en forme de poisson.

les voitures soient permises dans les soutes à bagages. En tout cas, pas pour le moment.»

Nous nous esclaffons parce que c'est idiot. Glisser «pas pour le moment» dans une conversation a parfois un effet bœuf. Un autre silence qui crée encore un malaise s'installe, puis je regarde Dom :

«Il faut y aller. Dom a un avion à prendre.

— Moi, je dois aller travailler, dit Rhawnie.

— Pouvons-nous vous déposer quelque part? demande ma mère.

— Je vais dans la direction opposée de l'aéroport. Je prends le SkyTrain, explique Rhawnie.

— Nous vous laissons à la station, alors? Nous passons par là, conclus-je.

— Parfait!» répond-elle.

Ma mère croque une photo des trois troqueurs, avant que nous embarquions dans la fourgonnette avec Rhawnie. Nous nous dirigeons vers la sortie du stationnement pendant que Corinna nous salue de la main.

Nous passons devant Bon's Off Broadway, un casse-croûte légendaire qui sert des déjeuners toute la journée, dans l'est de Vancouver. L'estomac dans les talons, je me tourne vers Rhawnie, assise sur la banquette arrière :

« Allez-vous parfois chez Bon's ?

- Qu'est-ce que c'est ? questionne-t-elle.

- C'est un resto où on sert des déjeuners gargantuesques pour 2,99 $, avec bacon, œufs, saucisses, patates… Y a rien de mieux !

- Tu ne connais pas Bon's ? », demande Dom.

Ma mère hoche la tête et regarde notre passagère, pour montrer qu'elle ajoute sa voix à la louange du temple des déjeuners miraculeux. Nous sommes pendus aux lèvres de Rhawnie, un peu nerveuse, qui explique :

« Disons que Corinna et moi, nous sommes végétaliennes. Je ne crois pas que ça nous intéresserait vraiment.

- Je comprends. »

Je me mords la lèvre. Voilà qui explique l'absence de hamburger de 7-Eleven dans leurs mains quand elles nous attendaient ! Nous arrivons à la station de SkyTrain. Rhawnie bondit sur le trottoir. En fait, elle ne fait que sortir normalement de la fourgonnette, mais écrire « bondit », c'est plus cocasse. Nous la saluons de la main puis nous redémarrons.

« Elles sont gentilles ! dit ma mère.

- Tout à fait ! j'acquiesce.

- Je me suis amusée !

- Moi aussi ! »

Le stylo est sur la planche de bord. Dom le saisit et le tient dans ses mains. Il est creusé de sillons et quand on le bouge, on a vraiment l'impression que le poisson nage. Émerveillée par le petit poisson en bois, Dom me demande :

« Contre quoi penses-tu le troquer ?

J'y pense l'instant d'une seconde. Je n'en ai pas la moindre idée. Je souris en pensant à toutes les possibilités :

- Je l'ignore, et c'est ça que j'aime ! N'importe quand, la sonnerie du téléphone peut changer le cours des choses. L'autre jour, j'ai mis une annonce dans la section des trocs du site de Craigslist de Seattle. Ce serait bien de pouvoir faire un échange avec quelqu'un là-bas. »

Je regarde au loin et je plisse les yeux pour bien voir le feu de circulation, qui devient jaune. J'ôte mon pied de l'accélérateur. Pendant que je ralentis, mon téléphone sonne. En fait, il hennit, puisque j'ai opté pour la sonnerie du cheval. En revanche, j'ignore de quelle race il s'agit. Dom prétend que c'est un étalon, tandis que je jure que c'est un palomino, ce qui suscite des discussions endiablées entre nous! J'ouvre le téléphone:

« Allô!

- Salut, est-ce que c'est Kyle? demande la voix féminine qui sort de mon téléphone cellulaire.

- Oui, c'est moi!

Le feu passe au rouge. La femme me dit qu'elle s'appelle Annie.

- J'ai vu votre annonce sur Craigslist et j'aimerais faire un troc avec vous.

- Ah oui? dis-je en freinant.

- Je suis très intéressée par votre trombone rouge.

- Je viens de le troquer.

- Ah bon.

J'arrête la fourgonnette.

- Avec qui?

- Deux filles d'ici, de Vancouver.

- Ah bon.

Après une petite pause, la voix d'Annie se fait entendre de nouveau:

- Est-ce que vous avez d'autres trombones rouges à échanger?

- Non, j'avais un seul trombone rouge et je l'ai troqué contre un stylo en forme de poisson. Je veux maintenant échanger le stylo.

- Il a l'air pas mal, le stylo

Je confirme:

- C'est un fabuleux stylo en forme de poisson!

- Votre annonce dit que vous serez à Seattle aujourd'hui. Est-ce que c'est toujours vrai? demande-t-elle.

- Oui. Je prends l'avion tôt demain matin à Sea-Tac pour rentrer à Montréal. Nous serons à Seattle cet après-midi. Avez-vous quelque chose à m'échanger contre le stylo en forme de poisson?

- Oui, j'ai tout un bric-à-brac!

- Génial. Est-ce que je peux vous rendre visite avec ma famille?

- Mais bien entendu! Ne vous gênez pas, emmenez qui vous voulez! me lance-t-elle avant de me donner l'adresse.

- Merci, à cet après-midi!

- À cet après-midi ! »

Dom me regarde aussitôt :

« C'était qui ?

- Annie. Elle vit à Seattle. Nous faisons un troc ensemble cet après-midi.

- C'est bon ! dit ma mère.

- Tant mieux ! », ajoute Dom.

Je regarde le feu de circulation, qui redevient vert. Je souris et j'appuie sur l'accélérateur.

IL FAUT TROQUER

On peut y aller de discussions, de prévisions, de machinations et de stratégies, se faire du souci et forger des excuses jusqu'à ce que les poules aient des dents. Mais vient un temps où l'on se rend compte que les poules n'auront jamais de dents et que, si l'on veut qu'il se passe quelque chose, il faut poser un geste.

MAINTENANT, C'ÉTAIT IL Y A SIX MOTS

Oui, ce n'est qu'un commentaire volontairement banal pour susciter des pensées trop profondes… Non, ce n'est pas le cas. Sauf si on souhaite que ce le soit. On peut l'analyser, lui donner un sens. Mais l'analyse et les pensées profondes ne permettent pas d'échapper à la nouvelle réalité : maintenant, c'était en fait il y a huit mots.

SI ON VEUT QUELQUE CHOSE, IL FAUT ALLER LE CHERCHER

Personne ne nous donne ce qu'on cherche sur un plateau d'argent. Non pas que les gens n'aiment pas déposer des choses sur des plateaux d'argent et les tendre à d'autres. Au contraire, cette activité semble très amusante. Mais la plupart des gens sont tout simplement dépourvus de plateaux d'argent.

UNE POIGNÉE DE PORTE

Je suis au volant de la fourgonnette pleine à craquer : ma mère est assise à côté de moi, tandis que mon père, mon frère Scott, sa copine Rachel et notre grand-père se tassent à l'arrière. Nous roulons vers le sud sur l'autoroute I-5, au nord de Seattle. Je prends la sortie Ballard. Nous sommes déjà en retard. Si nous passons trop de temps à faire le troc avec Annie, nous risquons de rater la partie de base-ball des Mariners. Il est crucial d'assister à cette partie, parce que nous sommes venus exprès à Seattle pour ça. Sans la partie, tout le monde se serait entassé dans la fourgonnette juste pour m'accompagner jusqu'à l'aéroport Sea-Tac, à Seattle. Si nous assistons à la partie, alors le fait de venir passer la nuit à Seattle prend tout son sens. Peut-être devrais-je appeler Annie pour annuler le troc ? Non. En étant diplomates, nous pourrions nous dépêcher. Tout le monde dans la fourgonnette a faim et veut que ça se règle vite, tandis que je tente de convaincre mes compagnons de voyage affamés que ce qu'ils perçoivent comme « une perte de temps alors que nous sommes déjà en retard » risque en fait d'être très agréable. J'essaie de montrer un optimisme infaillible. Tenaillé par la faim, mon père remet en question les mobiles de son fils et la légitimité du séjour à Seattle :

« Baisse le volume de la radio deux secondes !

J'obéis.

Je veux être sûr de comprendre. Dom est partie de Vancouver et toi, tu prends l'avion demain, ici, à Seattle.

- Oui.

- Redis-moi pourquoi tu n'as pas pris le même avion qu'elle. »

Je lui suis très reconnaissant de payer nos billets d'avion, à Dom et à moi. C'est pourquoi j'ai déniché les billets les moins chers.

« J'ai acheté mon billet quelques jours après Dom, et le vol Vancouver-Montréal coûtait alors deux fois plus cher qu'un vol Seattle-Montréal. Vous m'avez dit que vous vouliez voir une partie des Mariners, donc tout le monde est gagnant, non ?

Je le regarde dans le rétroviseur.

- Oui, lâche-t-il sans conviction.

Quelques instants plus tard, il poursuit :

Je ne savais pas qu'il y avait des vols directs Seattle-Montréal.

- Je ne crois pas non plus qu'il y en ait. J'ai une escale.

- Où, à O'Hare ? demande-t-il.

- Non, à Vancouver ! »

Je souris à l'idée qu'un vol Seattle-Montréal avec escale à Vancouver coûte deux fois moins cher qu'un vol Vancouver-Montréal. Mon père n'en revient pas :

« C'est complètement ridicule ! »

D'habitude, c'est le genre de chose qu'il trouve cocasse et qui lui fait dire « C'est la vie ! » Mais aujourd'hui, il penche plutôt vers « Ça ne devrait pas être comme ça ! » Je crois que ça fait trop longtemps qu'il est assis sur la banquette arrière de la fourgonnette. Pour quelqu'un qui m'a encouragé à troquer mon trombone rouge, je ne peux pas dire qu'il déborde d'enthousiasme. Je monte le son de la radio.

Pour changer de sujet, ma mère me tend une brosse et me lance :

« Tu ne peux pas te présenter chez quelqu'un comme ça. Brosse-toi les cheveux ! »

C'est ma mère qui me coupe les cheveux et j'en suis très fier, mais je déteste qu'elle me dise de les brosser. Mes cheveux se coiffent mal. Elle essaie de me fourrer la brosse dans les cheveux et je tente aussitôt de l'en arracher pour la jeter au bout de mes bras, par exemple dans la rue, en pleine circulation.

Avant que nous arrivions chez Annie, mon père recouvre sa bonne humeur :

«Dépêchons-nous pour ne pas rater la partie!»

C'est à ce moment-là que je me rends compte que je n'ai pas l'adresse d'Annie, mais seulement l'intersection la plus proche. Après m'être rendu aussi loin que les notes gribouillées sur ma paume me le permettent, je stationne la fourgonnette pour appeler Annie.

Pendant que je l'entends répondre «Allô, c'est Kyle?», je vois une femme sortir en courant de la maison à côté de nous, téléphone sans fil à l'oreille, qui demande: «Où êtes-vous?» Un quart de seconde plus tard, j'entends «Où êtes-vous?» dans mon téléphone cellulaire. Je referme l'appareil puis je me sors la tête de la fenêtre de la voiture:

«Salut, Annie!»

Annie raccroche et marche dans notre direction. Les portières coulissantes de la fourgonnette s'ouvrent alors pour en déverser tous les occupants, sous l'œil ébahi d'Annie.

«Je ne m'étais pas rendu compte que vous étiez si nombreux à venir!» admet-elle.

Debout sur le trottoir à côté de mon grand-père, je réponds à Annie:

«Disons que nous nous déplaçons en bande, hein, grand-papa?

- Oh oui!» acquiesce-t-il en me lançant un regard complice.

Toute contente qu'elle soit de notre visite, Annie ne semble pas avoir prévu la vitesse avec laquelle une fourgonnette pleine d'inconnus se matérialiserait devant sa maison. Quelque chose me dit que les fourgonnettes pleines d'inconnus ne se matérialisent pas tous les jours devant sa maison. Mais comme je ne la connais pas, je dois lui donner le bénéfice du doute. Nous traversons la galerie avant de pénétrer dans la grande maison en bois.

Annie écarte ses bras pour nous souhaiter la bienvenue:

«Bienvenue dans ma demeure! Je n'ai pas eu le temps de faire le ménage.»

Je jette un rapide coup d'œil autour de moi. C'est le bordel, mais de façon ordonnée. Ou alors c'est ordonné, mais dans un style bordélique. Bref, tout ce qu'il y a de plus normal.

«Il n'y a aucun problème. De toute façon, nous ne pouvons pas rester longtemps, parce que nous allons à la partie des Mariners.»

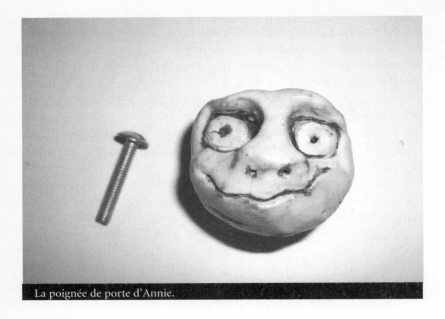
La poignée de porte d'Annie.

- Parlons affaires tout de suite, dans ce cas. Il y a une foule de choses que je pourrais vous échanger.

- Ah oui! Comme quoi?

- Suivez-moi, me répond-elle. J'ai sorti quelques objets.»

Je la suis dans la cuisine. Sur le comptoir, je vois les objets qu'elle a alignés pour moi: un vase, une poignée de porte, une cuiller et une banane.

Je lui montre le stylo en forme de poisson et lui demande: «Qu'est-ce que vous pensez du stylo?

- Il est drôle. Je veux juste faire un troc, peu importe contre quoi.

- Regardez! dis-je en le faisant bouger pour le faire onduler.

- On dirait qu'il nage!

- Oui, comme un vrai poisson!

- Qu'est-ce que vous en dites? me demande-t-elle en montrant les objets étalés sur le comptoir. Vous avez l'embarras du choix!»

Je saisis mon menton avec mon pouce d'un côté, et mon index et mon majeur de l'autre, pour adopter la pose par excellence de la prise de décision importante. Il ne faut pas prendre ça à la légère. Il suffit que je fasse un mauvais choix pour que ma partie de troc soit terminée et que je me retrouve bredouille, à la case départ. La décision que je m'apprête à prendre relève de la plus haute importance. Je me demande tout à coup de quoi je peux bien avoir l'air, ce qui m'extirpe de ma torpeur de soi-disant décideur important. Je me prends pour qui, au juste? Je n'ai fait qu'un seul troc jusqu'à maintenant. Mon choix n'a aucune espèce d'importance, je suis ravi d'être ici. Je regarde le comptoir et saisis la poignée de porte. C'est sa frimousse au sourire large et grimaçant qui attire mon attention.

« Je prends la poignée de porte.

- Entendu ! », répond Annie.

J'échange le stylo en forme de poisson contre la poignée de porte, nous nous serrons la main et ma mère nous prend en photo.

Kyle et Annie font le troc à Seattle.

« Savez-vous ce que j'aimerais vraiment vous échanger contre le stylo ? me demande Annie.

- Non, quoi ? »

Elle pointe le mastodonte en acier :

« Mon frigo !

Je l'observe le temps d'imaginer ce que ça donnerait si je le prenais :

- Je trouve que c'est une idée géniale, mais je ne pense pas que j'aurais le droit de l'emporter avec moi dans l'avion. J'aurais peut-être le droit de le mettre dans la soute, mais je déteste mettre des bagages dans la soute. »

En guise de réaction, Annie fait un sourire de politesse. Je lis la déception sur son visage. Quelque chose me dit qu'elle meurt d'envie de m'échanger le frigo contre le stylo. Ou de tomber sur quelqu'un d'assez naïf pour le sortir de chez elle gratuitement.

Annie nous fait découvrir son jardin et nous montre ses œuvres en céramique. Sa maison est située en face d'un parc à Ballard, une banlieue de Seattle. C'est très joli. Les rues du quartier, construit au début du XXe siècle, respectent un tracé en forme de quadrillé. Les maisons possèdent des galeries avec des marches, et des ronds-points ornés de jardins se dressent aux carrefours. Le jardin d'Annie, quant à lui, est un vibrant hommage à ceux pour qui l'extraction des mauvaises herbes n'est pas une obsession. L'étroite platebande entre le trottoir et la rue est faite de plantes et de fleurs transformées en compost, et de retailles d'œuvres en céramique. Des objets hétéroclites jonchent le sol, et elle profite de notre présence pour nous faire quelques cadeaux. Elle extirpe un vase du sol et le donne à ma mère, qui l'accepte en la remerciant. Sa trouvaille suivante est un vieux peigne crasseux sur le trottoir. Elle l'essuie sur sa cuisse puis me l'offre. Je l'accepte en la remerciant. J'examine le peigne fraîchement décrassé et je hoche la tête. Je ne rêve pas : Annie vient de ramasser un peigne sur le trottoir, de l'essuyer et de me l'offrir. Serait-ce une façon peu subtile de me dire de me brosser les cheveux ? Je regarde ma mère. Peut-être a-t-elle raison, dans le fond. Elle sourit comme une mère qui lève les sourcils et brandit son index, l'air de dire : « Je te l'avais dit ! » Je fourre le peigne dans ma poche. Je pourrais me peigner les cheveux plus tard pour lui faire plaisir. Ou jeter le peigne au bout de mes bras, dans la rue, en pleine circulation.

Je regarde Annie et je lui dis :

« Je suis désolé, mais nous devons filer, pour ne pas être en retard à la partie des Mariners. Et Rachel a très hâte de voir sa première partie de baseball professionnel.

Rachel me fait des yeux de merlan frit.

- D'accord. Merci d'être passés !

- Merci pour l'accueil ! répond ma mère.

- Contre quoi allez-vous échanger la poignée de porte ? me demande Annie.

Après avoir réfléchi à sa question et constaté que je n'y trouve aucune réponse, je dis :

- Je n'en ai aucune idée, mais je sais que ça va m'ouvrir des portes ! »

Ma mère pousse un soupir tandis que Scott y va de la série de gestes et d'onomatopées imitant les coups de batterie qui accompagnent une blague dans les bonnes vieilles émissions de variétés, comme celles de Johnny Carson. Mon jeu de mots est assez banal, mais j'ai comme principe d'insérer de petites métaphores quétaines dans la vie de tous les jours, chaque fois que j'en ai l'occasion.

« Je vais l'échanger contre quelque chose de mieux et de plus gros.

- Super ! Savez-vous avec qui ? demande Annie.

- Non, pas encore.

Annie montre du doigt une Mercedes noire stationnée dans la rue.

- Si vous avez quelque chose d'assez intéressant à m'offrir, je pourrais vous troquer ma voiture !

Nous jetons un coup d'œil au véhicule, qui a déjà connu des jours plus glorieux. Mais ça reste une Mercedes ! Je regarde la poignée de porte dans ma main.

- Si je réussis à échanger la poignée de porte contre quelque chose qui a autant de valeur, je vous fais signe !

- Parfait, au plaisir !

- Au revoir ! » dis-je.

Nous saluons Annie et nous nous dirigeons vers la fourgonnette. Je bondis derrière le volant, mais mon paternel me tend la main en m'ordonnant :

«Va en arrière, fiston!»

Ce que je fais aussitôt.

Dès que nous démarrons, je sens une immense fierté m'envahir. Je viens tout juste de faire mon deuxième troc de la journée! Une poignée de porte, c'est mieux et plus gros qu'un trombone rouge. Sauf si je veux relier deux feuilles de papier. Mais ce qui compte par-dessus tout, c'est que nous nous sommes amusés. Tout le monde partage une certaine fébrilité.

«C'était amusant! Elle est gentille, Annie, lance mon père à la cantonade.

- Elle t'a donné un beau peigne! enchaîne ma mère en me regardant.

Tous, nous éclatons de rire puis je lui réponds:

- C'est bon, maman, tu as gagné le premier round. Mais je ne me coifferai pas les cheveux.

- De toute façon, tu ne devrais pas te mettre ce peigne-là dans les cheveux, elle l'a ramassé sur le trottoir.

Je ne peux résister à la tentation de retourner sa logique capillaire contre elle.

- En fait, je vais peut-être me coiffer avec ce peigne-là.

- Ne fais pas ça!

- D'accord. Je devrais plutôt le jeter dans la circulation.

- Que je te voie faire ça! me lance-t-elle en brandissant son index étiré au maximum, d'un geste réservé aux mères et aux instituteurs.

- Changeons de sujet, dis-je en souriant. Comment avez-vous trouvé la voiture? Ce serait génial de retourner chez Annie et d'échanger quelque chose contre sa voiture!

- Imagines-tu? renchérit ma mère en souriant, heureuse que le peigne ne finisse ni dans mes cheveux ni dans la circulation.

Je réfléchis quelques secondes, le temps de me représenter la scène dans mon esprit.

- Oui, j'imagine parfaitement!

- Ce serait génial! corrobore mon père.

- Quelle journée! Deux trocs en un seul jour! Pas mal, hein? dis-je.

- Oui, mais tu n'as qu'une poignée de porte, répond Scott.

- Oui, mais quelle frimousse et quel sourire! lui rétorqué-je.

- Je suppose que c'est drôle!

- En tout cas, c'est beaucoup mieux qu'un trombone rouge.

- Tu as raison, me concède mon frère d'une voix geignarde mais sarcastique.

Il enchaîne en levant ses mains au ciel et en déclarant solennellement :

- De toute façon, les déchets des uns sont les trésors des autres !

Il pousse un ricanement narquois. Je le corrige d'une voix architéteuse, en brandissant mon index vers lui et en arborant le ton neutre du politiquement correct :

- Tu veux dire : les déchets des unes sont les trésors des autres !

Les yeux enflammés, je me tourne vers Rachel et attends sa réaction. Elle émet un ricanement nerveux.

- Oh là là ! » se contente de dire mon frère, en hochant la tête.

Notre conversation ne va pas plus loin. Nous avons tous faim et mon dernier commentaire vient de prouver que nous n'avons plus rien à dire.

Nous sommes assis sur nos sièges, dans les gradins inférieurs du stade Safeco Field, à côté du poteau de démarcation du champ droit. Quand Ichiro Suzuki, vedette japonaise des Mariners, vient au bâton, un groupe de jeunes Japonaises à côté de nous se met à s'époumoner :

« ICHIRO ! ICHIRO ! »

Leurs cris sont presque hypnotiques. Les groupies sortent alors des appareils jetables pour croquer leur héros à plus d'une centaine de mètres. Je me demande à quel point Ichiro se ressemblera sur des photos prises d'aussi loin. Mon pronostic : il sera méconnaissable.

Je me mets à penser à ma journée et aux succès retentissants que j'ai remportés. Jusqu'à maintenant, les lendemains sont toujours restés en devenir. Ça fait longtemps que je remets demain à demain. Mais aujourd'hui, il y a des choses qui arrivent. Demain a pris forme aujourd'hui. J'ai troqué mon trombone rouge et je me suis éclaté toute la journée. J'ai rencontré trois personnes fascinantes et j'ai découvert de nouveaux endroits. J'ai même hérité d'une poignée de porte. J'aurais aimé passer plus de temps avec Annie, mais une visite éclair, c'est mieux que rien.

« ICHIRO ! ICHIRO ! » hurlent les filles.

Mon frère m'accroche l'épaule du doigt pour me tirer de mes pensées. Il sourit en pointant vers la droite. Au bout de la rangée, notre grand-père tente de se frayer un chemin à travers les groupies d'Ichiro. Les filles qui crient lui arrachent un sourire. Il n'a pas les mains vides. En arrivant à côté de nous, il nous offre deux boîtes de carton :

« Voulez-vous des Cracker Jack, les gars ?

- Oui ! », lui répondons-nous en chœur.

La journée d'aujourd'hui va passer dans les annales, mais j'ai vraiment hâte à demain. Demain ne perd rien pour attendre !

J'AI DÉJÀ ENTENDU CETTE HISTOIRE, MAIS JE VEUX L'ENTENDRE DE NOUVEAU

La plupart des histoires sont des variantes d'histoires qui existent déjà. Mais si on est obnubilé par la similitude entre son histoire et celles qui existent déjà, on est vite découragé. Le truc, c'est de penser à ce qui différencie son histoire de celles des autres, et de la raconter.

MAINTENANT, C'EST MAINTENANT. ET MAINTENANT. ET MAINTENANT.

Ce sera maintenant tout à l'heure aussi. « Maintenant », c'est une sorte de zone grise perpétuelle, sandwichée entre « avant » et « après ». « Maintenant » est toujours présent, donc nul besoin de se mettre de la pression pour profiter de maintenant. Mais si on ne profite pas de maintenant, maintenant devient avant. Le truc, c'est de voir venir après et d'en profiter au fur et à mesure que ça devient maintenant, c'est-à-dire de transformer maintenant en avant à chaque nouveau maintenant. Mais de loin, le plus trépidant de tous les maintenant, c'est maintenant.

LA PERSONNE LA PLUS FACILE À CONVAINCRE, C'EST SOI-MÊME

À moins que l'on ait un petit frère crédule. Les idées que l'on a sont bonnes. Surtout de son point de vue à soi. C'est ce qui est bien. On a beau parler tant qu'on veut, la seule façon de convaincre quelqu'un de quoi que ce soit, c'est de concrétiser ses idées.

UN RÉCHAUD DE CAMPING

Le lendemain dépasse toutes mes attentes.

Dès mon retour à Montréal, je me dirige vers la porte de l'armoire en dessous de l'évier, pour en arracher la vieille poignée. Je visse la nouvelle poignée et j'ouvre aussitôt la porte. Stupéfiant. Je jette un coup d'œil aux produits nettoyants. Je referme la porte puis la rouvre. Les produits nettoyants sont toujours fidèles au poste. Ils semblent aux anges. Je me demande si ça les comble de bonheur d'être maintenant protégés par une porte d'armoire à la poignée ornée d'une frimousse. Si j'étais un produit nettoyant, je serais transporté d'allégresse. Je souris. Puis je me rappelle que j'ai décidé de troquer la poignée de porte le plus vite possible, ce qui risque fort de déplaire aux produits nettoyants. Il est donc prudent de ne pas souffler mot de mon troc aux produits nettoyants. Après tout, ils sont mortels. Mais bon, ils s'en remettraient. Ils s'en remettent tout le temps.

Je retourne à l'ordinateur pour consulter ma boîte de réception. Une foule d'offres pour le trombone rouge s'y entassent, effet pervers de mon pollupostage sur les sites de Craigslist. Plus d'une centaine de personnes ont quelque chose à m'offrir en échange. Je réponds à chacune d'entre elles et je colporte la mauvaise nouvelle : parti, le trombone rouge ! Mais avis aux troqueurs intéressés : j'ai maintenant une poignée de porte affublée de la frimousse de E.T. après une ingestion de substances hallucinogènes.

Nombreux sont ceux qui prenaient pour un canular la première offre de troc du trombone rouge. Peu de gens croyaient en ma volonté sincère de troquer un trombone rouge. Je suis inondé de réponses sarcastiques telles que: «Je ne suis pas intéressé à la poignée de porte, je n'avais d'yeux que pour le trombone rouge!»

Mais certaines offres véritables se fraient un chemin:

```
*****J'ai toujours rêvé d'une poignée de
porte affublée de la frimousse de E.T. après
une ingestion de substances hallucinogènes!
Voulez-vous le troquer contre une chatte à
Milwaukee, au Wisconsin? Je vous donnerai
même une ou deux Bud Select. Il s'agit d'une
adorable chatte que j'ai recueillie, car elle
était enceinte. Elle a accouché, les chatons
sont maintenant sevrés et je leur ai trouvé
un foyer d'accueil. Mais il me reste à déni-
cher un endroit pour la mère, puisque mon
colocataire est allergique. Non seulement
seriez-vous muni d'une excuse formidable pour
venir à Milwaukee, mais ce serait une belle
façon d'offrir un foyer à la chatte, ce qui
s'avère en fait de plus en plus difficile. Il
vous faudrait ensuite trouver un amoureux des
chats pour obtenir quelque chose de mieux et
de plus gros en échange.

:) Brandis

-------

*****KYLE,

J'utilisais récemment les sites de Craigslist
peu fréquentés de différentes villes dans le
monde pour faire de la publicité pour mon
site. (Je n'ai pas de remords car il y a des
endroits où personne n'utilise Craigslist.)
Je suis tombé sur votre site en consultant le
site de Craigslist de Tokyo. Je ne voulais
pas le stylo, même s'il a l'air époustou-
flant. Je suis tombé sous le charme de la
```

poignée de porte. Je sais que je devrais
attendre que vous ayez quelque chose de mieux
à échanger, mais je ne peux m'empêcher de
penser à la poignée de porte. Voici donc ce
que je vous offre en échange :

un petit marin saolu (sic) en plastique (il
permet d'entreposer une bouteille grâce à sa
bouche ouverte et à sa main).

Nathan, un voyou paresseux qui gère sa propre
entreprise à Austin, au Texas.

J'ai donc le choix entre un petit marin « saolu » en plastique
provenant d'un voyou paresseux qui gère sa propre entreprise à
Austin, au Texas, et une chatte de gouttière qui vient tout juste
de terminer son congé de maternité à Milwaukee. Je meurs d'envie de partir sur-le-champ pour le Wisconsin afin d'aller sauver
une chatte que je ne connais pas, ou aider un maître texan du
pollupostage à se débarrasser de ses traîneries, mais je sais que je
ne ferai ni l'un ni l'autre. Car je suis fauché. Le troc doit soit se
faire dans les environs de Montréal, soit coïncider avec le voyage
que je prévois faire. La semaine suivante, je dois me rendre à
New York avec mon ami Allan. Tout ce qui pourrait s'insérer
dans notre voyage de six heures entre Montréal et New York
ferait l'affaire. Je mets donc une annonce dans la section des
trocs du site de Craigslist de chacune des villes se trouvant sur la
trajectoire Montréal — New York.

Ma vie est devenue une véritable aventure dont vous êtes le
héros. Tout peut arriver. Les possibilités sont infinies. Chaque
troc potentiel mène à une aventure différente. Mais je ne peux
pas garder ma page avec l'index et entrevoir l'éventail de scéna-
rios qui s'offrent à moi afin de choisir le meilleur. Je ne peux
pas tricher au jeu du troc. Il faut que je fasse de vrais trocs. Une
fois que j'ai fait un troc, je ne peux pas revenir en arrière. Il faut
jouer de prudence. À la moindre erreur, je risque d'être aspiré
dans un trou noir assez horrifiant pour faire grimacer un élève
de troisième année pendant la période de lecture obligatoire.

On dirait que les trocs se choisissent d'eux-mêmes. Certains
expéditeurs de courriels sont munis d'une personnalité hors

du commun et suscitent chez moi le désir d'en apprendre davantage sur eux et de faire un troc avec eux. D'autres jouissent de la situation géographique parfaite. Certains cumulent les deux avantages, comme Shawn, de l'ouest du Massachusetts:

```
*****KYLE,


Je raffole de la poignée de porte. Elle serait
parfaite  pour  le  dessus  de  ma  cafetière
expresso. Elle m'est indispensable. Je vous
offre le nec plus ultra en échange: un réchaud
de camping Coleman à deux brûleurs. C'est
bien  plus  gros  et  beaucoup  mieux  qu'un
trombone, un stylo en forme de poisson ou une
poignée de porte. Mais la poignée m'inter-
pelle, et je suis captivé par votre expérience
sociologique. La consultation de votre blogue
me laisse croire que vous êtes quelqu'un de
fascinant. Je vous souhaite beaucoup de succès
dans  la  vie,  étant  donné  votre  ouverture
d'esprit. Je suis à des années-lumière d'être
un hippie ou de vous draguer, mais je ne sais
pas  comment  m'exprimer  sans  avoir  l'air
quétaine. En passant, j'ai construit ma vie
grâce au système du troc. Je conduis présen-
tement une camionnette Chevrolet Blazer 1993,
que j'ai eue en échange d'un vieil ordinateur
portable, que j'avais acheté au début de mes
études il y a trois ans.
```

Un réchaud de camping? Ça commence à être intéressant! Qu'est-ce qu'il a écrit, déjà? «En passant, j'ai échangé mon portable contre une camionnette». Shawn est un vrai troqueur. Il faut que je le rencontre. Emballé, je lui réponds:

```
SHAWN,


Merci  pour  l'avertissement  antihippie  et
antidrague. Il vaut mieux mettre les points
```

sur les « i » dès le début. Bravo pour la tactique. Où habitez-vous dans l'ouest du Massachusetts

----

SHAWN :

À Amherst. Si vous me réservez la poignée de porte, je vous garantis une bonne bière froide !

Je suis de plus en plus intrigué.

KYLE :

Parfait. Je serai là la semaine prochaine. Que pensez-vous du lundi 25 en début d'après-midi ?

SHAWN :

Super. Je vous attendrai. Si, pour une raison obscure, vous devez m'appeler...

Il me transmet son numéro de téléphone. Je tente d'imaginer une raison assez obscure pour que j'appelle Shawn, mais je n'y arrive pas. Je n'en gribouille pas moins le numéro sur un bout de papier. Une raison obscure pourrait me venir à l'esprit une autre fois. Je me fais une fierté d'être excellent pour trouver des raisons obscures à toutes sortes de choses.

Dom fait irruption dans ma chambre à ce moment précis pour me demander :

« Alors, monsieur Poignée de porte, quel est votre prochain troc ?

— Un réchaud Coleman.

— C'est quoi ça ? demande-t-elle.

— C'est comme une petite cuisinière à gaz, pour le camping.

Le réchaud de camping de Shawn.

- Ah, un réchaud de camping !
- Voilà !
- Où vas-tu chercher ton réchaud de camping ?
- À Amherst.
Dom me lance un regard confus :
- C'est quoi, ça, «Hamherst» ? »
En plus d'avoir un accent québécois qui lui fait ajouter un H au début de chaque mot anglais qui commence par une voyelle, et enlever le H de tous les mots qui commencent par la lettre H, Dom peut être complètement sidérée par une chose qu'elle ne connaît pas. Le nom de la ville d'Amherst l'a désarçonnée. Je suis sûr qu'elle n'en a jamais entendu parler.

«Je vais te montrer ! dis-je en allant chercher une carte pour lui montrer l'emplacement.
- Ah, c'est au Massa'chusetts ?
- Oui !
- Quand vas-tu là ?
- Très bientôt. »
Quelques jours plus tard, Allan et moi montons à bord de notre Corolla rouge pour rendre visite à Shawn à Amherst. Même

si l'après-midi tire à sa fin, c'est la canicule, et le taux d'humidité est très élevé. Shawn n'est pas encore là. En regardant l'abri d'auto, je vois immédiatement le réchaud de camping. Allan, qui l'a vu aussi, me lance :

« Ton réchaud est là ! Veux-tu aller le chercher pour le prendre en photo ?

- Non, je veux attendre Shawn. Si je ne l'examine pas tout de suite, ce sera plus facile après de dire que je le vois pour la première fois ! » lui réponds-je.

Une Chevrolet Blazer rouge, avec au volant un homme qui est vraisemblablement Shawn, pénètre dans l'entrée de garage et s'immobilise. La portière du passager s'ouvre pour laisser sortir de la camionnette un guerrier kung-fu torse nu.

« Hiiiiiya ! crie le jeune garçon.

Ses poings fendent l'air en notre direction. Ses yeux sont enflammés. Il court vers moi et nous apostrophe :

- Qui êtes-vous ?

Il assène un coup de pied circulaire au genou d'Allan puis enchaîne en fendant l'air de son poing en face de moi, avec une précision étonnante.

- Je m'appelle Kyle, et lui c'est Allan. Nous sommes ici pour faire un échange.

- Ah oui ? Quel genre d'échange ? demande le garçon.

- Nous aimerions échanger une poignée de porte contre un réchaud de camping. Qu'en penses-tu ?

- Une poignée de porte ? demande-t-il.

- Oui, une poignée de porte !

Il regarde la Blazer en plissant le front et demande :

- Papa, pourquoi avons-nous besoin d'une poignée de porte ?

Son père sort de la camionnette.

- C'est pour la cafetière expresso.

- Super ! répond le guerrier kung-fu.

Son regard surprend aussitôt quelque chose d'intéressant au loin. Il déguerpit pour aller voir. Son père tend sa main droite :

- Kyle ! Bonjour ! Shawn ! Je vous reconnais grâce à votre site. Et vous êtes…

- Allan, répond Allan.

- Parfait! Ravi de vous rencontrer. Je suis content que vous soyez venus. Lui, c'est mon fils, il s'appelle Seamus. Il sort de son cours de natation. C'est pour ça qu'il est plus agité que d'habitude.

Shawn prend une bouteille de la caisse de six qu'il tient sous le bras. Elle semble froide. Il relève les sourcils en nous regardant.

- Oui, lui répondons-nous.

- Avez-vous faim? nous demande-t-il.

- Oui!

- Le réchaud de camping est juste là, dit Shawn en décapsulant sa bière. J'imagine que vous l'avez déjà pris en photo.

- Oui, il est là! dis-je en le regardant. Non, nous n'avons pas pris de photo.

Shawn semble indifférent.

- Faisons le troc avant de manger, pour que ce soit réglé.

Je fourre ma main dans ma poche, en tire la poignée de porte et lui dis:

- Voici la poignée de porte!

Shawn regarde la poignée puis me jette un regard.

- Un instant! Je ne peux pas faire de troc avec toi.

- Pourquoi?

- Parce que tu ne portes pas ta chemise de troc, répond-il.

- Ma chemise de troc?

- Oui, la chemise rayée. Celle que tu portes sur les photos de ton site Web. Tu ne peux pas faire un troc sans ta chemise de troc officielle, m'explique Shawn.

- Tu veux dire la chemise de Ricky? Ce n'est pas vraiment ma chemise de troc officielle. Il se trouve que je l'ai portée pour les deux premiers trocs...

Shawn a la mine déconfite. Il penche légèrement la tête:

- Je croyais que tu la portais pour tous les trocs.

Pour ne pas décevoir Shawn, je lui dis:

- Ce n'est pas ma chemise de troc officielle, mais dans le fond, pourquoi pas!

Il relève assez la tête pour que je voie naître l'espoir dans ses yeux:

- C'est ta chemise chanceuse, non?

J'y pense quelques secondes puis j'acquiesce:

- Oui, c'est ma chemise chanceuse! En fait, non. C'est la chemise chanceuse de Ricky. C'est pour lui que je la porte.

- L'as-tu apportée? s'informe-t-il en laissant jaillir l'espérance de ses yeux.

- Oui, elle est dans mon auto, dis-je en faisant le geste inutile qui consiste à pointer nonchalamment mon pouce par-dessus mon épaule, tandis que je tiens ma bière de l'autre main, pour indiquer, de la façon la plus superflue qui soit, que mon véhicule se trouve derrière moi.

- Qu'est-ce que tu attends? Veux-tu faire le troc, oui ou non? » demande-t-il.

Je pivote sur moi-même, cours vers la voiture et enfile sur-le-champ la chemise de Ricky. Je suis très content de l'avoir emportée. Pas juste content, très content. Shawn a raison, j'ai besoin d'une chemise chanceuse de troqueur. Jusqu'à présent, la chemise de Ricky s'est avérée chanceuse.

Allan croque les deux troqueurs en train de faire le troc. Les clichés sont aussi quétaines qu'on puisse l'imaginer. Shawn ajoute une bombonne de combustible dans le marché. J'ai maintenant un réchaud de camping *avec combustible*.

La Ceinture noire, je veux dire Seamus, revient disputer le deuxième round. Devant l'objectif, ses mouvements s'inspirent autant des ninjas que de Bruce Lee. Il adore l'objectif. Il adore recevoir de l'attention.

Seamus, Kyle et Shawn font l'échange à Amherst.

Nous sommes debout en face du barbecue sur lequel cuisent les steaks. Je demande à Shawn :

« Est-ce que c'est vrai que tu as échangé un ordinateur portable contre une camionnette ?

- Celle-là, dit-il en pointant sa Chevrolet. Pas mal, hein ? Et la maison que tu vois, dit-il en pointant sa demeure, je l'ai acquise en gardant la maison de quelqu'un. C'est un échange que j'ai fait grâce à Craigslist. »

Aucun doute là-dessus : Shawn est un vrai. C'est un gars qui a du succès dans ce qu'il entreprend. Il se démarque par sa vivacité. C'est un catalyseur. Il me donne envie de catalyser les choses. Shawn est un troqueur légendaire. Moi, je suis emballé à l'idée de troquer une poignée de porte contre un réchaud de camping destiné aux déchets, alors que le gars en face de moi me montre de son doigt la camionnette qu'il a eue en échange de son vieux portable. Je suis en présence d'un expert, c'est certain. Shawn vient de la région de San Francisco. C'est un gaillard gentil et très énergique, à la fois hyperactif et décontracté. Un homme d'idées, c'est sûr. Ma rencontre avec Shawn est la preuve que le jeu du troc a du potentiel. Mais ce n'est plus seulement une idée, c'est maintenant tangible. Finalement, ma série de trocs n'aura pas été qu'une succession de coups de chance rendus possible par Craigslist. Shawn désire véritablement m'aider à obtenir une maison au bout d'une série de trocs.

Tandis que je prends une généreuse gorgée de bière, Shawn me dit :

« C'est bon que vous soyez venus maintenant, parce que je viens de finir mes études à l'Université du Massachusetts, et je déménage dans le district de Columbia dans deux semaines.

- Des études en quoi ? lui demandé-je.

- Journalisme. Je déménage avec ma camionnette, donc il n'y a pas beaucoup de place. J'ai un autre réchaud de camping, et je ne peux pas en rentrer deux dans la camionnette. J'ai donc essayé de vendre mon deuxième réchaud à une braderie la semaine dernière. Comme ça n'a intéressé personne, je l'ai mis sur le bord de la route, avec l'inscription GRATUIT dessus. Rien à faire, toujours pas de preneur. Mais quand j'ai vu ton annonce dans la section des trocs sur Craigslist, je t'ai écrit un courriel sur-le-champ. Je me suis dit que ça te permettrait de passer à un niveau supérieur de troc !

- Heureusement que tu ne l'as pas vendu ! » lui réponds-je.

Shawn, Seamus, Allan et moi mordons avidement dans de gigantesques sandwichs au steak. Je n'ai jamais mangé de sandwich au steak aussi bon. Petite note à moi-même : vite me procurer d'autres poignées de porte. Nous nous acharnons sur la poignée de porte cassée de la cafetière expresso de Shawn, mais elle ne bronche pas.

« Je l'arracherai une autre fois, avec des pinces. Je peux t'envoyer une photo si tu veux, dit Shawn en me regardant.

- Ce serait génial, dis-je en finissant de mastiquer ma bouchée. Mais pas aussi génial que ce sandwich au steak !

Shawn sourit en regardant la poignée de porte :

- J'aimerais beaucoup installer la nouvelle poignée de porte, mais bon, on ne peut pas tout réussir dans la vie. »

Shawn a le goût de parler. Il a des choses à partager avec nous.

Seamus part comme une flèche, après avoir abandonné sur la table son sandwich au steak à demi entamé. Son père le rappelle aussitôt :

« Seamus, vas-tu finir ton assiette ?

- Je n'ai plus faim, papa, répond le garçon.

- Je pense que tu devrais finir ton sandwich. Sinon, nous ne pourrons pas finir la partie de Pirates des Caraïbes. »

Le fait d'envisager une soirée sans jeux vidéo avec son père convainc Seamus sur-le-champ de changer d'idée. Il revient donc en courant pour s'attaquer de plus belle au sandwich de bœuf grillé. Son père le regarde d'un air à la fois fier et pensif. Il est évident que quelque chose tracasse Shawn, et que trouver un preneur pour son réchaud de camping est le cadet de ses soucis. Seamus engloutit la dernière bouchée puis court s'exercer aux arts martiaux dans un style libre, le ventre plein. Shawn le voit disparaître derrière un coin, nous regarde et nous dit :

« Seamus va vivre avec sa mère à San Francisco. Il ne le sait pas encore.

Je prends une gorgée de bière.

- Il s'en va la semaine prochaine. »

J'avale ma gorgée de bière.

J'ignore tout de la séparation. Mes parents sont ensemble. Ils ont toujours été ensemble. La séparation doit être très difficile, surtout quand on a des enfants. Je me sens coupable de passer du temps avec Shawn. Il ne lui reste qu'une semaine avec son fils. Mais à l'évidence, il souhaite discuter un bon bout de temps avec nous. Il allume une cigarette. La situation est délicate. Il apprécie notre compagnie. C'est comme si le fait que nous soyons de parfaits étrangers lui avait apporté un souffle nouveau dans un moment difficile de sa vie. Il a besoin de souffler, fut-ce cigarette au bec!

Alors que Shawn est animé d'une énergie nerveuse, son fils Seamus est animé d'une énergie pure. Une énergie décuplée par son ventre rempli d'un excès de viande et l'annonce d'un bon vieux duel père-fils à la console de jeu. En voyant Seamus s'approcher de nous un boyau d'arrosage à la main, Shawn cache sa cigarette sous la table de pique-nique.

Seamus est fin prêt pour l'affrontement:

«Quand allons-nous jouer, papa?

- Bientôt, mon gars. Mais avant, va donc arroser les plantes en avant de la maison, s'il te plaît!»

Seamus fait la moue pour exprimer son mécontentement, mais Shawn lève les sourcils et hausse les épaules, l'air de dire: «Moi non plus, je n'aime pas ça, mais c'est comme ça.»

Seamus, pour ne pas forcer sa chance, s'empresse d'aller arroser les plantes. Dès qu'il disparaît au coin de la maison, Shawn prend une bonne bouffée. Il expire et dit:

«Il ne sait pas non plus que je fume.»

Allan et moi hochons la tête pour manifester poliment notre approbation. Nous convenons tacitement qu'il y a des choses qui sont personnelles.

Shawn écrase son mégot puis se tourne vers moi:

«Jusqu'où comptes-tu aller au jeu du troc?

J'y pense quelques instants avant de répondre:

- Je n'en ai aucune idée. Je vais peut-être me rendre jusqu'à quelque chose d'impressionnant. Mon but, c'est de faire des trocs avec des gens et de voir où ça va me mener. Sur mon blogue, j'ai écrit que je voulais faire des trocs jusqu'à ce que j'obtienne une maison, mais c'était pour rire.»

Shawn prend une gorgée de bière, jette un coup d'œil au réchaud puis à sa camionnette. Il lui vient une idée:

«Tu sais, je connais des gars à Baltimore qui pourraient t'échanger un ordinateur si tu continues à hausser le niveau de tes trocs. Si tu obtiens quelque chose de mieux qu'un réchaud de camping, ça pourrait se faire. J'ai échangé mon portable contre la camionnette. Si tu te rends jusqu'à un ordinateur, tu peux sûrement le troquer contre une voiture d'occasion.

- Je suis sûr que c'est possible. Il faut que je continue à troquer, lui réponds-je.

- Fais-tu souvent des trocs ?

- Tu es la troisième personne avec qui je fais un troc. Je ne suis qu'un débutant.

- C'est pour ça que je voulais te donner le réchaud de camping. Pour ajouter un peu de viande au projet, sans mauvais jeu de mots. On peut troquer des stylos et des poignées de porte *ad vitam æternam*. Je voulais te donner quelque chose de franchement mieux et de plus gros.

Je souris et je lui réponds :

- C'est sûr que le réchaud est mieux et plus gros que les objets que j'ai eus jusqu'à maintenant, mais je ne vois pas comment je pourrais l'utiliser pour ouvrir le dessus de ma cafetière expresso.

- Moi non plus, répond Shawn en faisant un rictus.

- Je sais que le réchaud est un restant de braderie, mais je suis content.

- Tant mieux, mais c'est juste un objet. Ce qui compte, c'est de passer du temps ensemble. Oublie le réchaud ! C'est génial que nous nous soyons rencontrés !

- Je suis tout à fait d'accord. Mes trocs sont autant de tremplins vers des aventures rocambolesques ! dis-je.

- Et vers de la bière, ajoute Allan.

- Oui, ça fait du bien ! dis-je en choquant ma bouteille contre celles de mes deux compagnons.

Shawn prend une gorgée de bière et jette encore un coup d'œil au réchaud de camping :

- Tu sais, on peut faire des trocs jusqu'à l'infini. On peut toujours continuer si on veut. Je suis sûr qu'en y mettant du temps, on peut se rendre jusqu'à une maison. »

J'avale ma gorgée de bière. J'ai pensé à me rendre jusqu'à une maison dès que j'ai vu le trombone rouge sur mon bureau. Je sais que c'est possible, mais je me contente de faire des trocs pour m'amuser et de voir jusqu'où ça peut me mener. Disons poliment que je ne recherche pas l'engagement à tout prix. Avant de m'investir corps et âme dans une activité, je veux être sûr que c'est la bonne. Je veux tester la profondeur de l'eau avant de plonger. Pour l'instant, je n'ai pas besoin de courir le risque de me fracasser la tête au fond de l'étang. Je sais que c'est possible d'obtenir une maison à coups de trocs, mais est-ce que ce serait agréable? Tout est possible, mais certaines choses ne valent pas la peine qu'on leur consacre des efforts. Je peux faire une série de trocs jusqu'à ce que je me rende à une maison, mais est-ce que la maison vaudrait autant que tout le temps et l'argent nécessaires pour réaliser les trocs? Je m'imagine en train d'allonger des milliers de dollars pour faire livrer des objets de plus en plus encombrants aux quatre coins du pays. J'échangerais d'abord le réchaud de camping contre un piano abandonné à Anchorage. Puis je troquerais le piano contre une Chevrolet Lumina 1995 sans enjoliveurs en Floride. S'il y a une chose de certaine, c'est qu'à un moment ou un autre, je vais me retrouver avec une Chevrolet Lumina 1995 sans enjoliveurs. J'échangerais la voiture dépourvue d'enjoliveurs contre deux semaines d'hébergement à Hawaii, que je troquerais contre une maison mobile pourrie à Terre-Neuve, que j'échangerais pour finalement obtenir un bungalow situé au cœur des bayous de la Louisiane et infesté de sauterelles. Les frais de transport seraient vertigineux. Je m'imagine alors me désâmer pour obtenir une maison à coups de trocs, faire une pendaison de crémaillère de tous les diables puis vendre aussitôt ma maison pour régler les montagnes de dettes contractées auprès d'entreprises de transport et d'extermination. Si la chance me sourit et si je choisis judicieusement mes trocs, je peux peut-être rentrer dans mon argent en vendant la maison. Je sais que je peux me rendre jusqu'à une maison, mais si je dois passer par un bungalow infesté de sauterelles au cœur des bayous de la Louisiane, j'avoue que j'hésite. Je déteste les sauterelles!

Shawn me ramène à la réalité:

«Prends ton temps et laisse les choses aller. Tu n'as pas de date limite, profites-en. Tu peux passer le restant de ta vie à faire ça, si tu veux.»

Le fait que Shawn me dise que je peux acquérir une maison à coups de trocs jette une tout autre perspective sur mon projet. Si lui pense que c'est possible, c'est-à-dire si quelqu'un d'autre que moi pense que c'est possible, si d'autres personnes pensent que c'est possible, ce l'est certainement. La lune n'a pas été conquise par un seul homme. Si je trace moi-même le chemin de mes trocs, les gens croiront en mon projet et me feront des offres de plus en plus alléchantes. Si je rencontre d'autres personnes comme Shawn, il est peut-être possible d'obtenir une maison après tout. Peut-être, et j'insiste sur le peut-être, ne croulerai-je pas à la fin sous le poids de dettes accablantes. Peut-être ne verrai-je même pas l'ombre d'une sauterelle. De toute façon, jusqu'à maintenant, je n'ai pas dépensé un cent sur le projet. Mais il faut admettre que jusqu'à maintenant, les objets que j'ai troqués tenaient dans ma main.

Je regarde Shawn, qui lève ses sourcils de nouveau :

« Une autre bière ?

- Avec grand plaisir » lui réponds-je, en hochant la tête pour revenir sur terre.

Un simple coup d'œil au réchaud fait disparaître d'un coup la pendaison de crémaillère de tous les diables et me ramène à la réalité. Ah, la réalité ! Mon inséparable compagne, la réalité ! Dans la réalité, justement, je suis un gars assez naïf pour partir avec le vieux réchaud de camping de quelqu'un qui s'apprête à déménager. Dans la réalité, je suis un épais. Je représente une façon gratuite pour Shawn de se débarrasser de ses déchets. C'est aussi con que ça. Je n'ai pas de stratégie à tout casser. Je suis un têteux. Il m'a sans doute raconté ses histoires de troc de maison à l'eau de rose pour détourner mon attention du réchaud.

Comme si Shawn comprenait mon désarroi, il me lance :

« Kyle, c'est super, ton projet. Peu importe jusqu'où tu te rends dans tes échanges, c'est bien de faire des trocs et de rencontrer des gens. Tu vas t'amuser. Je suis sûr que tu peux relever le défi.

Il lève les sourcils avant de continuer :

- Après tout, tu portes un uniforme.

Il lève sa bouteille en disant :

À ton périple !

- Et aux meilleurs sandwichs au steak d'Amherst ! ajoute Allan.

- Parfaitement d'accord ! » conclus-je avant de prendre une gorgée de bière.

Elle est très chaude ! Pas la bière, la température. La bière est glacée. Présentement, je préfère de loin une bière glacée ou un réchaud de camping à une maison. Nous nous apprêtons à aller à New York avec une Corolla rouge. Une maison, ça ne rentre pas dans une Corolla rouge.

Seamus, sans son boyau d'arrosage, accourt vers nous. Shawn le regarde et lui demande :

« Une partie, mon gars ? »

Allan et moi saluons Shawn et Seamus. Nous promettons d'envoyer à Shawn certaines des photos que nous avons prises, surtout les douzaines qu'Allan a croquées de Seamus en pleine acrobatie de ninja. Nous montons dans la Corolla rouge et démarrons.

Shawn a raison. Les objets n'ont pas d'importance. Aussi cliché que ça puisse paraître, c'est l'expérience qui compte. Je repense à l'expression « Chaque voyage commence par un pas ». Mon voyage a commencé quand j'ai troqué un trombone rouge contre un stylo en forme de poisson. C'est en échangeant le trombone rouge que j'ai franchi mon premier pas.

C'est à ce moment précis, en roulant dans la Corolla devant une large demeure blanche et en direction d'un coucher de soleil, transporté par l'euphorie que m'a procurée le troc, que je décide d'appeler le jeu du troc le trombone rouge. Dorénavant, je ne parlerai que du trombone rouge. Le trombone rouge représente le chemin que j'ai parcouru jusqu'ici, mais surtout, celui que j'emprunterai à l'avenir. Je peux emprunter n'importe quel chemin à l'avenir. Je dispose même d'un uniforme !

PLUS LES CHOSES CHANGENT, PLUS ELLES SONT DIFFÉRENTES

Voici une autre pensée tordue pour se creuser l'esprit. Mais si on prend le temps d'y penser, on se rend compte que c'est vrai.

NE VOUS DEMANDEZ PAS CE QUE VOTRE ESPRIT PEUT FAIRE POUR VOUS, DEMANDEZ-VOUS CE QUE VOUS POUVEZ FAIRE POUR VOTRE ESPRIT

Bien sûr, je paraphrase J. F. Kennedy. Au moins, il s'agit d'un bon discours. Ne vous demandez pas comment entraîner votre esprit à travailler pour vous, demandez-vous quels gestes vous pouvez poser pour vous procurer la paix d'esprit. Est-ce que c'est la bonne chose à faire? Sinon, comment s'arranger pour faire ce qu'il faut?

UNE GÉNÉRATRICE ROUGE

De retour à Montréal, j'ai de grands projets. Sur mon site, j'affiche les anecdotes de mes échanges avec Rhawnie et Corinna, Annie puis Shawn. Je télécharge les photos des trocs pour prouver aux gens que je ne suis pas un pervers du troc qui souhaite garder l'anonymat ou un vil adepte du pourriellage. Je suis seulement un gars de Montréal qui a un réchaud de camping. Je veux juste faire des trocs.

Mon blogue se trouve encore sur la page obscure d'un site Web, mais j'ai acheté le nom de domaine www.oneredpaperclip. com et j'ai fait faire le transfert automatique de l'ancien site au nouveau, pour qu'on y accède aisément. Je modifie le blogue pour le rendre plus convivial. Dans un but de simplicité, j'entreprends d'utiliser l'adresse électronique oneredpaperclip@gmail.com. Je procède à une transformation radicale: le jeu du troc devient le «trombone rouge». Le nom «trombone rouge» me permet de me démarquer, car il m'appartient en propre. C'est ça, le truc! Des douzaines et des douzaines de personnes consultent www. oneredpaperclip.com chaque jour. Ça va être un jeu d'enfant de trouver un troqueur! Il ne me reste plus qu'à attendre de me faire ensevelir par les offres.

Donc, j'attends.

Et j'attends.

C'est l'été. Les gens sont paresseux et je ne fais pas exception. Je ne croule pas sous les offres de trocs comme j'avais prévu. Et les rares que je reçois me confirment que je fais bien d'en profiter pour me détendre:

*****D'un Kyle à l'autre! Ce matin, je me relaxais sur ma superbe bergère à oreilles rouge (oui, je sais, ce n'est pas aussi moelleux qu'un canapé, mais bon, moi, je suis mou, alors ça revient au même) en pensant à tout ce qui va mal dans ma vie, quand je me suis rappelé le courriel que vous m'avez écrit en rapport à mon besoin pressant d'un réchaud Coleman. Je m'étais dit alors : «Quelle situation fâcheuse : d'un côté, un Kyle possède un réchaud Coleman en excellent état (qui vient avec du combustible) et de l'autre, un Kyle a grandement besoin d'un réchaud Coleman en excellent état. Mais comme j'ai passé la fin de semaine en camping, je n'ai pas pu me procurer votre réchaud.

Je me suis mis à réfléchir. Vous êtes persévérant! Vous voulez avoir une maison gratuitement. Je me suis demandé ce qui fait qu'une maison est un chez-soi. Le mobilier, bien sûr! Je me suis dit : je suis un gars qui fait du camping de temps en temps, mais il manque à mon équipement le réchaud de rigueur… Pourquoi ne pas faire un troc? C'est donc avec fébrilité que je vous offre mon très douillet fauteuil rouge en échange de votre réchaud Coleman. Je vis à Toronto, aussi avez-vous un petit voyage en perspective, mais nous vous offrirons gracieusement le repas. Vous pourrez même passer la nuit dans le fauteuil pour être sûr qu'il vous convient.

Kyle

*****Que diriez-vous d'un La-Z-Boy contre le trombone et le réchaud Coleman? Mon La-Z-Boy vieux rose n'est pas juste inclinable, c'est aussi une chaise berçante. Il est à vous si vous le souhaitez, vous n'avez qu'à venir le chercher. En fait, si vous êtes intéressé, dites-le-moi le plus vite possible, car il risque de ne plus être là dans deux jours. Mais je serais ravi de vous garder le La-Z-Boy si vous le voulez. J'ai déjà plusieurs trombones et je suis sûr que le trombone rouge sera accueilli chaleureusement par mes trombones vert lime, blancs, bleus et métalliques. Ils se révèlent souvent utiles. Le réchaud Coleman pourrait remplacer celui que j'ai perdu à cause de mon divorce. Il ne me reste qu'à trouver une tente, et je pourrai refaire du camping. Ce serait amusant. Passez une bonne journée! Quant à moi, j'en passerai une excellente!

Janet

*****Je vous offre un Livre des mormons et cinq ouvrages remarquables en braille, en échange du Coleman. Nous fournirons hot-dogs, hamburgers et croustilles pour casser la croûte. Pourquoi des ouvrages en braille? Parce qu'ils sont si volumineux que vous pourrez vous asseoir dessus en cherchant sur Craigslist votre prochain troc, qui sera impressionnant au point d'être «aveuglant»! Il va sans dire que je vous apprendrai à lire le braille, pour que vous ne vous ennuyiez pas en attendant votre prochain troc. Photos sur demande.

Deb. Jericho, Vermont

Finalement, le tour n'est peut-être pas joué. Je n'ai pas l'impression de m'être engoncé dans la routine ou l'oisiveté, mais les seules offres de trocs que je reçois proviennent de loin, et je n'ai pas la motivation de surmonter l'obstacle de la distance. J'ajoute fréquemment une annonce dans la section des trocs de Montréal (je respecte maintenant la politique antipourriellage de Craigslist), mais le site de Craigslist étant unilingue anglais, il n'est pas très populaire auprès de la majorité francophone de la ville. Sans compter le fait que je ne me suis toujours pas enfargé dans un tas de fric qui me permettrait de faire livrer mes objets de troc par avion. J'en conclus qu'il faut que j'exploite au maximum mes déplacements.

Fin août, je reçois un appel d'Evian, ami et patron à temps partiel. Oui, il s'appelle comme l'eau.

«Veux-tu travailler à Los Angeles le mois prochain? me demande-t-il.

- Oui.

Entre autres choses qui me permettent de payer le loyer de temps en temps, mentionnons un travail à temps très partiel à différentes foires commerciales du Canada et des États-Unis. Je fais la promotion de Table Shox, un dispositif qui absorbe les chocs et s'offre comme la solution idéale contre les tables de restaurants bancales. Je travaille pour Evian une fois par mois ou une fois tous les deux mois. Ce n'est pas suffisant pour toujours couvrir le loyer, mais c'est mieux que rien.

- Veux-tu conduire un camion rempli de matériel de Vancouver à Los Angeles?

- Oui.»

C'est parfait. Plusieurs offres me sont parvenues d'endroits situés dans le corridor de 2 400 km qui sépare Vancouver de Los Angeles. J'écris aussitôt à tous les troqueurs potentiels que je passerai par leur région dans quelques semaines. Autant en profiter pour faire ma propre microfoire commerciale!

Mi-septembre, j'embarque dans un avion avec le réchaud de camping. À mon arrivée à Vancouver, je constate que quelques personnes m'ont déjà répondu:

```
*****Bonjour!

J'habite à San Clemente, en Californie. Le
réchaud Coleman avec combustible est-il
toujours à échanger? Car j'ai des trucs à
```

troquer. Si vous n'avez plus le réchaud,
qu'avez-vous maintenant à offrir en
échange ?

David

*****Je suis à Salt Lake City, en Utah. Je
vous offre le moteur et la transmission d'une
Honda Civic 97 contre le réchaud Coleman.

Matt

Je sais que le forfait Honda Civic 97 représente une valeur
marchande supérieure au petit réchaud de camping, mais
comment pourrais-je troquer ou même transporter un moteur
et une transmission ? Je l'élimine donc. Je réponds à David :

Je n'ai pas encore échangé le réchaud Coleman
et je serai dans la région de Los Angeles et
San Diego autour du 25 septembre, mais je
troquerai peut-être le réchaud d'ici là.
Qu'avez-vous à m'offrir en échange ?

Kyle

P.-S. Je vous avertirai si je troque le
réchaud.

David répond :

J'ai une génératrice Honda portative de 1 000
watts. Elle ne pèse que 23 kilos, donc elle
se transporte bien.

Merci

David

KYLE :

Oh là là ! Quel troc alléchant ! Voudriez-vous
troquer votre génératrice Honda contre mon
réchaud Coleman ?

DAVID :

Oui. Si vous voulez faire le troc, je ferai
une mise au point de la génératrice et je
remplirai le réservoir d'essence.

Merci

David

La génératrice rouge.

Voilà quelque chose d'intéressant! Une génératrice de 1 000 watts! Mieux encore, une génératrice de 1 000 watts mise au point et remplie d'essence! À moins que quelqu'un d'autre me fasse une offre exceptionnelle pour le réchaud, David sera mon prochain partenaire de troc.

Il faut quelques jours pour franchir la distance qui sépare Vancouver de Los Angeles. Mes parents arrivent en avion, pour nous aider à la foire commerciale. Nous avons alors droit à la chaleur que procurent trois jours d'exposition à l'éclairage californien intérieur de rigueur au Centre des Congrès d'Anaheim.

Ma mère et moi profitons d'un petit creux dans la fréquentation du stand pour nous éloigner de la foire commerciale. Nous nous emparons du réchaud de camping et nous prenons l'autoroute I-5 en direction de la base militaire Camp Pendleton Marine Corps, à San Clemente, à près d'une centaine de kilomètres. J'ai confirmé le troc avec David par courriel. Il m'a donné les instructions pour me rendre, qui comprennent : « C'est juste avant les Dolly Parton sur la I-5. » Il parle bien sûr des deux dômes bleus sur la I-5 qui, si on les regarde d'un certain angle, rappellent Dolly Parton. À tout le moins, une partie de son corps. J'ignore de quoi il s'agit, mais on dirait franchement deux immenses seins bleus tournés vers le ciel sur le bord de l'Interstate 5. Je me rappelle les avoir vus dans le film *The Naked Gun*, je suis passé récemment devant la base militaire Camp Pendleton et je connais Dolly Parton. Je sais donc exactement de quoi il parle. Dès que je les aperçois au loin, je prends la sortie de l'autoroute.

C'est la première fois que je vais à une base militaire avec ma mère.

« Je suis très nerveuse, dit-elle.

- Maman, ça va bien se passer. Donne-moi ton passeport. »

Ma mère sort son passeport, je sors le mien et mon permis de conduire. Nous nous arrêtons au point de contrôle. Le garde qui s'approche vers nous nous examine attentivement me dit :

« Bonjour, monsieur!

- Bonjour! lui réponds-je.

- Vos papiers, s'il vous plaît!

- Tout de suite, lui réponds-je en lui tendant les passeports.

- Qu'est-ce qui vous amène à la base aujourd'hui? me demande-t-il.

- Je viens rencontrer un sergent de la marine.

- Qui?

- David.

Il regarde les passeports très vite.

- Qui?

- Je crois qu'il est sergent.

- Je ne le connais pas. D'où le connaissez-vous? me demande-t-il.

- Nous avons communiqué ensemble parce qu'il a une génératrice à vendre», dis-je.

Il est beaucoup plus facile de dire qu'il a une génératrice à vendre que de commencer à expliquer mon idée de faire des trocs jusqu'à l'obtention d'une maison. De toute façon, je ne sais même pas comment je m'y prendrais pour expliquer mon projet.

Cette fois-ci, le garde examine de plus près nos passeports.

«Vous venez tous les deux du Canada? demande-t-il.

Je suis inquiet. Nous sommes deux étrangers.

- Oui, dis-je.

Il sourit et enchaîne:

- Super! Je viens de New York, c'est tout près de chez vous!

- Nous venons de Vancouver, sur la côte ouest, rectifie ma mère.

Je lance un regard à ma mère pour qu'elle tempère ses ardeurs concernant l'emplacement précis de son lieu d'origine. Je ne veux pas qu'elle gâche tout.

- Excellent! Je vous souhaite donc une très bonne fin de journée à tous les deux!

Il me regarde en souriant, puis me fait presque un clin d'œil, comme s'il était complice. Peut-être sait-il que depuis quelques années, j'habite à Montréal, juste au nord de New York?

- À vous aussi! lui dis-je.

- Passez!» dit-il.

Nous traversons d'abord le secteur résidentiel de la base militaire. Partout on voit des maisons mobiles sur du ciment, mais ce n'est pas un parc de maisons mobiles. On dirait plutôt un croisement entre un parc de maisons mobiles et une banlieue. C'est soit un parc de maisons mobiles muni de culs-de-sac et de trottoirs, soit une banlieue où on ne s'embarrasse pas de maisons fixes. Je n'arrive pas à trancher.

Quand nous arrivons chez David, il se tient debout dans l'entrée de garage, avec la moitié d'un capot de Ford Bronco dans les mains. Son copain tient l'autre moitié. Ils le lèvent pour le déposer dans une remorque, remplie d'une foule d'objets hétéroclites. Il s'apprête à déménager. Je saisis le réchaud de camping, nous bondissons hors du camion et nous marchons vers lui.

« Kyle ? demande-t-il.

- Oui ! Voici ma mère, Colleen.

- Enchanté, madame ! » dit-il.

Je la vois grincer des dents. Elle déteste se faire appeler madame. Ou monsieur d'ailleurs ! Nous nous serrons la main en souriant.

« Vous déménagez ? demandé-je.

- Oui, je retourne en Caroline du Sud, dit-il.

- Vous m'avez dit que vous aviez beaucoup de visiteurs.

- Oui, je veux vendre le plus de choses possible avant de partir.

- Donc, notre troc vous aide ?

- Oui. Vous avez dit que vous vouliez vous rendre jusqu'à une maison, alors j'ai voulu vous aider, dit-il.

- Merci ! réponds-je.

- Vous avez le modèle de réchaud Coleman que je cherche. Ce n'est pas facile de trouver ce bon vieux modèle-là. »

Je m'attends à ce qu'il aille plus loin et qu'il lâche : « On ne les fait plus comme avant ! » en lançant un regard nostalgique au loin, pour se remémorer le bon vieux temps où on fabriquait des réchauds de camping robustes. Mais il se contente de dire :

« J'ai quelques génératrices. »

Il pointe un des murs de la maison.

Je vois effectivement quelques génératrices, plus d'une demi-douzaine. Je lui lance un regard interrogateur.

« Encan militaire », dit-il.

Il m'explique alors comment fonctionne la génératrice. Il parle de hertz, de cycles, d'AC et de DC, et d'une foule d'autres choses que je ne me rappelle plus. Je comprends les mots qui

Le troc entre David et Kyle.

sortent de sa bouche, mais je n'arrive pas à leur trouver un sens. Je hoche la tête et je me gratte énergiquement le menton, jusqu'à ce que je sois persuadé de l'avoir convaincu que je comprends parfaitement ce qu'il me dit. Il tire alors le démarreur de la génératrice. Ça marche du premier coup. C'est tout ce que j'ai besoin de savoir pour l'instant.

Nous nous serrons tous la main, puis ma mère et moi partons. Oui ! Tout comme He-man et SNAP, ma mère et moi sommes invincibles. Elle sourit puis admet :

« Finalement, ça s'est très bien passé. Je me suis beaucoup amusée. Merci de m'avoir invitée.

- Ça me fait plaisir », lui réponds-je.

Pendant les jours qui suivent, Evian et moi remontons la I-5 en camion jusqu'à Portland, d'où je dois prendre l'avion pour Montréal. Après une nuit à un des hôtels de l'aéroport, nous vidons la génératrice de son essence et nous arrivons à l'aéroport. Je mets la génératrice dans une boîte et j'envoie le bagage dans la soute. Je salue Evian de la main, je saisis ma carte d'embarquement et je traverse le point de contrôle de sûreté pour me rendre à la porte d'embarquement. Je m'apprête à faire valider mon billet et à descendre la passerelle qui mène à l'avion, quand on entend une voix beugler dans l'aéroport :

« On demande à M. Kyle MacDonald de se présenter au contrôle de sécurité de la TSA. Je répète : on demande à M. Kyle MacDonald de se présenter au contrôle de sécurité de la TSA. »

Oups !

Je fourre ma carte d'embarquement dans ma poche et retraverse le point de contrôle de sûreté en sens inverse, pour me retrouver de nouveau dans le hall. En arrivant au point de vérification, j'apprends que, même si elles ne figurent pas sur la liste des objets interdits dans les avions, les génératrices à essence, vidées de leur carburant ou non, ne sont pas admises à bord.

Je regarde la préposée de la TSA, l'agence de sécurité du transport aérien, et lui dis :

« Je croyais qu'en vidant l'essence, ça irait. »

La préposée met ses mains sur ses hanches, se penche par en arrière, lâche un rire et me répond :

« Le problème, ce n'est pas l'essence, c'est les vapeurs. L'essence, ce n'est pas dangereux. On peut éteindre une allumette dans un bol d'essence. »

Je meurs d'envie de la voir éteindre une allumette dans un bol d'essence ! Je suis persuadé qu'elle me raconte des bobards. Il me brûle de lui demander une démonstration, mais j'ai un avion à prendre. Il s'apprête à décoller. Il me faut agir vite. Je prends mon cellulaire et j'appelle Evian à l'hôtel à côté de l'aéroport :

« Peux-tu venir chercher la génératrice à l'aéroport ?

Je suis sûr qu'il se mord la lèvre, mais il se ressaisit. Il comprend tout de suite.

- J'arrive! » répond-il.

Quelques minutes plus tard, le camion apparaît et il en bondit.

« Désolé, dis-je.

- Aucun problème!

Je souris:

- De toute façon, tu as du matériel à envoyer à Toronto pour la foire commerciale dans un mois, non?

- C'est vrai. Vas-tu être là?

- C'est sûr! Je vais venir de Montréal, dis-je.

- Je vais faire expédier la bête avec le stand de la foire, par voie terrestre! dit-il en pointant la génératrice.

- Parfait, au revoir!

Je regarde la génératrice, la tapote affectueusement et lui dis:

- Au revoir à toi aussi! »

Je commence à m'éloigner puis je me retourne et je lance à Evian:

« Sais-tu qu'on peut éteindre une allumette dans un bol d'essence?

- Quoi? me lance-t-il en me regardant d'un air interloqué.

Je me retourne puis je lance derrière mon épaule:

- Parfaitement! Il paraît que seulement les vapeurs sont dangereuses. »

Puis je cours et embarque de justesse dans l'avion.

Un mois s'écoule, puis je pars de Montréal pour arriver à Toronto cinq heures plus tard. Je rejoins Evian à l'hôtel et, le lendemain matin, nous nous rendons à la foire commerciale, vêtus de notre chemise Table Shox. La génératrice rouge est dans le stand. Après l'avoir examinée, je regarde Evian:

« On dirait que le voyage s'est bien passé pour elle.

- Vas-tu essayer d'éteindre une allumette dans de l'essence?

- C'est sûr! J'ai juste besoin d'une allumette, réponds-je. Et d'un peu d'essence.

- Moi aussi, j'aimerais voir ça, mais pas dans le stand, s'il te plaît, répond-il.

- D'accord. »

Il faut que j'obéisse. Après tout, c'est lui, le patron.

Quelques personnes de Toronto m'ont fait des offres pour la génératrice. C'est pourquoi, après avoir tenté de vendre à la criée notre solution contre les tables bancales, nous rentrons le lourd objet dans l'auto et allons jeter un coup d'œil aux objets de troc potentiels.

Nous allons d'abord à Richmond Hill, pour voir un tapis roulant proposé par un monsieur Nick. Nous trouvons sa maison et frappons à la porte. Il est très emballé par le troc. Il nous montre alors le tapis roulant dans le garage. Je regarde l'appareil et je me mords la lèvre. D'après les règles du jeu du troc, je dois obtenir en échange des choses de plus en plus grosses, et le tapis roulant est certainement plus gros que la génératrice. Mais il n'est pas mieux. Il est rouillé. Et douteux. J'aurais beaucoup de difficulté à troquer un tapis roulant en fin de parcours. Je m'excuse auprès de Nick et décline l'offre de troc. Honnêtement, je ne suis pas du tout attaché à la génératrice. Mais je n'ai aucune envie de passer le restant de mes jours à trimballer un tapis roulant rouillé.

Après encore quelques journées de vente à la criée de la solution idéale contre les tables bancales, nous empaquetons le matériel et le stand, et je dépose Evian à l'aéroport, d'où il prend un avion pour retourner à Vancouver. En revenant à Montréal, je passe par Scarborough, une banlieue de Toronto, pour voir Kevin, qui m'a offert une distributrice en échange de la génératrice. Je me dis qu'une distributrice, c'est l'objet idéal. Une génératrice génère de l'électricité, tandis qu'une distributrice génère de l'argent ! C'est comme un arbre à billets de banque, mais sans le tracas de ramasser les feuilles mortes à l'automne.

Kevin me montre la distributrice. C'est un véritable mastodonte, un peu comme un gros réfrigérateur, mais rose. Et douteux. À coup sûr, ça pèse 230 kilos. Je ne me vois ni la hisser sur le toit de ma voiture ni la monter à notre appartement, au troisième étage. Mais ce n'est pas le pire ! La machine n'accepte que les pièces de 25 cents canadiens et moins. Elle n'est même pas calibrée pour recevoir des huards ! Elle ne prend pas les huards ! Je vois aussitôt mon rêve d'un arbre à billets de banque s'envoler. Je ne peux pas me limiter aux ennemis du huard pour le prochain troc. J'ai donc poliment remercié Kevin en déclinant son offre. Kevin comprend et dit :

« Peut-être la prochaine fois !

- Oui ! »

Nous passons tout de même un moment ensemble. Kevin me donne deux t-shirts fabriqués par son entreprise de vêtements Bush Pig.

« Tu les porteras, ils sont bons pour la santé.

- C'est sûr », lui réponds-je.

En revenant à Montréal en voiture, je suis un peu déçu de ne pas avoir fait de trocs à Toronto, parce que Nick et Kevin sont de bons gars. Ce qui ne justifie pas que j'ouvre un parc à ferraille ! Ce qui compte, c'est d'avoir pu bavarder avec eux. Ça, c'est constructif et plaisant.

Près d'une semaine plus tard, la génératrice n'a pas bougé de sa place dans notre appartement. Je reçois des offres, mais elles me parviennent de loin. Je cherche des endroits pour annoncer la génératrice à Montréal, car le site de Craigslist de Montréal n'atteint pas autant de personnes que ceux de Vancouver ou Los Angeles, par exemple. Je commence à me demander si j'aurais dû faire un troc. Ai-je commis une erreur ? J'aurais peut-être dû accepter l'offre du tapis roulant ou de la distributrice. Mais je n'arrive pas à me convaincre que je me suis trompé. Je pourrais passer la nuit à me poser des questions, mais ça ne changerait rien. Il faut que je fonce. Il faut que je termine ce que j'ai commencé.

Mais j'ai perdu le rythme. L'aventure dont vous êtes le héros est devenue pénible. J'ai eu beaucoup de plaisir à faire les premiers trocs parce que c'était facile. Mais il faut maintenant fournir un effort constant pour que le projet réussisse, et c'est devenu moins amusant. L'échange du trombone rouge a été une partie de plaisir, alors qu'aujourd'hui, les trocs me paraissent des corvées. J'ai le goût d'abandonner la partie, ou à tout le moins de la suspendre pour une durée indéterminée, et de me concentrer sur d'autres sources de revenus pour payer le loyer.

Je passe les quelques semaines suivantes à faire du travail de promotion dans la région de Montréal pour une entreprise de marketing. Mon salaire de la foire commerciale de Toronto couvre le loyer, le contrat avec l'entreprise de marketing me permet d'acheter de la nourriture.

Un soir, je suis assis avec Dom dans un restaurant de l'avenue Mont-Royal. La table est dressée et c'est moi qui invite ! Fait rarissime.

« Je pense mettre le trombone rouge en veilleuse, dis-je.

- Qu'est-ce que tu veux dire ? »

Soit elle n'a pas trouvé quétaine à souhait l'expression « en veilleuse », soit elle veut juste que je continue à parler. Puisque je ne connais pas l'étymologie du mot « veilleuse », je continue à parler.

« Les trocs prennent beaucoup de mon temps. Le contrat de marketing que j'ai présentement est très bien. Ce n'était pas prévu. Je pense que je vais accepter d'autres contrats. J'aime ça.

- Tant mieux, me répond Dom après quelques secondes de réflexion. Tu as plus d'énergie, depuis quelque temps. Et ça te fait du bien de sortir un peu de la maison… et de te lever avant midi. »

Elle a raison. Quand je n'ai pas d'emploi, j'ai tendance à faire la grasse matinée et à passer la journée à l'intérieur pour ressasser mes projets. C'est bon d'avoir un horaire strict, même si ce n'est que temporaire. Le soir, je suis enfin fatigué, et le matin, je me lève avant midi. Pour toutes sortes de raisons, la routine exige peu d'effort de ma part. Si je respecte un horaire qui prévoit tout, je n'ai rien à organiser par moi-même. Même si dans le fond, je ne fais pas grand-chose, j'ai tout de même l'impression d'accomplir plus de choses quand je me lève avant midi.

« J'ai rencontré des personnes intéressantes dans le cadre de mon contrat. Avec toute l'expérience que j'ai accumulée dans les foires commerciales, je pourrais sans doute diriger une équipe.

- Pourquoi pas ? Si c'est ce que tu veux faire… », me répond-elle.

Je m'imagine à la tête d'une équipe en plein cœur d'une campagne de promotion. C'est agréable, comme travail, mais la question est : qu'est-ce que j'ai le goût de faire ? Je n'en ai pas la moindre idée. Je fais toujours ce que je veux, et les choses se passent bien en général. Je me trouve à un carrefour. D'un côté, un emploi stable qui comporte des défis ; de l'autre, l'incertitude absolue, qui comporte d'autres défis. J'aime les défis, mais est-ce que je recherche la certitude absolue? Oui, j'aime suivre un horaire, mais ne finirai-je pas par m'ennuyer à force de faire des promotions qui se ressemblent toutes? Sans doute.

Je règle l'addition et nous sortons. Sur le trottoir, un vent frisquet nous oblige à monter la fermeture éclair de nos blousons. L'hiver arrive à grands pas. Dom tend sa main vers moi. Je fais de même et prends sa main.

Elle me dit:

« Je pense qu'il faut que tu prennes une décision, quelle qu'elle soit, et que tu ne changes pas d'idée. Ce n'est pas bon d'errer sans but, mais ce n'est pas bon non plus d'investir du temps dans un projet qui n'aboutira jamais. Tu devrais vraiment faire ce que tu penses qui est la meilleure chose pour toi. C'est à toi et à toi seul de décider.

Je la serre contre moi, réfléchis quelques instants puis lui réponds:

- Tu as raison. Soit je m'investis à fond dans le trombone rouge, soit je laisse tomber. Ça va me tracasser tant que je n'aurai pas pris cette décision. Tu sais comment je suis: je ne peux pas faire plus d'une chose à la fois.

Dom me regarde, me sourit et me dit:

- Ça, c'est vrai! »

Je lui fais un câlin. D'une façon ou d'une autre, Dom reste avec moi.

Nous revenons à l'appartement. Dom se couche car elle doit se réveiller à 6 h demain matin, pour aller travailler à l'hôpital. Moi, je reste assis au lit et je tente de lire un livre. Après avoir parcouru une dizaine de pages, je me rends compte que je n'ai pas porté attention à un seul mot. J'ai le réflexe de recommencer ma lecture depuis le début, mais je me contente de plier le coin de la page et de déposer le livre sur la table de chevet. Je penserai au livre une autre fois. J'ai quelque chose de plus important à régler ce soir.

Je scrute le plafond. Qu'est-ce que je vais faire maintenant? Je viens de terminer un bon contrat qui m'ouvre un chemin tout droit devant moi. J'ai le choix d'accepter un emploi et régler des factures, ou finir ce que j'ai entamé et tenter de troquer un trombone rouge contre une maison. Je refuse d'hésiter une seconde de plus. Ou je vais me coucher, ou je continue à me creuser la tête pour trouver des solutions. Si je vais au marbre, c'est pour frapper un coup de circuit qui étourdira les spectateurs. Personne ne veut se faire retirer par le lanceur.

Je regarde mon site Web et tente d'imaginer le point de vue des autres. Personnellement, je trouve que le site est bien fait, mais quand je l'observe avec les yeux de quelqu'un qui ne me connaît pas, une évidence me saute aux yeux : le site du trombone rouge, c'est de la merde. Il est affiché par la page obscure d'un vieux site Web, que j'ai lancé il y a presque un an. Il n'est pas clair. Il n'est pas efficace. Dans le domaine des sites Web, je viens de me faire retirer par le lanceur à la fin de la manche, avec trois joueurs sur les buts. Je regarde l'horloge : il est 23 h.

J'entreprends aussitôt de tout détruire et de recréer un nouveau blogue. Je prends toutes les entrées de blogues que j'ai faites au sujet des trocs, et je les copie sur un nouveau blogue, situé au www.oneredpaperclip.blogspot.com. Je le configure pour qu'en tapant oneredpaperclip.com, on accède automatiquement au nouveau blogue. Je crée une petite frise en haut de la page, avec des photos, pour présenter chaque objet. En cliquant sur la photo d'un objet troqué, on accède directement au blogue correspondant au troc, avec une présentation de chaque troqueur. J'ajoute également mon numéro de téléphone et mon adresse électronique, bien en évidence sur le site. Je me dis que si les gens apprennent à connaître l'histoire derrière chacun de mes trocs, découvrent les troqueurs et, en plus, peuvent me joindre facilement, peut-être seront-ils plus enclins à m'offrir quelque chose en échange de la génératrice.

Je peaufine le site au mieux de mes compétences, jusqu'à ce que je cogne des clous. J'envoie le lien vers le nouveau site à mes amis, aux membres de ma famille et à quelques sites populaires, juste pour le plaisir. Je regarde l'horloge de l'ordinateur : il est 4 h 56. La journée de demain se fait passer pour aujourd'hui depuis presque cinq heures. À un moment donné, ça suffit ! Je ne veux pas non plus ruiner complètement le lendemain. Je sais que j'ai fait de mon mieux. J'espère vite trouver quelqu'un avec qui échanger la génératrice. Je me traîne jusqu'au lit et je m'effondre dans les bras de Morphée.

LE SOLEIL BRILLE QUELQUE PART
À L'INSTANT MÊME

Il n'est peut-être pas au-dessus de votre tête, mais tôt ou tard, vous verrez le soleil poindre à l'horizon, monter haut dans le ciel et diffuser sa lumière chaude et nécessaire à la vie. Sauf si vous êtes au sous-sol.

PLAIGNEZ-VOUS TANT QUE
VOUS VOULEZ, LES BOUCHONS
D'OREILLE NE COÛTENT PAS CHER

Pourquoi se plaindre quand on peut changer les choses? Si on se croit incapable de faire quelque chose, c'est parce qu'on l'est. Je regrette de l'affirmer, mais si on est certain qu'une chose est impossible, elle est impossible. Si en revanche on change d'idée et qu'on prend confiance en son projet, il ne faut pas s'attendre à ce que ce soit facile non plus. On peut être confronté au manque de sommeil et à la prise de décisions douloureuses. Il n'est pas donné que tout se passe comme prévu. Mais ça demeure possible. Ce qu'il faut, c'est voir l'aspect positif de la situation. Ceux qui se plaignent sont irritants, mais porter des bouchons d'oreille, ce n'est pas ce qu'il y a de plus confortable.

DEMAIN N'EST PAS ENCORE ARRIVÉ

Mais tournez la page, et il risque d'arriver.

UNE FÊTE INSTANTANÉE

Le téléphone sonne. Bruyamment. J'ouvre grand les yeux, je tourne la tête et je fixe l'appareil. Il sonne de nouveau. Je décroche ou je dors ? J'hésite. La sonnerie retentit une troisième fois. Je décroche ! Je bondis hors du lit et je réponds.

« Allô ?

- Bonjour, Kyle, s'il vous plaît ? demande une femme d'une voix pimpante.

- C'est moi.

- Je m'appelle Claire. Je suis productrice déléguée pour *The Hour*, de CBC, dit-elle.

- Très bien !

La CBC, le réseau anglais de Radio-Canada ! Sans aucun doute, j'ai bien fait de décrocher.

- Nous sommes très intéressés par votre histoire de trombone rouge. Notre animateur, George Stroumboulopoulos, souhaite vous recevoir en entrevue. Voudriez-vous venir à l'émission ce soir pour nous parler de votre projet ?

- Avec plaisir !

- Parfait ! Savez-vous que l'adresse électronique qui est inscrite sur le site ne fonctionne pas ? Nous avons dû appeler tous les K. MacDonald du Québec pour vous trouver !

- Non, je ne savais pas. Je ne suis qu'un webmestre débutant. Savez-vous que mon numéro de téléphone est sur la page d'accueil du site ?

- Nous venons de nous en rendre compte, après avoir appelé chacun des K. MacDonald du Québec. La plupart des gens n'affichent pas leur numéro de téléphone sur Internet, vous savez !

- J'imagine que non. Je n'ai jamais parlé à un autre K. MacDonald du Québec. Comment se portent-ils?

- En général, ils ne comprenaient pas vraiment pourquoi nous les appelions. Mais sinon, ils semblent bien se porter. Recevez-vous beaucoup d'appels de maniaques depuis que votre numéro de téléphone est sur votre site?

Après une pause volontaire de cinq secondes, je réponds:

- Vous êtes la première personne à appeler.

- Ah bon. Je m'en vais à une réunion où je vais vendre le concept. Je recommuniquerai avec vous pour vous dire si vous passez à l'émission de ce soir.

- Super!

- À bientôt, dit-elle.

- Oui, à bientôt!

Je m'apprête à raccrocher, mais je relève le téléphone en un tournemain et dis:

- Un instant! Où avez-vous entendu parler du trombone rouge?

- Boing Boing, répond-elle.

- Ah!» dis-je avant de raccrocher.

Boing Boing est un blogue collectif avant-gardiste qui jouit d'une grande popularité. Un lien vers mon site dans Boing Boing propulse instantanément mon projet au rang de sujet de conversation de l'heure autour de machines à eau et à café du monde entier. Jusqu'à maintenant, une trentaine de personnes consultaient chaque jour mon blogue situé sur une page reculée, qui relate chacun des trocs. Je me rends à l'ordinateur pour voir le nombre de visiteurs de la journée: 30 000. Pour aujourd'hui seulement. Je regarde l'horloge. Il n'est que 8 h 30 du matin. Chaque seconde, deux personnes consultent le site. Je me rends à ma boîte de réception. J'ai plus de 50 courriels. Le téléphone sonne de nouveau. Je prends une grande respiration et je réponds.

Et je réponds.

Et je réponds.

Le téléphone ne dérougit pas de la journée. Reporters, animateurs de radio, imprésarios, éditeurs, producteurs de télévision, concepteurs de sites Web... je suis assailli d'appels.

En revenant du travail, Dom voit tout de suite à l'expression de mon visage que ma journée a été riche en émotions. Elle me lance :

« Qu'est-ce qui se passe ?

- Toutes sortes de choses. Le téléphone n'a pas arrêté.

- Ah oui ? Pourquoi ? »

Je lui montre le compteur de visiteurs sur mon site Web, ainsi que ma boîte de réception. Les yeux exorbités, elle pousse un « Oh ! ».

Les offres pour la génératrice affluent, mais elles proviennent d'endroits dispersés. Et encore une fois, aucune offre n'est issue de Montréal. Bien que je sois tenté par une escapade en avion jusqu'au Wisconsin, pour troquer la génératrice contre une Ford Crown Victoria 1989 « légèrement bosselée en raison d'une collision avec un chevreuil, mais tout de même en état de fonctionner », je n'arrive pas à justifier la dépense que cela entraînerait.

Claire me rappelle quelques heures plus tard pour me dire qu'un événement important est survenu, que *The Hour* se doit de couvrir en tant qu'émission d'information. Elle ajoute cependant :

« Mais vous passerez à l'émission bientôt, c'est promis.

- Parfait ! »

Le simple fait que quelqu'un de l'émission m'ait joint est flatteur en soi. Claire est à des lieues de s'imaginer comment je suis accoutré quand je lui parle !

Quelques jours plus tard, Dom et moi montons dans la Corolla et roulons jusqu'à New York. Nous allons travailler à une foire commerciale pour Table Shox. Transporter la génératrice dans la Corolla ne me pose aucun problème. Une génératrice rouge, c'est exactement le genre d'objet qui se transporte bien dans une Corolla rouge. Nous arrêtons à une station-service pour remplir le réservoir d'essence. J'en profite pour remplir également la génératrice. Nous retournons sur l'autoroute.

« Qu'est-ce que ça sent ? demande Dom.

- J'ai dû verser quelques gouttes d'essence sur la génératrice en la remplissant. Ne t'inquiète pas, ça va s'évaporer. Il suffit d'aérer. »

Je tourne la manivelle pour ouvrir la fenêtre. La voiture sent les vapeurs d'essence. Je repense à la préposée de la TSA à

Portland, les mains sur les hanches, penchée en arrière, en train de se marrer.

Nous arrivons à notre hôtel à Manhattan, où nous rejoignent mes parents, Scott, Rachel et Evian. Nous laissons la génératrice dans la salle d'entreposage du rez-de-chaussée de l'hôtel. Grâce à la mention du trombone rouge dans Boing Boing, *The New York Times* a publié une toute petite capsule avec mention du site oneredpaperclip.com, à la fin d'un petit article de technologie Internet. Mais mon père en est très fier : on parle de son fils dans un journal important !

J'écris sur mon site Web que je suis à New York, avide de faire un troc.

Le lendemain, j'organise un échange avec Marcin, à Queens. Il me dit qu'il a « des cossins » à m'offrir, dont des barils de bière et des enseignes au néon. Avant de passer deux jours au stand, à la foire commerciale, je fixe un rendez-vous avec Marcin. J'irai faire le troc chez lui le dernier soir de notre séjour. Comme il travaille tôt, il souhaite que j'arrive avant 21 h. Après notre dernière journée à la foire commerciale, nous allons souper dans la Petite Italie. Après souper, je retourne à l'hôtel pour reprendre la génératrice. Je sors mon billet d'entreposage de ma poche et je le tends à Tony, le préposé à la réception :

« J'ai quelque chose au local d'entreposage, dis-je.

- Très bien, attendez un instant », répond-il avant de disparaître dans le local.

Quelques minutes plus tard, il revient bredouille, le visage inquiet :

« Je ne trouve pas votre paquet. À quoi ressemble-t-il ?

- C'est une boîte enveloppée dans un sac de déchets noir. C'est assez lourd.

- Qu'est-ce qu'il y a dans la boîte ?

- Une génératrice à essence.

- Ah, ce sac-là ! C'était à vous ? demande-t-il.

Le ton de sa voix n'a rien de rassurant.

- Oui, réponds-je.

- Oh !

- Oh… quoi ? »

Il met sa main au menton, prend le temps de réfléchir, puis explique :

« Comment dire… Il y a quelques nuits, le préposé à la réception a senti des vapeurs d'essence et il a signalé le 9 1 1. Le service d'incendie ou de police est intervenu et a récupéré le sac. Les génératrices sont interdites dans les locaux d'entreposage, vous savez. Ça sentait l'essence. Il paraît que des gens du quatrième étage sont descendus pour se plaindre ! Ils disaient qu'ils sentaient une fuite de gaz. Les gens ont tendance à ne pas prendre ce genre d'histoires à la légère, ici. »

Je comprends le risque que ça représente. J'ai fait une connerie, je l'avoue. Les génératrices qui coulent ne sont pas faites pour être remisées dans des locaux d'entreposage d'hôtels, surtout pas à Lower Manhattan. Ça relève du gros bon sens. Mais je suis sidéré par le fait que personne ne m'a averti de l'expulsion de ma génératrice. Mon nom et mon numéro de chambre sont inscrits sur l'étiquette attachée à la poignée de la génératrice.

Je regarde Tony, bouche bée.

« Quand est-ce que c'est arrivé ? lui demandé-je.

– Il y a quelques soirs.

– Comment se fait-il que personne ne m'ait averti ? Mon numéro de chambre était sur le sac !

– Je l'ignore, je ne travaillais pas.

– Où est la génératrice maintenant ?

– Je ne le sais pas », répond-il.

Dom se tient à côté de moi. Arrivée entre-temps, elle a saisi la majeure partie de la conversation.

« Que vas-tu faire maintenant ?

– Je l'ignore », réponds-je en la regardant.

Car j'ignore quoi faire. La génératrice n'est plus là. Même si j'arrivais à la retracer, je devrais sûrement payer une contravention de 500 $ pour infraction à une loi municipale qui punit les fautes graves que sont « causer un danger d'incendie » et « réveiller les clients d'un hôtel pour un motif autre que de la musique rock à tue-tête. » Je trouve bizarre que le service d'incendie se donne du mal pour se débarrasser d'un objet aussi suspect qu'une génératrice qui coule dans le local d'entreposage d'un hôtel, sans jamais en avertir le propriétaire. Mais bon, nous sommes à Lower Manhattan après tout. Et il faut bien l'avouer, il y a toutes sortes de choses que je trouve bizarres, comme la couleur beige. Je tente de me ressaisir. Nous allons trouver la génératrice, c'est certain ! Quant aux cinq cents dollars, je ne peux pas dépenser une telle somme pour une génératrice !

Tony appelle les postes de police et les casernes de pompiers situés dans un rayon d'une trentaine de rues. Rien. Personne ne sait de quoi il parle. Mais ce n'est pas la fin du monde. Je peux repartir à zéro ! Je pourrais sûrement trouver un autre trombone rouge ! Je n'en mourrai pas !

J'y pense une seconde.

Je n'en mourrai pas, je ne frôlerai même pas la mort, mais il est hors de question que j'abandonne aussi facilement. J'ai travaillé fort pour faire mes quatre trocs et passer d'un trombone rouge à une génératrice rouge. J'ai gagné la génératrice rouge à la sueur de mon front. Je décide alors de faire tout ce qui est en mon pouvoir pour récupérer ma génératrice rouge.

Mon poing frappe la table violemment.

« Dom ! Nous allons retrouver la génératrice rouge ! »

Nous quittons la réception. Je regarde l'horloge sur le mur. Il est presque 21 h. J'appelle Marcin pour annuler le troc :

« Nous pourrions peut-être faire le troc demain, si je trouve la génératrice.

- Parfait, appelez-moi demain. »

Nous battons le pavé en arrêtant à chaque caserne de pompiers que nous pouvons trouver. Après deux heures d'une quête infructueuse, nous rencontrons deux pittoresques sergents-pompiers dans un quartier résidentiel.

« Une gé'ratrice ? Qu'est-ce t'en penses, Bobby ? Caserne numéro 20 ? Je pense que quelqu'un là-bas pourrait nous aider. Allez, embarquez !

Nous montons à bord.

- Voulez-vous un Tootsie Pop ? nous demande Bobby.

- Oui, avec plaisir ! » répondons-nous.

Nous roulons jusqu'à la Caserne 20, sur Lafayette Street. Les pompiers sont très gentils. Les suçons Tootsie Pop sont succulents. À la caserne, on a retrouvé la génératrice. Il y a même un dalmatien. Pendant que je soulève le lourd objet en remerciant Bobby encore une fois, il nous amène à l'écart puis nous dit :

« Vous êtes chanceux de l'avoir trouvée ce soir. C'est le genre de choses qu'on "perd souvent dans des accidents", si vous voyez ce que je veux dire. »

Je sais exactement ce qu'il veut dire. Sans les courroies appropriées, la génératrice pourrait tomber d'un camion de pompiers si on la plaçait sur le dessus. Et je doute que les pompiers soient munis des courroies appropriées à la génératrice rouge.

Nous le remercions de son aide. Pendant que je soulève finalement la génératrice pour entreprendre la longue marche vers l'hôtel, Bobby me dit :

« Sois prudent. Ne l'entrepose pas n'importe où ! »

Je me tourne lentement, la génératrice dans les mains, et réponds :

« Je vais faire attention. Je l'entreposerai dans ma voiture ce soir. En tout cas, pas dans l'hôtel, c'est sûr !

- Excellent ! Ce n'est pas parce qu'on vide l'essence qu'il n'y a plus de danger.

Je subodore sa prochaine phrase. Bobby enchaîne :

- Ce sont les vapeurs qui sont dangereuses ! »

J'écris un billet de blogue pour faire une mise au point de la situation. Comme je n'ai pas encore confirmé l'échange avec Marcin, je veux protéger mes arrières. S'il ne peut pas faire de troc avec moi, je dois trouver quelqu'un d'autre à New York pour le remplacer.

« Peut-être devrions-nous bonifier l'offre de quelques Tootsie Pop ! » dis-je.

Dom me fait des yeux de merlan frit. La soirée a été longue.

Le lendemain matin, au réveil, j'appelle Marcin, mais il n'y a pas de réponse.

Je regarde Dom et lui dis :

« Après la soirée que nous venons de passer, nous ne pouvons pas quitter la ville tant que je n'ai pas échangé la génératrice. Si Marcin ne peut pas faire l'échange, je trouverai quelqu'un d'autre. Il faut que je la troque.

- Oui, il faut absolument que tu la troques », acquiesce-t-elle.

Nous entrons dans un café, où j'affiche une série d'annonces dans la section des trocs de différentes pages de Craigslist pour les environs de New York. Quelques courriels me parviennent, mais personne ne veut confirmer de troc.

Je rappelle Marcin. Toujours pas de réponse.

J'affiche des annonces dans la section des trocs du site de Craigslist de chacune des villes entre New York et Montréal. Encore une fois, je reçois quelques courriels, mais je n'arrive pas à conclure de troc.

Je rappelle Marcin. Il répond :

« Allô ?

– Bonjour Marcin ! C'est Kyle, le gars de la génératrice. Pouvons-nous faire un troc aujourd'hui ?

– Bien sûr, venez-vous-en ! » dit-il.

Nous nous rendons chez Marcin, à Maspeth, à une demi-heure de voiture de Manhattan, sur Long Island. En chemin, je remplis la génératrice d'essence. C'est essentiel pour le troc.

Nous garons la voiture devant chez lui. Après les salutations d'usage, Marcin confectionne une belle petite trousse à partir de ses « cossins », qu'il m'offre en échange de la génératrice, et qui comprend :

• Un baril à bière
• Une enseigne au néon de Budweiser
• Une reconnaissance de dette d'un baril de bière

Ces trois ingrédients constituent la recette même d'une fête endiablée.

Marcin et Kyle font le troc à Maspeth, dans le Queens, à New York.

Je branche l'enseigne au néon de Budweiser dans la génératrice, tire le démarreur et observe avec admiration l'appareil prendre vie. Marcin allume l'enseigne. Les lettres s'illuminent aussitôt, grâce à l'électricité de la génératrice. Nous nous regardons, nous nous serrons la main et concluons le marché.

« Je passe souvent la fin de semaine à la campagne. Ça va m'être très utile » affirme-t--il en pointant la génératrice.

Je suis sûr qu'elle lui sera plus utile qu'à moi.

Nous retournons à Montréal. Je rapporte la fête instantanée à l'appartement puis me précipite à mon ordinateur. J'ai les nerfs excités par la caféine. Très excités. J'écris donc un article volumineux sur mon blogue, où je déchaîne mes passions :

```
Je viens de faire un troc charnière. Non pas
à cause de la complexité que représente le
fait d'allumer une enseigne au néon avec une
génératrice, ou parce que j'ai maintenant une
reconnaissance de dette, mais parce que la
fête instantanée a un très haut potentiel
festif. Avant que quelqu'un d'autre ne le
dise, je vais l'admettre: les articles qui
```

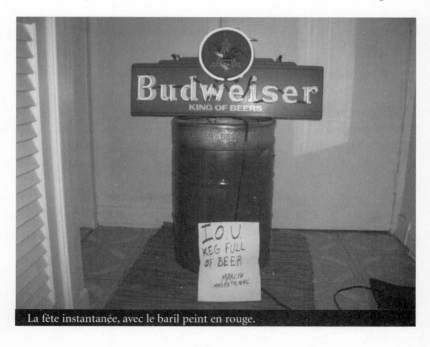
La fête instantanée, avec le baril peint en rouge.

constituent la fête instantanée n'ont probablement pas autant de valeur marchande que la
génératrice rouge. Marcin a fait un excellent
marché! Mais je ne cherche nullement à
concurrencer eBay. Mon projet, c'est celui du
trombone rouge. Je ne veux rien vendre, je
veux seulement faire du troc.

Le troc doit être agréable. Vous direz ce que
vous voulez, la fête instantanée a un plus
grand potentiel festif que la génératrice
rouge. Ce qui n'empêchera pas Marcin de s'amuser ferme avec sa génératrice rouge, bien au
contraire. Les génératrices sont également
une source de plaisir. Mais même si la
génératrice rouge a une plus grande valeur
marchande que la fête instantanée, cette
dernière a un festi-potentiel, un potentiel
festif, plus grand. Le festif n'a pas de
prix. En passant, j'ai peint le baril à bière
en rouge, à l'aérosol. C'était nécessaire.

Le soir où la génératrice rouge a été confis-
quée par le service d'incendie de New York,
j'ai eu une révélation. À ce moment-là, je ne
voyais pas la génératrice comme élément
d'actif, mais comme un élément de passif, car
je n'avais pas d'argent pour payer la caution.
J'ai reçu une foule d'encouragements de la
part d'adeptes des blogues, qui désirent me
voir faire une série de trocs jusqu'à ce que
j'obtienne une maison. C'est tout ce que je
souhaite. D'ailleurs, je reçois tellement
d'aide de votre part, que j'ai l'impression
que si je ne me rends pas à une maison, vous
vous sentirez trahis.

L'obtention d'une maison à coups de trocs
sera une partie de plaisir. Ce sera audacieux.
Ce sera génial. Quand j'aurai la maison, vous

serez tous invités. Mais pour que je réussisse à troquer un trombone rouge contre une maison, il faut un changement de paradigme. Voici une définition de ce terme que j'ai trouvée grâce à Google : changement radical dans la façon de penser les choses, qui permet la création d'une nouvelle condition considérée jusqu'à alors comme impossible. (ex. : l'invention de la livraison juste-à-temps a changé la perception des gens, car on s'est mis à considérer les stocks entreposés comme des éléments de passif, et non comme des éléments d'actif).

Je n'irais pas jusqu'à dire que le troc d'un trombone rouge contre une maison est une idée «Fixx», mais je me suis rendu compte que tout geste entraîne des conséquences, et que chaque troc a des répercussions sur les offres ultérieures de troqueurs potentiels, que je fasse un jeu de mots poche hors contexte avec un groupe new wave (dont le succès de 1983 *One Thing Leads to Another* signifie «tout geste entraîne des conséquences») ou non.

Mais j'irais jusqu'à dire que je dois dépasser le trombone. Étant donné le riche festi-potentiel de la fête instantanée, je ne peux plus appeler le projet Un trombone rouge. Je le baptise donc Un trombone rouge 2.0

Un trombone rouge 1.0 : couvre les objets de petite taille, jusqu'à d'autres objets un peu mieux et un peu plus gros, tels que «le plus grand bâton de hockey au monde»

Un trombone rouge 2.0 : comme Un trombone rouge 1.0, mais inclut des choses comme «animateur invité au Tonight Show».

(Qu'une chose soit claire : le projet en entier reviendra au style pur et orienté vers les objets, propre à Un trombone rouge 1.0, si quelqu'un m'offre une commandite d'une grosse entreprise de transport, comme U-Haul, China Shipping Lines ou la NASA, qui prendrait en charge les frais de livraison ainsi que les dérapages provoqués par une infraction à une loi municipale.)

(Présentement, je n'ai pas de place dans mon appartement pour le plus grand bâton de hockey au monde, mais j'en ferai si nécessaire.)

Il faut que je commence à troquer des liquidités, des choses que je peux retroquer rapidement. Des choses qui se vendent d'elles-mêmes et qui ne se font pas confisquer par le service d'incendie de New York. Comme de la bière. Bon, c'est un mauvais exemple, mais j'espère que vous comprenez ce que je veux dire. Bref, je veux passer plus de temps à faire des trocs et moins de temps à améliorer les objets de trocs et à chercher des offres.

Ça m'a pris 53 jours pour échanger la génératrice. Cinquante-trois jours, c'est beaucoup trop long. Cinquante-trois jours, ce n'est pas agréable, c'est plate. Cinquante-trois jours, ça fait très «Un trombone rouge 1.0».

J'apprécie les douzaines d'offres de véhicules, auxquels il ne manque «qu'un rétroviseur gauche», «qu'une poignée de levier de vitesses», «que la transmission au complet» ou «que le redressage du châssis». Mais il faut que vous compreniez tous que je n'ai pas d'outils. Je dispose d'un marteau, de ciseaux, d'un couteau suisse et de quelques rouleaux de gros ruban adhésif. À moins que vous ne souhaitiez me procurer garage, main-d'œuvre et pièces pour réparer le véhicule, je m'en remets à mes rouleaux de ruban adhésif, qui ne suffiront pas à améliorer le véhicule pour le prochain troqueur. (Si vous détenez une General Lee, dans quelque condition que ce soit, veuillez faire abstraction de cette section.) Je suis emballé par le troc. Je viens de franchir un grand pas dans la bonne direction, celle du dépassement.

P.-S. Petite liste de choses que j'ai apprises grâce à la génératrice rouge:

• Il y a des choses qui ne vont pas dans les avions, comme les génératrices rouges à essence.

• Il y a des choses qui ne vont pas dans les locaux d'entreposage, comme les génératrices rouges à essence.

• Il y a des choses difficiles à échanger à New York quand New York n'est pas paralysé par une gigantesque panne électrique, comme les génératrices rouges à essence.

• «Festi-potentiel» est maintenant un mot.

• «Furiosité» n'est pas un mot, du moins, pas encore.

Afin de stimuler rapidement un développement, je crée une date de tombée pour la fête instantanée: le 1er décembre. Rien n'arrive sans date de tombée. J'ajoute un avertissement au délai: j'attendrai jusqu'au 30 novembre à 23 h 59 pour prendre ma décision, sauf si je reçois une offre que je ne peux pas refuser.

Le jeudi, un court article sur oneredpaperclip.com paraît dans la rubrique Networthy du *Mirror*, hebdomadaire gratuit de Montréal. Nous accourons au kiosque de journaux le plus proche pour nous procurer notre exemplaire. Il y a un article sur oneredpaperclip.com dans la presse écrite ! Il se trouve juste au-dessus d'une brève capsule sur un blogue « immensément populaire », coreyhartdrivesafiero.blogspot.com. Ça y est, je suis devenu un pro !

Le cheval dans ma poche hennit allègrement. Je le sors, je l'ouvre et je dis allô. Une voix d'homme me répond :

« Bonjour Kyle, je viens de lire un article du *Mirror* qui parle de votre site. J'aimerais beaucoup écrire un article là-dessus dans mon journal.

- C'est une excellente idée ! Quand voulez-vous faire l'entrevue ?

- Que pensez-vous de maintenant ?

- Très bien. C'est parfait, maintenant, réponds-je.

Nous convenons de nous rencontrer dans mon appartement.

- Parfait, à bientôt ! dit-il

- Pardon, vous êtes monsieur…

- Patrick Lagacé.

- Et votre journal ?

- *Le Journal de Montréal.* »

Oh ! *Le Journal de Montréal* ! Le journal qui a le plus grand tirage au Québec ! Je suis ravi d'avoir reçu cet appel.

« Qui était-ce ? demande Dom.

- Un gars du *Journal de Montréal*. Il veut écrire un article sur le trombone rouge.

- Qui ?

- Un certain Patrick…

- Patrick Lagacé ?

- Oui, je pense. Ça ressemble à ça.

- Si c'est lui, c'est une très bonne chose. C'est un excellent journaliste. Tu as déjà vu ce gars-là, te rappelles-tu ? Il a fait du pouce pendant les élections.

- C'est lui ? questionné-je. Le gars à la télé qui parlait de motoneiges ?

- Oui ! » répond Dom.

J'ai très hâte de faire la connaissance de Patrick. Il est connu. L'an dernier, il a traversé le Canada sur le pouce afin de couvrir les élections pour *Le Journal de Montréal*. Dans ses articles, il parlait des gens qui l'embarquaient dans leur véhicule et de leurs opinions. J'ai également vu Patrick Lagacé alors qu'il participait à un débat enflammé sur les motoneiges à l'émission *110 %*, sur les ondes de TQS. Patrick défendait l'idée selon laquelle elles représentent un danger public. Il n'y a qu'au Québec qu'un réseau télévisé d'envergure puisse présenter un débat d'une heure sur les motoneiges. Aux heures de grande écoute ! Patrick est le genre de journaliste que j'admire. C'est un vrai reporter. Le genre de gars qui va droit à la source.

Fidèle à sa tradition, Patrick se rend directement à la source, c'est-à-dire notre appartement. Il apporte même un vrai calepin de journaliste. Il l'ouvre d'un coup sec et attaque aussitôt :

« Avez-vous une date limite pour vous rendre jusqu'à une maison ?

Je réfléchis une seconde.

- Non, je n'en ai pas, mais j'aimerais prendre un an pour troquer un trombone rouge contre une maison. J'ai commencé le 12 juillet de cette année, donc j'aimerais atteindre mon but le 12 juillet de l'année prochaine. Mais bien sûr, c'est confidentiel. Ne mettez pas ça dans l'article, s'il vous plaît. Ce n'est pas quelque chose de sérieux. Je trouve seulement amusante l'idée d'obtenir une maison en un an. »

Patrick hoche la tête pour acquiescer. C'est un bon gars. Il ne mentionnera pas le délai dans l'article.

« Quand l'article paraîtra-t-il dans *Le Journal de Montréal* ? demandé-je.

- Demain, c'est sûr.

- Super ! »

Des amis viennent souper chez nous le soir même. Nous leur parlons de l'entrevue. Ils sont emballés. Je leur dis que l'article de Patrick sera sans doute une brève vers la fin du journal, dans la section qui traite des chats pris dans les arbres. Mais Marie-Ève, l'amie de Dom, avale sa bouchée de spaghetti et dit :

« Oh non ! Sur la page couverture ! »

Nous nous esclaffons. Marie-Ève est tordante. La page couverture ! Elle en a de bonnes !

Le lendemain matin, pendant que je fais la grasse matinée, le téléphone sonne. C'est Marie-Ève.

«As-tu vu *Le Journal de Montréal*? demande-t-elle.

- Non, pas encore.

Étonnée, elle répond :

- Ah non? Va l'acheter tout de suite.

Je n'ai pas besoin d'en savoir davantage.

- J'y vais!»

Ma photo est sur la page couverture du *Journal de Montréal*. En couleur! Je vais tout de suite voir l'article. Il fait près d'une page entière et est flanqué d'un article sur les motoneiges. C'est parfait. Je parcours le texte sur le trombone rouge. Je tombe en bas de ma chaise. Je n'arrive pas à y croire. Il a écrit que je me suis fixé comme objectif de me rendre à une maison le 12 juillet. Patrick a trahi ma confiance. Ma confidence est maintenant sur la place publique. Il ne me reste qu'à me mordre les doigts et à accepter la réalité. Les gens vont croire Patrick. Après tout, il a utilisé un vrai calepin de journaliste. C'est comme s'il avait écrit directement dans un registre de la cour. Pire, c'est comme s'il avait édicté une loi!

Je consulte le calendrier. Nous sommes le 25 novembre. Je compte vite sur le bout de mes doigts: décembre, janvier, février, mars, avril, mai, juin et juillet. Mon majeur droit. Moins de huit mois, et je n'ai même pas jusqu'à la mi-juillet.

Si je veux tenir ma parole, ou plus exactement celle de Patrick, j'ai sept mois et demi pour trouver une maison.

Toute la journée, les amis et parents de Dom appellent à la maison. Il paraît que toutes les stations de radio du Québec parlent du gars au trombone rouge.

Les offres affluent de toutes parts.

```
*****Je suis prêt à vous échanger une souf-
fleuse à essence, une bouteille de lait (jadis
utilisée pour le remplissage à la ferme) et
une boîte de 8 cartouches NES 52 en une, avec
convertisseurs (parce qu'il s'agit de car-
touches japonaises Famicom) contre votre fête
instantanée. Qu'en pensez-vous? Ciao!
```

MC

Je vous offre une boîte mystère en échange de
votre fête instantanée.

Seize paquets de papier hygiénique Charmin,
blanc. Le papier hygiénique s'avérera ines-
timable après la fête, surtout si la Bud y
coule à flots.

SALUT KYLE !

J'espère vraiment être le premier Québécois à
faire un troc avec vous. L'hiver étant à nos
portes, je vous offre quatre pneus d'hiver en
échange de l'enseigne Budweiser. Ils sont
flambant neufs (ils n'ont qu'un an et demi
d'usure). Si notre échange ne marche pas, je
tiens à vous féliciter pour votre projet et
j'espère réellement que vous réaliserez votre
rêve.

Sincères salutations

Guy

********** Sympa ton histoire ! Je t'offre un
ballon de soccer officiel de la Ligue de soccer élite du Québec. *Good luck* ! Marc-André
Lord Commissaire Ligue de Soccer Élite du
Québec

*****Okay, j'ai quelques choix pour toi… Une collection de cartes (d hockey) O-Pee-Chee 2003. Les amateur en raffole elle sont placée pas fiche numeroté comprend la carte de mario lemieux lors de sa premiere saison dans la ligne national de hockey (sa vaux asser cher merci!) ou Une vielle collection de 45 tour qui valle po mal chere mais je te conseil les cartes d hockey tu risque de faire plus furreur avec! N'échange pas se baril et cette ensaigne avec neon sans m avoir dit si t es daccord pcq sinon je vais regarder! Good luck!

Pierrot

    Vendredi après-midi, la température chute, tandis qu'une couche de neige recouvre le sol. L'air est froid, mais les offres sont brûlantes d'actualité. Je consulte ma boîte de réception.

*****BONJOU R K Y LE

Nous avons lu votre histoire dans le *Journal de Montréal* ce matin.

Nous travaillons à la station de radio 98,5FM de Montréal. Notre animateur-vedette Michel Barrette a une proposition d'échange

pour vous :

Sa motoneige Bombardier Mac 1 1991, remise à neuf.

Pour tous les Québécois, elle a une valeur ajoutée puisqu'elle a appartenu à un célèbre humoriste et comédien de chez nous.

```
Pensez-y !

Bien à vous

Josée Bournival
```

Encore une offre en français ! Les yeux écarquillés, je survole le texte confusément. Puis je le relis. Il semble y avoir quelque chose. Je scrute le courriel. D'après ce que je peux comprendre, un gars qui s'appelle Michel m'offre sa motoneige. Une motoneige ! Quelle bonne nouvelle ! C'est le genre d'offre que je ne peux pas refuser. Surtout au début de l'hiver. Surtout au Québec. La motoneige est au Québec ce que… la motoneige est au Québec ! L'un ne vient pas sans l'autre. Je suis emballé ! Je crie vers l'autre pièce :

« Dom, viens voir ! »

Je pointe l'écran et regarde Dom lire le message. Elle lit à voix basse en remuant les lèvres. À la quatrième ligne, elle s'exclame :

« Michel Barrette ! Tu as une offre de Michel Barrette ?

- Ça en a tout l'air. Qui est Michel Barrette ?

- Qu'est-ce que tu veux dire ? » me demande-t-elle du tac au tac.

Je lui lance un regard vide en haussant les épaules. Elle me dévisage, interdite :

« Tu ne sais pas qui est Michel Barrette ? Il est très célèbre au Québec. Il fait des monologues d'humour, il a une émission de télé, il joue dans des films… Tout le monde connaît Michel Barrette !

- Mais c'est écrit qu'il est animateur de radio.

- Oui, maintenant, il est animateur de radio. Tu peux être sûr d'une chose, c'est que tout le monde le connaît. »

C'est exactement le genre d'offre que je ne peux pas refuser. Michel me ferait une excellente publicité. Il ne faut pas oublier qu'il s'agit de Michel Barrette, rien de moins. Le grand Michel Barrette !

Nous consultons le site Web de sa station de radio. Nous y trouvons la photo d'un homme, que Dom pointe en disant :

« C'est lui, Michel Barrette ! »

D'après l'horaire, il est en ondes en ce moment même.

Nous allumons la radio et syntonisons sa station. Une voix sort de l'enceinte, que Dom pointe en disant :

« Et ça, c'est sa voix. »

J'attends la pause publicitaire pour appeler la productrice, Josée. Je me présente et je suis accueilli par un enthousiaste « Mais oui ! » à l'autre bout du fil. Je lui dis que je souhaite faire le troc avec Michel Barrette. Elle me répond que c'est parfait. Comme c'est vendredi après-midi, elle va le dire à Michel, et ils choisiront un moment dans la semaine suivante pour faire le troc. Clic ! Nous nous remettons à écouter la radio. Dès la fin de la pause publicitaire, les animateurs se sont mis à parler du gars au trombone rouge. Je comprends en gros ce qu'ils disent, mais j'ai tout de même besoin d'aide pour les détails. Je regarde Dom :

« Qu'est-ce qu'il a dit, exactement ?

— Ils viennent juste de dire à tout le monde au Québec que la semaine prochaine, Michel Barrette et toi allez faire un troc.

— Parfait ! J'ai moins de huit mois pour mettre la main sur une maison ! »

SI ON SOUHAITE ARDEMMENT ATTEINDRE UN OBJECTIF, ON PEUT L'ATTEINDRE

Jusqu'où faut-il être prêt à aller pour toucher au but? Si on désire ardemment une chose, du plus profond de son âme, on peut trouver un chemin pour l'atteindre. Même si ce chemin consiste à retracer un objet confisqué par le service d'incendie.

LE REFROIDISSEUR D'EAU EST LE PLUS PUISSANT DES OUTILS DE MARKETING JAMAIS INVENTÉS

Après l'épisode de la mention du trombone rouge sur Boing Boing, je me suis rendu compte que beaucoup de personnes passent leur temps à se parler de choses qu'elles trouvent intéressantes. Grâce à leur bouche, certaines personnes parlent de choses intéressantes à d'autres personnes, qui écoutent à l'aide de leurs oreilles. Si les autres personnes trouvent les choses également intéressantes, elles les colportent à leur tour à d'autres personnes, et ainsi de suite. C'est un phénomène où interviennent des bouches et des oreilles. Si on me demandait de créer un terme pour décrire ce phénomène, je crois que j'opterais pour le bouche à oreille. Oui! Cette expression me satisfait entièrement.

QUEL EST VOTRE FESTI-POTENTIEL?

Comment maximiser son potentiel festif? Il faut penser à ce qu'on aime et à ce que les autres aiment. Il faut tendre le plus possible à faire ce qu'on aime et encourager les autres à faire le plus possible ce qu'ils aiment. Plus les gens font ce qu'ils aiment, plus il est facile pour chacun d'atteindre son plein festi-potentiel.

UNE MOTONEIGE CÉLÈBRE

J'ai annulé le délai du 1er décembre. C'est comme si je retirais la nappe à la vitesse de l'éclair et que les verres de vin ne tombaient pas. C'était la seule chose à faire. La motoneige de Michel Barrette est le genre d'offre que je ne peux pas refuser. Après tout, il s'agit du grand Michel Barrette !

La sonnerie du téléphone se fait entendre. C'est Claire, de *The Hour* :

« Voulez-vous venir à l'émission lundi et parler à George de votre aventure ?

- Avec plaisir ! » dis-je.

Le lundi suivant, je ne tiens plus en place. J'ai le trac. C'est mon premier passage en direct à une émission de télévision diffusée d'un bout à l'autre du pays. « D'un bout à l'autre du pays », c'est impressionnant en soi ! L'avantage d'une telle diffusion au Canada, c'est que le Canada est un pays immensément vaste. Ce ne serait pas du tout pareil de passer à une émission de télévision diffusée d'un bout à l'autre du pays dans un pays étroit comme le Portugal ou le Chili. Ça n'aurait rien à voir. Je m'apprête à donner une entrevue à George Stroumboulopoulos, le présentateur de nouvelles canadien qui porte le plus grand nombre de lettres dans son nom de famille et le plus grand nombre de perçages sur le corps.

L'entrevue est diffusée en direct par satellite. George est à Toronto tandis que je suis à Montréal. George présente un à un les trocs que j'ai faits, et on voit une image apparaître à l'écran pour chacun de mes trocs. C'est une expérience fabuleuse. C'est la première fois que je vois mes actions en images.

George me demande à brûle-pourpoint :

« Y a-t-il un endroit où vous refusez de vous rendre pour faire votre prochain troc ?

Je réponds fermement, sans hésitation :

- J'irai partout dans le monde sauf à Yahk, en Colombie-Britannique.

- Pourquoi ? demande-t-il après avoir éclaté de rire.

- Il faut que je nomme un endroit où je n'irai pas, et Yahk a l'air d'une ville géniale à ne pas visiter.

- Bagdad s'offrait également à vous comme choix.

- Je ne suis jamais allé à Bagdad, mais je suis déjà allé à Yahk. Et je peux vous assurer que ce n'est pas le meilleur endroit au monde pour faire un échange.

- C'est très bien » dit-il.

Je rentre ensuite à la maison pour me coucher. C'est lundi, après tout.

Le lendemain matin, il se passe quelque chose concernant une banane orange, mais nous en reparlerons une autre fois.

Après la présentation de ma quête à une émission de télévision diffusée d'un bout à l'autre du pays, je reçois des appels de recherchistes d'autres bulletins de nouvelles nationaux canadiens. Puis CNN m'appelle. Le réseau américain s'intéresse aussi à mon projet. Je suis exalté ! CNN est diffusée d'un bout à l'autre des États-Unis d'Amérique. Tout comme le Canada, les États-Unis sont un pays immensément vaste. En comptant l'Alaska, Hawaii et Guam, les États-Unis sont même plus larges que le Canada. Bref, je suis sûr qu'un passage à une émission de télévision diffusée d'un bout à l'autre des États-Unis ne risque pas d'être ennuyeux.

Le jour du troc, je dois écourter deux entrevues avec des équipes de télé pour des émissions d'information diffusées d'un bout à l'autre du pays, parce qu'il faut que j'accorde une entrevue satellite à CNN. Nous chassons les équipes de télé de notre appartement, empoignons la fête instantanée et courons vers le studio de télé du centre-ville de Montréal pour l'entrevue avec CNN. C'est la frénésie.

Jusqu'à maintenant, la seule vidéo qui existe du projet est celle que Dom a faite, en faible résolution et bien sûr en une seule prise, de Marcin et moi en train d'échanger la génératrice contre la fête instantanée. Mais les bulletins de nouvelles disposent d'excellentes caméras. J'aurai donc droit à des archives de qualité. Les caméras de CNN sont du dernier cri. Ce qui prouve hors de tout doute que leurs bulletins de nouvelles sont les meilleurs!

L'entrevue à CNN s'avère amusante. Pendant quelques minutes, je parle avec Kyra Phillips de mon projet de troquer un trombone rouge contre une maison. L'enseigne de Budweiser en néon est à mes côtés. Je lui montre ma reconnaissance de dette. Nous sourions et avons tous les deux hâte de connaître la suite.

Dom et moi allons en voiture à la station de radio CKOI, où Michel Barrette travaille. Quelques équipes de télé se tiennent déjà devant l'immeuble qui abrite les studios de CKOI. Il fait froid. Le sol est recouvert de 30 cm de neige. C'est la journée parfaite pour troquer une motoneige. La nouvelle de l'échange avec le fameux Michel Barrette s'est répandue partout au Québec et les équipes d'émissions d'information sont sur place pour ne rien manquer, grâce à leurs fourgonnettes et autres équipements consacrés à « l'information sur le terrain ».

Nous descendons de la Corolla rouge et saluons tout le monde. Je sors la fête instantanée de l'auto et la place sur

La motoneige de Michel Barette.

le bord du trottoir. Un homme avec des lunettes de soleil tourne le coin et marche vers nous. Je me tasse sur un côté du trottoir pour le laisser passer. Il s'approche et hésite. Un long rictus se dessine sur son visage :

« Le gars au trombone rouge ! » s'exclame-t-il.

Je souris poliment, en me demandant si l'homme vient de regarder CNN. Il ôte ses lunettes de soleil. C'est Michel Barrette. Nous nous serrons la main et nous sourions. Il sort de sa poche un petit sac en papier. Il tend la main vers moi en me regardant droit dans les yeux :

« Voulez-vous un biscuit ? » demande-t-il.

Je le remercie puis mords dans le biscuit : succulent ! Comme doit l'être un biscuit.

Michel ouvre la semi-remorque géante qu'il a utilisée pour apporter la motoneige du nord du Québec. Nous grimpons à l'intérieur pour examiner la motoneige. Michel saisit alors le démarreur. Il n'a qu'à le tirer une fois pour que ça fonctionne. Il met le moteur en marche et me regarde avec un grand sourire de satisfaction. Les caméras de télévision sont légion. Il accélère le moteur et vérifie quelques jauges. Il débarque puis me fait signe d'embarquer. J'enfourche la motoneige et saisis le guidon. Je m'apprête à faire vrombir le moteur dans un vacarme d'enfer et à créer un épais nuage de gaz d'échappement, quand Michel empoigne ma main et me regarde dans les yeux :

« N'accélère pas trop le moteur. Sinon, elle va décoller et tu vas traverser le mur avant du camion. »

J'y pense quelques instants. Ce n'est pas le genre de choses que je me vois faire, traverser le mur avant d'une semi-remorque. Sur une chaîne qui diffuse ses émissions partout au pays. J'envisage brièvement de le faire. La vidéo serait excellente, mais j'imagine ce que ma mère dirait, et je reviens sur mon idée. Je ne peux pas fracasser la paroi avant d'un camion. Je n'ai pas mon casque ! Je fais vrombir le moteur juste assez pour créer un boucan d'enfer et un nuage de gaz d'échappement à l'arrière du camion, pour les caméramans. Ils s'en régalent. C'est ce que font les caméramans en général.

Michel et moi posons pour la traditionnelle photo de la poignée de main, puis je marche vers Dom, un sourire étampé dans la figure. Ça y est ! J'ai une motoneige ! En quelques trocs

Kyle et Michel font l'échange dans la semi-remorque à Verdun.

seulement, j'ai réussi à transformer un trombone rouge en une motoneige. Nous nous tenons à l'intérieur de la semi-remorque, un mètre ou deux au-dessus du niveau du sol. Nous regardons au loin par en arrière. Dom est Kate Winslet et moi, Leonardo DiCaprio. Nous sommes les figures de proue du *Titanic*, le vent dans le visage et l'océan à nos pieds. Tout est possible. Il n'y a rien qui ne puisse pas marcher.

Je sens une main sur mon épaule puis je me retourne. C'est Michel Barrette, qui pointe la motoneige en disant :

« Monsieur Trombone rouge, le conducteur du camion aimerait savoir où il doit livrer la motoneige. »

Je regarde Dom, qui me fusille du regard.

Oh là là ! Je n'ai pas pensé à ça ! J'ai présumé que la motoneige resterait à la station de radio jusqu'au prochain troc. Que devrais-je dire ? Je ne voudrais pas que la motoneige marine dans notre appartement. Je déteste ce qui marine. D'ailleurs, je ne mange jamais de marinades. Je trouve que le cornichon, c'est dépassé ! Je me creuse les méninges. Notre logement est petit et se trouve au troisième étage, donc ça règle la question. Mon ami Mathieu est au travail, et il faudrait être gonflé pour aller déposer la motoneige chez lui, d'autant plus qu'il habite chez ses parents. Je pourrais sûrement le lui rendre avec de grosses quantités de bière une autre fois, mais je viens tout juste de me départir de ma reconnaissance de dette pour un baril de bière.

Dom secoue la tête, m'accuse du regard de nouveau et dit :

« Bravo ! Je t'ai dit de trouver un endroit pour la moto-neige ! Qu'est-ce que tu t'imaginais ? Qu'elle se trouverait un endroit toute seule ? »

J'ai envie de dire oui, parce que c'est exactement ce que je pensais. J'étais sûr que ça s'arrangerait tout seul.

Je me mets rapidement à penser où je pourrais entreposer ma désormais célèbre motoneige. Puis ça me frappe : Justin ! Je regarde Dom, qui me fusille toujours du regard, et je lui demande :

« Que penses-tu de Justin ? Il m'a dit qu'il pourrait la garder quelque temps dans son garage. »

Elle me regarde. Elle abandonne son regard accusateur et opte pour une voix cinglante :

« Quoi ? Tu ne peux pas l'envoyer là-bas tout de suite. Tu dois l'avertir. Tu ne peux pas lui demander à la dernière minute, juste comme ça ! »

Mais je ne peux pas avertir Justin. Je suis pris à la dernière minute. C'est juste comme ça !

De toute façon, Justin est le genre de gars qui va comprendre. Je l'ai rencontré quelques années auparavant dans une auberge en Australie. Il venait de débarquer de l'avion en provenance du Québec et ne parlait pas un traître mot d'anglais. Ça a dû être très dur pour lui. Les Australiens lui sont tombés dessus parce qu'il ne parlait pas anglais. Il ne pouvait même pas comprendre des phrases aussi élémentaires que : « *How ye goin mate? Yeh, toss the slab of VB in the ute. That sheila you were just talking to's got a few roos loose in the top paddock but I reckon you can get a quick root in before you head down to Melly Saturday Arvo.* »

Il me demandait souvent de quoi les Australiens parlaient, alors je lui expliquais. Ou je mentais et j'inventais des choses parce que je ne comprenais pas moi non plus. Nous nous som-mes souvent esclaffés ensemble ! Ça a dû être pour lui une leçon d'humilité, de ne comprendre ni *Arvo* ni *sheila* ni *ute* ni *slab of VB* ni *Melly*. Il a dû se sentir comme le dernier des imbéciles.

Maintenant, c'est à mon tour de me sentir très épais. Je prends le téléphone et compose le numéro de Justin. Il répond aussitôt. Tout simplement.

« Allô ? dit-il.

Je regarde en avant de moi : deux caméras sont braquées sur moi, le voyant rouge allumé. J'avale ma salive puis je me lance :

- Salut Justin ! Tu te rappelles m'avoir offert d'entreposer la motoneige ?

- Oui…

- En fait, je viens juste d'apprendre qu'il faut que je trouve un endroit pour l'entreposer quelque temps. »

Justin éclate de rire. Il ne voit pas les caméras, et je ne lui ai pas dit en détail où je me trouve, mais je suis sûr qu'il sent au ton de ma voix que la situation est critique. Il savoure sa revanche pour toutes les fois où nous avons ri de lui en Australie.

« Est-ce je peux la laisser chez toi ? demandé-je la voix remplie d'espoir.

Il rit de nouveau puis me répond :

- Ça me fait plaisir ! Je te donne mon adresse.

- Merci ! »

Les caméramans s'en régalent. C'est ce que font les caméramans en général.

Je transmets l'adresse de Justin aux conducteurs du camion. Nous saluons les caméramans et les journalistes. Michel, Dom et moi hissons alors la fête instantanée jusqu'à la station de radio. Nous nous frayons un chemin à travers une foule de gens affairés qui échangent de nombreuses poignées de main. Ici, pas de caméras de télévision. C'est fascinant de constater qu'une pièce remplie de gens qui m'envoient des rafales de questions en français peut s'avérer une oasis de paix, après la journée que j'ai passée avec une horde de caméras de télévision braquées sur moi. J'aurais beau faire l'appel téléphonique le plus gênant qu'on puisse imaginer, ce ne serait pas diffusé à la télévision d'un bout à l'autre du pays. J'envisage alors de faire un appel qui soit humiliant, juste pour le plaisir. J'ai toujours tenu pour acquis la possibilité de faire un appel embarrassant sans avoir de caméras de télévision braquées sur moi. C'est fou, ça change tout quand on passe à une émission télédiffusée d'un bout à l'autre du pays.

Michel et moi sommes dans le studio et parlons de mon projet de me rendre jusqu'à une maison. C'est la première fois que je parle français à la radio, ce qui explique ma nervosité. Non seulement je m'en tire très bien, mais je réussis même à convaincre Dom de prendre part à la conversation. Elle aussi est nerveuse, puisqu'elle sait que ses amis et sa famille l'écoutent.

Passer à la radio en français est le couronnement grandiose d'une journée grandiose. À mon arrivée au Québec quelques années auparavant, je ne parlais pas un traître mot de français. De tout ce que j'ai entrepris dans ma vie, c'est l'apprentissage du français qui m'a donné le plus de difficulté et la plus grande leçon d'humilité. Beaucoup plus de difficulté que le vulgaire appel téléphonique que j'ai fait à la dernière minute pour joindre Justin. Dans les années qui ont précédé ma venue au Québec, j'ai travaillé dehors comme ouvrier sondeur sur des plateformes pétrolières à − 40 °C, et c'était dur. Mais il n'y a rien comme être assis à table pour souper, dans sa belle-famille, et être obnubilé par ce qui se déroule autour de soi. Nous, les anglophones, sommes très choyés ! Nous nous attendons à nous faire comprendre partout où nous allons, et la plupart du temps, c'est le cas. C'est une tout autre chose que d'inverser les rôles pour se retrouver dans la peau d'un étranger. Surtout dans son propre pays.

Je n'ai pas besoin de parler français à la radio pour prouver que j'aime le Québec, ni ne nourris l'illusion de me transformer en Québécois (mon accent me trahit). Mais en parlant à Michel en français à la radio, sachant que toute la famille de Dom est à l'écoute, j'ai l'impression de faire ma marque. Je bénéficie au moins d'un minimum de crédibilité auprès des Québécois. J'ai tout de même bavardé avec Michel Barrette. Le célèbre Michel Barrette !

Michel veut donner la fête instantanée en cadeau à son ami. Il prévoyait lui donner la motoneige qu'il m'a troquée, mais il s'est dit que ce serait beaucoup plus amusant de remettre à son copain un baril de bière et une enseigne au néon de Budweiser, et d'ajouter une trentaine de caisses de bière en extra, pour le plaisir. Son ami risque d'abord d'avaler la nouvelle de travers, mais il s'en remettrait grâce à quelques bières. Encore quelques bières et il se dirait que Michel est un génie. Moi qui n'ai pas touché à la moindre bière de toute la semaine, je trouve que Michel est un génie. Un génie et un sacré bon gars.

« Avec qui vas-tu échanger la motoneige ? me demande Michel en me regardant.

Je souris en pensant à mon secret aux parfums d'orange et de banane.

- J'ai d'excellentes offres, mais rien n'est encore certain. Je crois que je vais décider très bientôt. J'ai une petite idée de ce qui pourrait arriver, dis-je, un vaste sourire illuminant mon visage.

- Super ! Tiens-nous au courant ! dit-il.

- Sans faute ! »

Dom et moi saluons l'équipe et rentrons à la maison.

Après avoir vanté les parfums d'orange et de banane, je dois admettre que j'ai tu un événement survenu le lendemain matin de mon passage à *The Hour*. Ce matin-là, je reçois une offre très alléchante pour la motoneige, mais j'attends une confirmation. Après notre entretien avec Michel, Dom et moi rentrons à la maison, et je consulte ma boîte de réception. L'offre est confirmée. Je fends l'air de mon poing en m'exclamant : « Oui ! »

Je vais dans la cuisine et dis à Dom :

« Oui !

- Oui, quoi ?

- Jeff m'a donné le feu vert. L'offre est officielle, dis-je.

- Jeff qui ? demande-t-elle.

- Jeff « bananorange », réponds-je.

- Ah, bon ! » dit-elle.

Mise en situation : L'appartement de Kyle et Dom. Le lendemain de l'entrevue de Kyle avec George Stroumboulopoulos. Tôt le matin. Le téléphone retentit. Kyle hésite entre répondre et continuer à dormir. Le téléphone sonne de nouveau. Kyle répond.

KYLE

Allô.

JEFF

Bonjour, Kyle, s'il vous plaît ?

KYLE

(Il se racle la gorge.)

Oui ! C'est moi.

JEFF

Bonjour Kyle, comment allez-vous ?

KYLE

Bien, merci, et vous ?

JEFF

Très bien. Je me présente. Ce n'est pas comme si vous lisiez le scénario d'un film et que vous saviez qui je suis ! Je m'appelle Jeff Cooper et je travaille pour un magazine de Cranbrook, en Colombie-Britannique : *SnoRiders West*. Nous sommes très bien situés puisque nous sommes à 45 minutes en voiture de Yahk.

KYLE

Super ! J'imagine que vous avez vu *The Hour* hier soir.

JEFF

En fait, non, mais mon collègue Kerry m'a tout raconté.

KYLE

C'est bien.

JEFF

Nous avons pensé à toutes sortes d'idées au bureau. Car nous voulons vous faire une offre pour la motoneige.

KYLE

Ah oui ? Quelle offre ?

JEFF

Nous vous offrons un voyage à Yahk.

Jeff ne blague pas. Il offre des billets d'avion aller-retour pour deux personnes, à partir de n'importe où en Amérique du Nord jusqu'à Cranbrook, une journée de ski, les repas et une excursion en motoneige à Yahk. C'est une excellente nouvelle. Un voyage à Yahk ! Kyle admet à Jeff qu'il s'agit là d'une offre exceptionnelle. Le festi-potentiel d'un voyage à Yahk est hallucinant.

KYLE

C'est parfait !

JEFF

Mais il y a un hic.

KYLE

Lequel ?

JEFF

En fait, il y a deux hics. Le premier, c'est que nous avons besoin de l'autorisation de notre patron.

KYLE

Quel est le second?

JEFF

Le second hic, c'est qu'il faut faire le troc à Yahk.

Kyle brise le quatrième mur et parle directement à la caméra pour s'adresser au public.

Bouche bée, il a les yeux exorbités. L'image fige au climax de son étonnement. On entend une musique légère qui annonce la pause commerciale.

VOUS ÊTES EN TRAIN DE LIRE CES MOTS

Il s'est passé quelque chose. Véritablement. Et il se passera à nouveau quelque chose. Quelque part. D'une façon ou d'une autre. Mais ce sera différent. Est-ce que ce sera à vous que ça arrivera? Allez-vous être la personne concernée?

REGARDEZ DANS LA COUR DU VOISIN

L'herbe n'est pas toujours plus verte chez le voisin, mais c'est possible. Il faut écouter l'avis des autres, sans oublier que nous percevons tous les couleurs différemment. Ce qui semble vert pâle à quelqu'un peut nous paraître vert vif.

UN VOYAGE À YAHK

Comment pourrais-je faire un troc à Yahk? J'ai dit que j'irais n'importe où sauf à Yahk. Ce n'était pas de la frime, j'étais tout à fait sérieux. Je l'ai déclaré à la télévision, à une émission diffusée d'un bout à l'autre du pays.

Après mon *flash-back* cinématographique aux parfums d'orange et de banane, où j'ai brisé le quatrième mur en regardant directement la caméra, je reviens à la réalité, souris au téléphone et dis :

« C'est à Yahk que ça se passe.

- Voilà. C'est à Yahk que ça se passe » dit Jeff.

Par principe, j'accepte sur-le-champ l'offre du voyage à Yahk, mais je ne reçois la confirmation officielle que quelques jours plus tard, en consultant ma boîte de réception après le troc avec Michel Barrette. Je fends l'air de mon poing en criant : « Oui ! »

Je voulais trouver un nom de code secret qui soit rigolo. Je dispose maintenant d'un voyage à Yahk. Il ne me reste qu'à trouver une façon de faire le troc à Yahk sans manquer à ma parole, moi qui ai dit que je n'irais jamais à Yahk faire un troc. Et il va sans dire que je ne sais toujours pas non plus comment je vais apporter la motoneige de Montréal à Yahk, ce qui représente une distance de près de 5 000 kilomètres. Mais je me dis que ça va s'arranger tout seul.

Je sais où je veux aller, j'ignore seulement comment je vais m'y rendre.

Je suis embrouillé mais lucide.

Je ne comprends même pas la phrase précédente.

Depuis quelques semaines, beaucoup de gens me demandent pourquoi c'est à Yahk que je ne veux pas faire d'échange. «Aviez-vous quelque chose derrière la tête? Savez-vous quelque chose que nous ne savons pas?» me lance-t-on. Pour l'entrevue avec George Stroumboulopoulos à *The Hour*, j'ai dit «Yahk, en Colombie-Britannique» pour faire une blague. Yahk est un drôle de mot à prononcer.

Mais je connais Yahk, c'est pour ça que j'ai dit ce nom-là.

Quand j'étais petit, lors d'une excursion en famille dans notre vieille fourgonnette Chevrolet blanche, mon père m'a montré Yahk sur notre carte chiffonnée de la Colombie-Britannique de Rand McNally de 1986. «Il y a un endroit qui s'appelle Yahk!» dit-il en souriant. Il a grandi à Nelson, à quelques villages de Yahk. Yahk ne l'a donc jamais laissé indifférent. Au fil des ans, j'ai passé d'innombrables heures à examiner la vieille carte pendant nos excursions familiales, et mes yeux retombaient toujours sur Yahk. S'il y a un endroit sur Terre qui a un besoin en visibilité plus criant que Warren, en Australie, et Puyallup, dans l'État de Washington, c'est bien Yahk.

J'ai donc dit Yahk pour le plaisir. Je n'ai aucune dent contre la ville de Yahk ou ses habitants, mais c'est beaucoup plus drôle de nommer un endroit inconnu où on n'ira pas, que de dire qu'on ira partout. «Partout», c'est plate. «Partout», c'est cliché. «Partout», ce n'est pas Yahk. Je ne pensais jamais recevoir une offre de troc de quelqu'un à Yahk, mais c'est à cause de ma façon de penser que je baigne présentement en pleine marinade. On peut me reprocher beaucoup de choses, mais certainement pas d'être un menteur. Comme j'ai dit que je ne ferais pas de troc à Yahk, je perdrais toute la crédibilité que je me suis forgée au fil des ans, seulement en allant à Yahk. Je la perdrais jusqu'à la dernière parcelle.

Il me faut jouer de finesse pour me sortir indemne de cette situation. Ma réputation est en jeu. Je réfléchis longuement et profondément, vais courir et procède à un examen introspectif, pour me rendre compte d'une chose: je hais le terme «examen introspectif». En outre, j'ai trouvé une façon de faire le troc avec Jeff sans être un menteur: il me suffit de dire un mensonge.

J'écris un message à l'intention des citoyens de Yahk puis je l'affiche sur mon site Web:

CHERS CITOYENS DE YAHK,

Le 5 décembre, George Stroumboulopoulos, journaliste à CBC et amateur de perçages corporels, me demande à brûle-pourpoint, en direct à la télévision, s'il y a un endroit où je n'irais pas pour faire un troc. Je lui réponds que j'irai partout sur la Terre, sauf à Yahk, en Colombie-Britannique. Ne m'en tenez pas rigueur, tenez-en rigueur à George Stroumboulopoulos. Pourquoi? Permettez-moi de vous faire une confidence : je crois qu'il m'a hypnotisé. Oui, je crois que George Stroumboulopoulos m'a hypnotisé en direct à la télévision, par le double ensorcellement que représentent son nom de famille impossible à écrire et son grand nombre de perçages corporels. Il m'a contraint à dire que je n'irais pas à Yahk pour faire un échange. Je suis déjà allé à Yahk. Yahk me semble très joli. Tout comme je suis certain que vous êtes vous-mêmes très gentils. Mais George Stroumboulopoulos m'a forcé à faire l'annonce officielle d'un embargo de troc avec votre localité. J'espère que vous accepterez le fait de vivre dans la seule ville au monde où je ne peux pas aller faire un troc. Nous pouvons être amis, mais pas copains de troc. Les citoyens de Yahk devraient peut-être boycotter George Stroumboulopoulos, en représailles à ses prouesses d'hypnotiseur maléfique. Ça me semble la chose logique à faire. En fait, je crois que quelqu'un devrait lancer une pétition pour demander à George Stroumboulopoulos de diffuser *The Hour* à CBC en direct de Yahk, afin de s'excuser de son comportement malveillant. Oui! Si quelqu'un parmi vous sait comment organiser une pétition en ligne, pourriez-vous en faire une et m'envoyer le lien? Merci d'avance! C'est

sans contredit un pas dans la bonne direction.
Merci de votre compréhension.

— KYLE

Vingt minutes plus tard, je reçois un courriel de la part d'un dénommé Brent.

SALUT KYLE,

Je viens de lire votre dernier billet de blogue. Voici votre pétition :

À : GEORGE STROUMBOULOPOULOS,

CBC (Canadian Broadcasting Corporation)

Nous, citoyens de Yahk, en Colombie-Britannique, au Canada, et par association tous les résidents de la planète Terre qui ne vivent pas à Yahk, mettons George Stroumboulopoulos au défi de diffuser une émission de *The Hour* à CBC en direct de Yahk, où Kyle MacDonald, du site www.oneredpaperclip.com, sera présent pour «ne pas faire de troc». Si George Stroumboulopoulos diffuse son émission à partir de Yahk, l'ensorcellement qu'il a fait subir à Kyle MacDonald en direct à la télévision sera renversé, et les échanges dans le cadre du projet Un trombone rouge pourront donc avoir lieu à Yahk.

Sincères salutations

Les soussignés

J'affiche un lien vers la pétition sur mon site Web. Avant que je me couche, je vois déjà quelques signatures. Le lendemain matin, les noms d'autres personnes se sont ajoutés. Je me dis que ça pourrait tout à fait marcher ! Tout est possible, non ?

J'écris un billet sur mon blogue à l'intention de tous les troqueurs potentiels pour le voyage à Yahk :

```
TROQUEURS POTENTIELS

J'ai dit, lors d'une émission de télévision
diffusée dans plus d'un pays, que j'irai
partout sur la Terre pour faire un troc,
sauf à Yahk, en Colombie-Britannique, au
Canada. Or, je ne suis pas un menteur. Il
faudra donc faire l'échange à l'extérieur de
Yahk. J'espère que vous comprenez la
situation. Merci à Jeff pour son initiative.
Avis à tous les internautes : j'ai très hâte
de voir vos offres pour le voyage à Yahk.
J'ai aussi très hâte de ne pas faire de troc
avec vous à Yahk. Sauf si George Stroumbou-
lopoulos conjure le mauvais sort qu'il m'a
lancé. Parfaitement, le mauvais sort qui est
une gracieuseté de Stroumbo en personne. Une
combinaison de tactique raffinée, de rapidité
d'élocution et de profusion de perçages a
permis à George de m'ensorceler.
```

La controverse n'est pas sans remuer la localité de Yahk. Penny A. P. Anderson, de la société historique Yahk-Kingsgate, se décrit comme une militante Yahktiviste. Elle affiche la pétition sur le site Web de la société Yahk-Kingsgate, en prévenant George Stroumboulopoulos que ses pouvoirs hypnotiques n'auront aucun effet sur les citoyens de Yahk. Elle m'écrit un courriel :

```
Regardez ce qui va se passer… vous ne savez
pas à quel point vous avez choisi la bonne
communauté !
```

Je transmets ces échanges de courriels à Claire de *The Hour*. Elle me répond aussitôt :

```
À : Kyle MacDonald
```

Objet : Re : Ça intéressera sûrement George

Message : Ne manquez pas l'émission ce soir !

Comme Dom et moi n'avons pas le câble, nous allons chez sa sœur Marie-Lou et monopolisons son poste de télévision. Le courriel de Claire m'intrigue énormément : « Ne manquez pas l'émission ce soir ! » De deux choses l'une : soit quelque chose de spécial va se produire, soit le budget de marketing de *The Hour* est si petit que les producteurs se rabattent sur une campagne publicitaire par courriels. George se met à décrire sa situation à l'ensemble de ses compatriotes. Il raconte que je l'ai accusé de m'avoir hypnotisé. Je ne l'ai pas accusé d'avoir menti. De toute façon, tout le monde est au courant de ses mystérieux pouvoirs hypnotiques. Il parle de la pétition et se dit pris « dans une sorte de triangle amoureux bizarre ». George dit que toute l'équipe de *The Hour* suit la pétition et attend de voir ce qui arrivera. Il ajoute également :
« Contrairement à Kyle, je serais enchanté de faire un séjour à Yahk, en Colombie-Britannique. »

Je suis encore plus nerveux, mais très emballé. Je m'attends à ce que George lance l'idée d'aller à Yahk. S'il s'y rend, nous aurons la preuve qu'il avait des comptes à régler avec les citoyens de Yahk, et j'aurai l'air d'un héros. Présentement, je suis le méchant. Il suffit d'attendre pour voir l'évolution de la pétition. Et comme dit Tom Petty, l'attente est ce qu'il y a de pire.

Bien que l'incertitude quant au lieu du troc flotte encore, je reçois par courriel des offres pour le voyage à Yahk :

*****Je suis propriétaire du Kootenay Country Comfort Inn à Cranbrook, en Colombie-Britannique. Je vous offre 60 nuits d'hébergement à mon motel, utilisables durant la saison de ski. Les chambres viennent avec un déjeuner continental.

*****SALUT KYLE

Je m'appelle Martin et j'habite la région de
Sudbury, en Ontario. Tout ce que j'ai à vous
offrir pour l'instant, en échange de votre
voyage à Yahk, c'est une Ford Thunderbird
1994. Malgré ses 370 000 kilomètres, elle
marche encore très bien. Les freins, la
suspension, les plaquettes et les ressorts
ont été remplacés il y a un an et demi. Le
support et le pignon aussi. Elle a besoin
d'un foyer chaleureux. Si vous souhaitez
avoir plus de détails, appelez-moi au 705.
XXX.XXXX ou écrivez-moi un courriel si vous
n'êtes pas intéressé. Merci de votre attention et bonne chance! J'espère vous offrir
ce que vous cherchez. J'adore l'hiver et la
région de Yahk, en Colombie-Britannique. J'ai
déjà skié à Fernie une fois. ;-)

*****Je suis votre aventure sur votre blogue.
On ne parle pas beaucoup de vous dans la presse
grand public ici, en Caroline du Sud. Je veux
vous faire une offre. Le voyage contre mon
bateau nommé *Dangeresque 2* «à ne pas confondre
avec *Dangeresque 1*»: tricoque en Fabuglas de
1971, moteur hors-bord Evinrude 70HP de 1984,
toit Bimini, six places assises, canot gon-
flable, touée, six supports de canne à pêche,
détecteur de poissons, réservoir à essence
double de six gallons et remorque. Il marche
bien et a déjà permis d'attraper plusieurs
poissons.

Et suivent encore des douzaines d'offres.

Pendant la période des fêtes, nous sommes très occupés
par des activités de Noël, comme des repas en famille et un
déménagement en plein milieu de l'hiver. Aucune activité ne

suscite autant de joie chez les gens que celle qui consiste à lever des boîtes remplies d'objets lourds et à les apporter ailleurs. À part peut-être le frottage de la crasse du locataire précédent dans le bain. Nous déménageons dans un nouveau logement avec nos amis Mathieu et Marie-Claude. C'est une bonne décision. Les plafonds sont plus hauts dans le nouvel appartement, et je dispose de mon propre bureau, pour ne plus que mon style de travail, qui fait que ma productivité est à son meilleur après minuit, empêche Dom de dormir.

Quand nous avons déménagé toutes nos choses, près d'un millier de personnes ont signé la pétition. Pas si mal pour une pétition enclenchée par une accusation farfelue et un scénario des plus improbables. Pas mal du tout. Mais peu importe si *The Hour* se rend à Yahk ou non, j'ai trouvé une faille! Je peux me rendre à Yahk sans être un menteur!

Jeff Cooper m'a envoyé des photos de lui à Yahk, et j'y ai découvert un détail technique, qui s'avère une faille. On voit une pancarte à Yahk sur laquelle on peut lire «YAHK – NON ENREGISTRÉE». Si Yahk n'est enregistrée ni en tant que ville, ni en tant que village, ni en tant que bourgade, ni en tant que hameau, ça signifie que les frontières de la ville de Yahk se trouvent dans une immense zone grise. Théoriquement, je pourrais dire que je suis à Yahk présentement, comme n'importe qui, en fait. Yahk est à la fois nulle part et partout. C'est dément. J'adore la faille. Elle m'accorde la liberté de me rendre à Yahk et d'y faire le troc parce que, officiellement, Yahk n'existe pas. J'admets que j'illustre ici parfaitement la fuite en avant, tout en affichant un optimisme étiré jusqu'à sa limite théorique ou jusqu'à sa folie, mais je n'en ai pas moins déniché une brèche! Je peux ainsi sauvegarder toute la crédibilité que j'ai bâtie au fil des ans. Je pense fièrement à ma faille. On ne découvre pas des failles tous les jours.

Mais en réalité, je veux forcer George Stroumboulopoulos et le reste de l'équipe de *The Hour* à aller à Yahk. Les failles sont amusantes, mais pas autant que le fait de voir l'opinion publique contraindre l'équipe d'une émission d'information diffusée dans tout le pays de traverser le continent pour faire une émission en direct dans le seul but de répondre à une accusation saugrenue d'hypnose. Ce genre de choses est plus captivant que n'importe quelle faille.

Je parle à Penny A. P. Anderson. Elle me confirme que tout est prêt. Les membres de la communauté de Yahk se sont rencontrés et ont décidé que la meilleure chose à faire est de continuer à faire circuler la pétition et à envoyer des courriels à tout le monde de *The Hour*. Elle me dit que des gens sont allés jusqu'à filmer des enfants de Yahk qui demandent à George pourquoi il ne veut pas venir à Yahk. C'est un plan génial.

La liste des signataires de la pétition continue à s'allonger. Quand il y a 1 200 signatures, je reçois un courriel de Claire, de *The Hour*. Je l'ouvre, les yeux illuminés par l'espoir. Claire a d'excellentes nouvelles. Après avoir suivi le progrès de la pétition, les responsables de l'émission ont pris la décision de faire le voyage à Yahk. *The Hour* sera diffusé en direct de Yahk ! Le militantisme Yahktiviste a gagné ! Je suis transporté par l'émotion. *The Hour* à Yahk ! Tout est en place.

Enfin, presque tout : je ne sais toujours pas comment je vais transporter la motoneige à Yahk. Ça ne s'est donc pas vraiment encore arrangé tout seul.

Je prends la Corolla pour aller faire des courses et tenter de m'éclaircir les idées. Monsieur Ed se fait entendre. J'ouvre le téléphone :

« Allô !

- Bonjour, Kyle, s'il vous plaît ?

- C'est moi. Qui parle ?

- Je m'appelle Bruno. Je travaille pour Cintas.

- Bon ! Je me demandais quand vous m'appelleriez, dis-je.

- Ah oui ? demande Bruno.

- Oui. J'ai porté la chemise de Cintas de Ricky à la télé.

- Vous l'avez portée à la télé ?

- Oui, entre autres à CNN.

- Vraiment ? Je vous ai vu en couverture du *Journal de Montréal* le mois dernier.

- Oui, je suis passé là aussi. Je l'ai portée partout. C'est une blague entre Ricky et moi.

Bruno éclate de rire :

- J'ai appelé des succursales Cintas partout au pays pour tenter de trouver un certain Ricky qui fait des trocs. Personne ne savait de quoi je parlais. Ce n'est qu'en consultant votre site Web que j'ai appris que vous ne vous appelez pas Ricky, mais

Kyle, que vous ne travaillez pas pour Cintas et que vous habitez ici, à Montréal. Bruno a un sourire dans sa voix.

- Je m'excuse de vous avoir causé tout ce chambardement, dis-je.

- Il n'y a aucun problème. Je trouve que vous vous en tirez très bien. J'aimerais vous rencontrer pour vous parler d'un projet et peut-être collaborer avec vous, dit-il.

- D'accord, c'est super.

- Bien.

- Que pensez-vous d'un souper ce soir ? » lui demandé-je.

J'entre dans le restaurant. Je suis en proie à une grande nervosité. J'ignore encore comment aborder la situation. La chemise Cintas est une blague entre Ricky et moi. Elle est incidemment devenue ma chemise de troc officielle, voire mon uniforme de troc. Mais sinon, je n'ai jamais repensé à la chemise. Je ne veux surtout pas que le trombone rouge devienne une vitrine publicitaire pour Cintas. Pas parce que je suis contre ce genre de pratique, mais parce que je n'ai aucun lien personnel avec Cintas. Il ne s'agit que d'une bonne blague entre Ricky et moi. Cintas, une puissante entreprise, me voit sûrement comme l'occasion de faire un coup de pub pour pas cher.

Je rencontre Bruno au restaurant.

Nous nous serrons la main et nous assoyons. Je le regarde droit dans les yeux : ils confirment ce que j'ai imaginé à partir de sa voix. Il sourit des yeux. Il est emballé. Il a compris l'essence de mon projet. Il ne me voit pas seulement comme l'occasion de faire un coup de pub. C'est de plaisir dont il s'agit. Il est ravi de participer au projet. La distinction est maintenant faite entre le cadre en entreprise et le gars qui veut aller à Yahk. L'important, c'est les gens. Les gens qui travaillent ensemble.

Bruno se penche vers moi et dit :

« Je vous offre un grand fourgon contre votre voyage à Yahk. Seriez-vous intéressé ?

Je souris. Puis je rigole. C'est parfait ! Je le regarde dans les yeux et ouvre la bouche, mais Bruno le lâche avant moi :

- Nous risquons de nous amuser. »

D'une façon tout à fait inattendue, la rencontre avec Bruno aura été parfaite. La chemise boucle la boucle en provoquant un troc. C'est rocambolesque.

« Pourquoi voulez-vous aller à Yahk ? lui demandé-je.
- J'ai besoin de vacances.
Je souris et je dis :
- Excellent. Marché conclu ! »
Nous nous serrons la main.

« LES AUTRES » TE RESSEMBLENT

Qu'il s'agisse d'un riche cadre, de l'animateur célèbre d'une émission de télévision ou des amateurs de l'équipe adverse, « les autres » ne savent probablement pas non plus où se trouve Yahk. Nous nous ressemblons tous beaucoup.

SI TOUT LE MONDE GAGNE, PERSONNE NE PERD

Si on crée un échange qui profite à chacune des deux parties, alors tout le monde est gagnant. C'est l'avantage du troc! Tout le monde y gagne. « Ceci contre cela », « cela contre ceci » et autres « ceux-là contre ceux-ci »: nos vies s'appuient sur le concept d'échange de biens, de services et, surtout, d'idées. On peut argumenter que certaines formes d'échange ressemblent davantage à de l'exploitation, c'est vrai. Mais peut-on imaginer une vie sans échange d'idées? Si c'est votre cas, je suis sidéré que vous puissiez lire ces lignes, puisque la langue provient d'une idée.

LES GENS VEULENT QU'IL SE PRODUISE QUELQUE CHOSE

Il est bien plus agréable de voir quelque chose se produire plutôt que de voir que rien ne se produit.

UN GRAND FOURGON

Bruno m'écrase presque la main. Il détient la poignée de main la plus puissante au monde, et j'ai déjà serré la pince d'Al Roker, météorologue du petit écran aux États-Unis. On dirait un croisement entre une torture médiévale et une prise d'art martial. J'imagine Bruno le seul adepte au monde d'un art martial spécial basé sur la poignée de main, mis au point pour des seules fins de négociation. Poignée d'acier. Poignée d'a-cier. On dirait du japonais. Peut-être Bruno est-il un ninja. Un ninja déguisé en homme d'affaires. On ne sait jamais. En fait, c'est très logique. C'est un homme d'affaires accompli : il occupe le poste de directeur général de l'exploitation de Cintas au Québec. Tout le monde semble le connaître au restaurant. Peut-être est-il un samouraï ? Je regarde Bruno avec calme et respect. Je me demande si je devrais m'incliner ou lui remettre ma carte de visite de mes deux mains, mais je me rappelle alors quelque chose : je n'ai pas de carte de visite.

Bruno sourit et demande :

« Pourquoi souriez-vous ?

- Ce n'est rien. Je suis très emballé par ce projet, dis-je.

- Nous allons nous amuser ! »

En dépit de la poignée de main costaude, Bruno est un des hommes les plus joviaux que j'ai rencontrés. Son énergie m'irradie. C'est quelqu'un de positif, qui va dans la bonne direction, tout comme mes trocs. Le bonheur de Bruno rend tout le monde autour de lui heureux. Il a une personnalité contagieuse. Mais c'est une contagion saine. C'est le genre de gars avec qui on veut passer du temps. Il est authentique.

Et quelle offre de troc : un grand fourgon ! Le grand fourgon sera idéal pour transporter la motoneige à Yahk. Je ne le dis pas à Bruno, mais au fond de moi, j'aurais aimé qu'il travaille pour Ferrari. Puis je me rends compte qu'une motoneige n'entre pas dans une Ferrari. Du moins, pas pour le moment.

Bruno a dû lire dans mes pensées au sujet de Ferrari, car il bonifie alors son offre :

« Je vous offre également l'essence. Qu'est-ce que vous pensez de l'essence gratuite pour le voyage jusqu'à Yahk et pour le retour ?

Oh ! Du carburant ! Je réponds :

- C'est une très bonne idée. Une excellente idée. Mais vous savez que j'ignore tout de la partie « retour » de mon aller-retour à Yahk ?

- Ce n'est pas grave. Vous ne voudrez sans doute pas conduire le grand fourgon jusqu'en Amérique du Sud non plus », dit-il.

Près de 5 000 kilomètres séparent Montréal de Yahk. Yahk se trouve à une des extrémités du pays et, comme nous l'avons vu plus tôt, le Canada est un pays très large. Un parcours de 5 000 kilomètres n'est jamais à prendre à la légère, surtout pas

Bruno et Kyle se serrent la main pour officialiser le troc à Longueuil.

en grand fourgon. Mais rien ne m'arrête. Je me mords la lèvre et confie à Bruno jusqu'où je suis prêt à aller :

« En fait, j'apporterais le grand fourgon absolument n'importe où, si l'offre en valait la peine.

- Vous voulez dire absolument n'importe où au Canada ? dit-il, la voix inquiète.

- Non, je veux dire partout, et j'insiste sur le « partout ». Tant que l'offre en vaut la peine, j'irai partout.

- Partout en Amérique du Nord ? dit-il, la voix de plus en plus inquiète.

- Non, partout ! dis-je en me penchant par en avant, pour insister à nouveau sur le mot.

Quelque chose tracasse Bruno :

- Si quelqu'un habite loin de Yahk, disons en Floride, et vous fait une offre, vous irez jusqu'en Floride en grand fourgon ?

Je hoche la tête en disant :

- Vous pouvez en être certain ! Si l'offre est assez alléchante, j'embarque dans le grand fourgon et je roule de Yahk jusqu'en Floride pour aller faire le troc.

Je me penche de nouveau vers Bruno, je baisse la voix et dis :

- Bruno, si quelqu'un veut faire livrer le grand fourgon par voie aérienne jusqu'à Fitzroy Crossing, en Australie ou Bichkek, au Kirghizistan, c'est là que j'irai faire le troc. « Partout », c'est très inclusif.

- D'accord, répond Bruno après avoir réfléchi deux secondes. Je couvre les frais de carburant d'ici à Yahk, puis de Yahk à n'importe où en Amérique du Nord. Mais il est hors de question que j'assume les coûts du fret aérien.

- Bien sûr », réponds-je.

Si c'était indispensable, je suis certain que je réussirais à assumer le fret aérien du grand fourgon.

Si jamais c'était indispensable.

« Comme c'est un voyage pour deux, dit Bruno, je crois que je vais inviter mon collègue Garry.

Je souris puis je dis :

- Nous allons casser la baraque à Yahk !

- Je suis ravi de ne pas avoir à me farcir le voyage en grand fourgon jusqu'à Yahk. Je vais plutôt m'envoler...

- Vous voulez dire, l'avion va s'envoler, tandis que vous ne bougerez pas de votre siège, dis-je, pince-sans-rire.

- Quoi ? demande Bruno.

- Ce n'est rien. Déjà la première fois, ce n'était pas la blague du siècle.

Je prends une bonne bouchée.

- En consultant votre site Web aujourd'hui, j'ai remarqué qu'un lavage ne ferait pas de tort à la chemise de Ricky. »

Puisque Cintas est une entreprise qui vend des uniformes, il m'offre de faire nettoyer la chemise de Ricky. Je saisis l'occasion au vol. Voilà qui conclut le marché. Je ne peux jamais résister au nettoyage gratuit ! Non seulement ai-je échangé le voyage à Yahk contre un grand fourgon et donc trouvé un moyen de transport pour la motoneige, mais je peux maintenant retarder d'une semaine ma prochaine brassée de lavage. Ou peut-être de sept semaines !

J'annonce alors le troc sur mon site Web. Les gens sont très emballés par mon troc, mais tout le monde ne connaît pas le terme « grand fourgon ». On m'a donc dit que « camion de déménagement », « camion à semi-remorque » ou « gros camion avec une semi-remorque » seraient des termes beaucoup plus appropriés et plus facilement compréhensibles que « grand fourgon ». Mais Bruno dit « grand fourgon », donc c'est le terme que j'adopte. Et c'est irréversible. Soit dit en passant, j'aurais préféré que Bruno ait préféré à « grand fourgon » un nom plus absurde, comme « poney », « chemise en denim » ou « Amanda ».

Je rencontre Bruno à son bureau à Montréal, pour voir le grand fourgon. Il est colossal. Il me tend la clé, que je tourne dans le démarreur. Le camion démarre du premier coup.

Je rends visite à Justin, qui a entreposé la motoneige, lui offre un dîner en guise de remerciement puis monte la motoneige dans le fourgon à l'aide d'une rampe en bois de fortune. Une fois de plus, je ne porte pas de casque, et une fois de plus, je réussis à ne pas défoncer l'avant du camion avec la motoneige. Ma mère serait fière de moi. Quand j'aurai téléchargé la vidéo sur Internet, elle sera très fière ! Bruno a fait de superbes décalques sur les portières : une photo du trombone rouge avec l'inscription « Kyle – Not Ricky ». C'est parfait.

Mon père vient à Montréal à la fois par affaires et par souci de m'aider à conduire le grand fourgon jusqu'à Yahk. Nous bondissons dans le camion et roulons vers l'ouest. Nous mangeons

Kyle et non Ricky.

des graines de tournesol. Nous allons à Detroit. Mon père achète un chandail dans un grand magasin à Milwaukee. C'est franchement splendide.

Quelques jours plus tard, nous arrivons à Minneapolis, où mon père prend un avion pour rentrer à la maison. C'est Dan, un ami de Vancouver, qui le remplace au poste de copilote.

Dan est à Minneapolis à la fois pour rendre visite à sa copine et pour m'aider à conduire le grand fourgon jusqu'à Yahk. Je vais au mont Rushmore avec lui. Nous voyons les meutes de buffles errer. Nous tournons une vidéo de nous en train de regarder les buffles errer, puis la téléchargeons sur le site Web. C'est majestueux.

Nous arrivons à la frontière canadienne à l'est de Yahk et nous nous approchons de la guérite du gardien. Le douanier se dirige vers nous, jette un coup d'œil à notre plaque d'immatriculation sur le moniteur de son circuit fermé et dit :

«Ah! Une plaque du Québec! Êtes-vous celui qui essaie de troquer un trombone rouge contre une maison?

- Oui, c'est moi.

- Vous êtes le gars au trombone rouge!

Je souris et dis :

- Si on veut, oui, le gars au trombone rouge.

- Nous avons entendu parler de vous à la radio ce matin. Les journaux en ont parlé aussi. Je me disais que vous passeriez peut-être par ici. Vous allez à Yahk?

- Oui, la CBC y sera. Les gens de Yahk sont très emballés!

- C'est sûr! dit-il en fendant son visage d'un large sourire. C'est une excellente idée, très originale.»

Il continue à sourire, mais fronce subitement les sourcils. Ses responsabilités lui reviennent. Il a tout de même un travail à faire. Nous sommes à un point de passage à la frontière, après tout.

«Votre citoyenneté, messieurs?

- Nous sommes tous les deux Canadiens.

- Combien êtes-vous dans le véhicule?

- Deux.

- D'où venez-vous?

Je pointe Dan et dis :

- Lui vient des superbes villes jumelles de Minneapolis et Saint Paul. Moi, je viens de Montréal, via Wall Drug à Wall, dans le Dakota du Sud.

- Où vous dirigez-vous?

- Yahk.

- C'est vrai. Désolé. J'ai un travail à faire. Quelle bonne idée, passer d'un trombone rouge à une maison! Nous sommes nombreux à t'admirer ici.

- Merci.

- Amusez-vous à Yahk!

- C'est garanti!»

Nous démarrons. Dan et moi échangeons des regards, le sourire fendu jusqu'aux oreilles. C'est de loin la plus insolite des traversées de la frontière que j'ai faites dans ma vie. Dan peut sûrement en dire autant. Mais bon, je n'en suis pas certain, je ne suis pas Dan.

Nous arrivons dans la région métropolitaine de Yahk, où nous rencontrons Jeff à l'hôtel. Je suis ravi de faire enfin la connaissance de Jeff, après que nous nous sommes tant parlé au téléphone. Je me dis que c'est un homme d'idées. Quelqu'un qui pense vite. Un photographe. Un voyageur. Un homme d'action. Tout comme Bruno, je suis sûr qu'il a vu les grands avantages que son entreprise pourrait tirer du troc, mais il choisit de rester sur le plancher des vaches. En outre, sa poignée de main n'a pas l'ombre de la vigueur de celle de Bruno, ce qui n'est pas à négliger.

Bruno et Garry arrivent. Mes parents arrivent. Ma mère me coupe les cheveux et nous dormons tous comme des bûches. Le soleil du matin darde ses rayons à travers les rideaux. Tout le monde se réunit dans le foyer de l'hôtel, puis nous nous entassons dans des camions qui tirent des remorques pleines de motoneiges. Nous enfourchons les motoneiges et faisons une longue excursion en groupe pour franchir la dernière ligne droite jusqu'à Yahk. C'est grisant de se trouver au sommet d'une montagne avec deux dizaines de motoneigistes, devant le ciel azur et une chaîne infinie de montagnes enneigées. Quelle façon extraordinaire d'arriver à Yahk! Le parcours de 100 kilomètres en motoneige a paru plus long que la traversée du Wyoming. Et celle du Montana aussi. Bruno et Garry sont aux anges. Comme il n'y a pas assez de neige pour se rendre jusqu'à Yahk, les camions qui tiraient les remorques nous attendent à l'orée de Yahk et nous faisons le reste du chemin en camion.

Je suis nerveux en arrivant à Yahk. Les événements qui nous ont menés ici sont peut-être improbables, mais maintenant, Yahk est tout ce qu'il y a de plus réel. Il y a des gens et des véhicules partout : voitures, fourgons, camions de pompiers, voitures de police, l'autobus d'une équipe de hockey et assez de camions de la CBC pour remplir un stade de football. Il y a même la semi-remorque de la fameuse loge mobile. Ce soir, le pays entier aura droit à un bulletin de nouvelles en direct de Yahk, et Yahk a une loge mobile pour le prouver.

Bruno et Garry au sommet d'une montagne, en s'en allant à Yahk en motoneige.

J'entre dans la mairie, soudainement transformée en studio de télévision : on ne voit que des caméras et des gars aux cheveux longs en t-shirt noir qui transportent des câbles. Sur le flanc de leur jean noir, ils portent des couteaux dans des étuis en cuir suspendus à leur ceinture. Ce sont des techniciens itinérants. George Stroumboulopoulos a ses propres techniciens itinérants !

En plus des techniciens itinérants de Stroumbo, des centaines de personnes vont et viennent dans tous les sens.

Partout.

La nervosité me gagne. J'ai déclaré publiquement que Yahk est le seul endroit où je ne voulais pas faire de troc. Je cours le risque de me faire chasser par des fiers-à-bras en colère, armés de fourches et de torches. C'est possible. Puis j'éclate de rire. Les gens ne m'en veulent pas. Je ne suis pas coupable. C'est George Stroumboulopoulos le coupable. Même s'il a des techniciens itinérants.

Une main saisit ma tête par derrière et la frotte puissamment de ses jointures. Je recule, me libère et pivote sur moi-même. Un homme me sourit à pleines dents en me tendant la main.

C'est George Stroumboulopoulos.

Je souris en lui tendant la main. Nous nous serrons la pince.

George sourit puis me lance :

« Je suis à Yahk à cause de vous !

Je le regarde et je souris :

- Je suis à Yahk à cause de vous ! »

Nous rions parce que c'est drôle.

Une femme tourne le coin vers nous, tend sa main et me dit :

« Bonjour Kyle, savez-vous qui je suis ?

- Penny A. P. Anderson. Je reconnais votre voix ! dis-je.

- Bienvenue à Yahk !

- Merci ! Je suis ravi d'être ici !

- Finalement, la petite pétition s'est rendue loin !

- Ça aurait été impossible sans votre aide.

- On est un militant Yahktiviste ou on ne l'est pas ! »

Je suis content d'être à Yahk.

Dan et moi sortons. J'ai amassé assez d'aéropoints pour faire venir Dom de Montréal pour la fin de semaine. Elle se tient à côté d'une flaque. Je marche vers elle, contourne la flaque et la serre dans mes bras. Nous éclatons de rire. C'est délirant. Elle me regarde et me complimente :

George Stroumboulopoulos à Yahk.

141

« Tu as de beaux cheveux !
- Merci, ma mère me les a coupés hier.
Elle s'esclaffe et répond :
- Ça paraît à peine.
- Après avoir porté un casque toute la journée sur la moto-neige, j'ai les cheveux tout aplatis. Pour finir, George Stroumboulopoulos a frotté ses jointures sur ma tête.
- Ah bon ! » dit-elle en me regardant sans expression. Je crois qu'elle n'est ni convaincue ni ne connaît la pratique du frottage de jointures sur le crâne.

Je trouve que ce serait une bonne idée de tenir George également responsable de ma coiffure négligée, mais je me retiens. Il en a déjà assez sur les épaules. En disant que c'est ma mère qui m'a coupé les cheveux, je force les gens à me faire un compliment. L'honneur de ma mère serait entaché si on critiquait sa coupe de cheveux. Voilà une autre faille !

Dom et moi entrons au centre communautaire. Tout le monde est prêt pour la diffusion. Je bavarde avec George et les résidents enjoués de Yahk avant l'émission. Un groupe de garçons de dix-sept ans marche vers George et moi et demande à George son autographe. George se plie à l'exer-cice. Les garçons me demandent ensuite le mien. Je me plie tout autant à l'exercice. Dan vient alors nous rejoindre. Je dis au groupe d'adolescents :

« Avez-vous fait la connaissance de Dan ?
Le gars à côté de Dan réagit aussitôt :
- Êtes-vous Dan ? Le Dan du site Web ? Le gars des buffles ?
Dan se montre le torse du pouce, sourit et acquiesce :
- C'est moi ! Le gars des buffles !
- Oh ! Est-ce que je peux avoir votre autographe ? demande le garçon.
- Avez-vous un stylo ? » demande Dan en souriant. Il signe son nom. Après tout, il est célèbre !

Le gars remercie Dan et admire l'autographe pendant un certain temps. Il regarde ensuite Dom et demande :
« Êtes-vous Dom ?
Dom sourit et répond :
- Oui, c'est moi, Dom !
- Puis-je avoir votre autographe ? lui demande-t-il.
- Bien sûr ! » répond-elle.

L'émission débute. Elle est diffusée en direct, d'un océan à l'autre. George est debout au milieu du centre communautaire, entouré de centaines de militants Yahktivistes. Après avoir souhaité au pays entier la bienvenue à Yahk, il nous livre un condensé des nouvelles du jour, dans le style volubile, improvisé et dynamique qui est le sien.

Tout le monde est heureux.

Mon casque étampé dans mes cheveux a cédé la place aux jointures de George. Ma mère le remarque et s'en plaint. Elle se penche par terre, prend une poignée de neige et tente de la mettre sur ma tête. Je me protège de ma main en disant :

« Je ne crois pas que la neige va être utile.

- Tu ne perds rien à essayer », répond-elle.

Je laisse tomber ma main. C'est vrai, je ne perds rien à essayer. La neige froide est rafraîchissante comme une gomme à la menthe tendance dont on fait la promotion à coups de millions. Mais grâce à la délicatesse des jointures de George, mes cheveux ont encore l'air d'un nid d'aigle.

Je me promène et observe la scène : une équipe de hockey au complet, de Creston, une ville voisine, et les presque 400 résidents de Yahk. Des gais lurons ont même fait le voyage de Seattle pour l'occasion ! Ils portent un t-shirt blanc avec un trombone rouge dessus. Le gars au trombone rouge a maintenant des groupies. Tout le monde est ravi. C'est extraordinaire !

Claire, de *The Hour*, dit :

« Le premier troc dans cinq minutes !

Je hoche la tête et dis :

- Parfait. Je vais à la salle de bain deux secondes.

Elle m'envoie un regard angoissé :

- C'est une blague ?

- Euh… Oui, c'est une blague », réponds-je en me tournant vers elle.

J'ai lâché un long « euh ». Mais ce n'est pas une blague, il faut que j'aille au petit coin.

Cinq minutes plus tard, George sort du centre communautaire de Yahk, des caméras de télévision en direct à sa suite. J'enfourche la motoneige à l'endroit prévu, je sors la clé du démarreur et je me lève pour rejoindre George. Nous bavardons, puis je présente Jeff et Kerry de *SnoRiders West*.

Kerry, Jeff et Kyle font le troc à Yahk.

Nous parcourons rapidement les détails du troc. Une moto-neige contre le voyage à Yahk. Jeff et Kerry ont de jolies inscriptions en jaune pour illustrer le troc. Ils me remettent les inscriptions jaunes tandis que je leur remets les clés de la motoneige. Nous nous serrons la main. Je dispose mainte-nant officiellement d'un voyage à Yahk. Bien que je me trouve déjà à Yahk, et que j'aie déjà troqué le voyage avec Bruno. C'est ce qu'on appelle la télévision.

George ne perd pas une seconde et dit :

« Revenez-nous après la pause pour voir le prochain échange de Kyle ! »

Une pause commerciale débute aussitôt. On tamise la lumière. Je cours à la salle de bain, que je trouve de peine et de misère. Je me lave les mains et je vérifie mes cheveux. J'ai encore de la neige. Ça ne me dérange pas, mais c'est insultant pour ma mère que je ne fasse pas attention à mes cheveux après qu'elle me les ait coupés.

La télévision en direct me rend nerveux. Je me suis un peu empêtré dans mes mots lors du troc avec Jeff et Kerry. Je ne trouvais pas les mots appropriés, alors j'ai été encore plus malhabile que d'habitude. Il faut dire que j'étais fatigué. Je me regarde dans le miroir. De gros cercles noirs pendent sous mes yeux. Je me rends compte que je dors mal depuis une semaine. J'ai conduit beaucoup. Et j'ai très peu dormi. Je m'asperge la figure d'eau. Peu importe les excuses. J'ai un spectacle à donner.

Je sors, cale une tasse de café et mange un bol de chili. Claire me rejoint et me dit à part :

« Pour le deuxième troc, montrez-vous très emballé ! Je veux même que ce soit sexy. Il faut que les gens ressentent toute votre énergie. Ce n'est pas qu'un troc, c'est quelque chose d'extraordinaire !

- D'accord, je ferai de mon mieux.

- Super ! » dit-elle avant de disparaître.

En entrant dans le centre communautaire, elle hoche la tête et me montre ses deux pouces vers le haut.

C'est la première fois que j'ai un entraîneur de troc. Sexy ? Ça, c'est nouveau ! Oh ! Sexy ! Claire m'a dit que ce n'est pas qu'un troc, c'est quelque chose d'extraordinaire ! Et de sexy. Je pense à ma coiffure. Ça ne pourrait pas marcher. Le casque étampé dans les cheveux empêche d'être sexy. Je fouille dans ma poche et en sors une tuque noire. Je l'admire quelques instants puis je me la flanque sur la tête. C'est ce qu'il me fallait. Ma tuque

George Stroumboulopoulos et Kyle parlent du troc du grand fourgon à Yahk.

145

noire me permettra d'être ultrasexy. Grâce au cocktail explosif de l'entraînement de Claire, ma tuque et ma panse remplie de chili, le deuxième troc sera un jeu d'enfant. Mais pas pour Bruno. Il a le trac.

Il me demande à part :

« Qu'est-ce que je devrais dire ? »

Comme je l'ignore, je l'envoie auprès de Claire. Elle le prend à part pour le motiver. Devant les caméras qui tournent toujours, George sort du centre communautaire pour montrer le deuxième troc au pays. Bruno et Garry sont assis à l'intérieur du grand fourgon, à l'extérieur du centre communautaire. Debout devant le camion, je raconte à George que Bruno m'a joint en raison de la chemise de Cintas de Ricky. George va voir Bruno, au volant, et lui dit :

« Permettez-moi de dire quelque chose. Un voyage à Yahk, c'est fabuleux, mais est-ce que ça vaut un grand fourgon ? Êtes-vous certain de vouloir faire cet échange ?

Bruno, nerveux et aveuglé par la lumière des caméras, déparle :

- Euh… ça y est. Me voilà ! »

Puis il sourit nerveusement.

George et moi allons en avant du grand fourgon et je dis :

« J'apporterai ce grand fourgon partout dans le monde, à commencer par Yahk. »

La foule est en délire. Tout ça est très sexy.

Tout le monde entre. George et moi taillons un immense gâteau avec décorum. La moitié gauche du gâteau montre la photo d'un yak, un gigantesque animal qui ressemble à une vache à long poil, tandis que sur la moitié droite, on peut lire « Welcome CBC *The Hour* No Trade in Yahk but Come on Back » [Bienvenue à *The Hour* de CBC. Pas de troc à Yahk ? Y a qu'à revenir !]. Il a l'air délicieux.

George prend une part du gâteau et la met dans son assiette. Il me semble bien avoir entendu au loin quelqu'un émettre une remarque sarcastique sur le fait que George se sert du gâteau avec du crémage au beurre et qu'il veut l'argent du crémage au beurre en plus, mais je n'en suis pas certain. Je saisis un morceau de gâteau et je le mets dans mon assiette. Je pense à poser mon assiette en équilibre sur l'épaule de George, mais il en a déjà assez sur les épaules.

Lee Rose, résident de Yahk et redoutable joueur de quilles, s'approche et me tend la main.

- Lee Rose, dit-il pendant que nous nous serrons la main.

- Bonjour Lee, je vous reconnais. Stombo s'est entretenu au téléphone avec vous à *The Hour*, l'autre soir! On voyait votre photo à l'écran pendant que vous l'invitiez à une partie de quilles en direct à la télévision!

- J'ai beaucoup aimé parler à George. C'est super qu'il soit venu jouer aux quilles avec nous. C'est un jeune homme remarquable, dit Lee.

Je décide de ne pas lui parler de sa tendance à frotter ses jointures sur le crâne des gens.

Merci pour ce que vous avez dit sur notre village. C'est la meilleure chose qui est arrivée ici depuis longtemps!»

Il paraît que dire à une émission de télévision qui est diffusée d'un bout à l'autre du pays qu'on ne souhaite pas faire de troc dans une ville en particulier, c'est une bonne chose. J'en prends bonne note.

Lee nous invite, Dan et moi, à lui rendre visite un autre jour.

Le restant de la soirée est embrouillé. Je rencontre des centaines de personnes, pose pour des photos, signe des autographes et remange du chili.

Pendant les jours qui suivent, Dan et moi allons skier avec mes parents, Dom, Bruno, Garry, Jeff et tous ceux qui peuvent se joindre à nous. C'est génial.

Les Rocheuses en hiver ont quelque chose de magique. Je ne peux pas transposer en mots l'admiration que j'ai pour les Rocheuses, donc je n'essaierai pas de le faire. Disons que si «joli» est à une extrémité du spectre des compliments, les Rocheuses se trouvent à l'autre extrémité du spectre. Il faut leur appliquer l'adjectif le plus élogieux qui soit, mais j'ignore lequel c'est. Les Rocheuses sont délirantes.

Après avoir passé du temps sur les pentes, chacun part de son côté. Dan et moi bondissons dans le grand fourgon. En retournant à Vancouver, nous repassons par Yahk pour rendre visite à Lee Rose et à sa femme, Dorothy. Ils nous accueillent dans leur maison, où vivent également une demi-douzaine de bichons maltais. Un des passe-temps de Dorothy est l'élevage de bichons maltais. Lee a écrit plusieurs récits. Il lit à voix haute de nombreux chapitres tirés d'un de ses livres. C'est un récit fictif qui frôle la science-fiction, où il est question d'un voyage dans le temps réalisé dans une petite propriété du nord de la Colombie-Britannique, où Lee et Dorothy ont déjà vécu. Je ne suis pas un mordu de science-fiction, mais entendre Lee lire lui-même l'histoire est fascinant. Certains extraits du livre me donnent carrément des frissons dans le dos. Il connaît si bien les lieux et les personnages qu'ils ont l'air réels. Dans notre esprit, ils le sont parfaitement.

Nous saluons Lee, Dorothy et leur meute de bichons maltais et quittons Yahk. Avant de sortir de Yahk, nous arrêtons à la fabrique de savon Goat Mountain Soap Factory. Pendant *The Hour*, Mike Mitchell m'a donné un pain de savon avec un trombone rouge au milieu et m'a invité à voir sa fabrique de savon. J'ai hoché poliment la tête et dit :

« Nous essaierons de passer si…

Mike m'interrompt en relevant les sourcils :

- Nous avons des chèvres sur le toit ! »

C'était tout ce qu'il avait besoin de dire pour me convaincre.

J'adore les chèvres, surtout les chèvres blanches. J'ignore pourquoi.

À l'entrée du village où Dom a grandi, à Saint-Alexis-des-Monts, il y a une ferme avec des chèvres blanches. Je regarde toujours si les chèvres sont dehors. Si elles sont sorties, ça porte chance. Mais ça ne marche pas dans les deux sens. Si les chèvres sont à l'intérieur, ça ne porte pas malchance. Ça veut seulement dire qu'elles sont à l'intérieur, en train de faire des trucs de chèvres.

C'est la même chose avec la superstition du chat noir. Mes parents ont presque toujours eu un chat noir depuis que je suis en vie. En dépit des nombreux chats noirs qui ont croisé mon chemin pendant mon enfance, j'ai été chanceux toute ma vie. Je considère donc maintenant le fait de voir un chat noir croiser mon chemin comme un signe de chance. Dans ce cas-ci non plus, ça ne vaut pas dans les deux sens : ce n'est pas un signe de malchance si un chat noir ne croise pas mon chemin. Ça veut seulement dire que le chat noir est ailleurs, en train de faire des trucs de chats.

Dan et moi arrêtons à la Goat Mountain Soap Factory. Le toit est dépourvu de chèvre. Mike aurait-il été au courant de mon faible pour les chèvres et aurait-il menti juste pour faire mousser ses ventes de savon ? En fait, il y a trop de neige sur le toit. Mike regarde le toit en disant :

« Non, elles n'aiment pas trop la neige, les chèvres. »

Je comprends. Si j'étais une chèvre, je n'aimerais pas la neige non plus. C'est mouillé et blanc, la neige. Mike nous dit que si nous embrassons Minnie, la plus jolie des chèvres, nous aurons droit à des t-shirts gratuits.

Dan et moi faisons signe à Mike et Minnie à partir du grand fourgon. Nous descendons la Crowsnest en direction de Vancouver, en arborant chacun fièrement un t-shirt où il est inscrit « I Kissed the Goat » [J'ai embrassé la chèvre].

C'est le couronnement grandiose d'un voyage grandiose à Yahk.

Je séjourne quelques jours chez mes parents, passe du temps avec Ricky et prends le temps de décompresser un peu. Une journée de décompression plus tard, je regarde dans l'entrée où est garé le grand fourgon. J'ai atteint un moment charnière. Comparé à un trombone rouge, un grand fourgon est très, très gros. C'est fou, tout ce qui peut arriver en six mois : je suis passé d'un trombone rouge à un grand fourgon. J'ai joué au jeu du troc de main de maître. En hissant le grand fourgon sur des blocs, en ajoutant de l'isolant et peut-être une fenêtre ou deux, je pourrais vivre dans le fourgon. Il est aussi gros qu'une maison. Je me demande si mes parents accepteraient qu'un immense grand fourgon soit juché sur des blocs dans leur entrée. Sûrement pas. Mais en fait, je n'en ai aucune idée. Je ne suis pas dans la tête de mes parents.

Entre-temps, je suis inondé par des offres pour le grand fourgon. Cette fois-ci, je décide d'afficher mes réponses sur mon site Web.

```
*****SALUT KYLE,

En échange de votre grand fourgon, je vous
offre non pas un, mais deux chats dressés.
J'ai deux chats noir et blanc qui accourent
quand on les appelle, s'assoient, vont cher-
cher des objets et donnent même la patte. Je
suis présentement en train de leur apprendre
```

à faire ma déclaration de revenus et à tailler le gazon. Grâce à votre couverture médiatique, vous pourriez créer un cirque de chats ambulant et empocher des dizaines de dollars. En outre, comme je ne serai pas capable de me séparer de mes chats, je m'offre comme dresseur personnel. Je vous suivrai, vous et votre cirque de chats, où que vous alliez… même à Yahk! Merci de prendre mon offre en considération.

Tom

Merci Tom, voilà une offre impressionnante! Êtes-vous vraiment prêt?

*****J'ai un violon alto Hoff de 43 cm d'environ 1965. Il a déjà été utilisé par un violoniste (et futur premier violon) de l'Orchestre Philharmonique de Floride, qui a été mon tuteur pendant des années, mais j'ai arrêté de jouer il y a quelque temps, et il me faut m'en débarrasser. Il vient avec un étui, un archet, une ou deux cordes supplémentaires et une mentonnière. C'est un très bel instrument. J'ajoute à cette offre une authentique figurine de Darth Vador de 1977, dans son emballage de plastique d'origine. Quand vous serez à New York, vous pourrez dormir sur mon canapé, et je vous offrirai une bière ou deux. J'ai des photos de tout ça, mais pas avec moi, donc je vous les transmettrai si vous êtes intéressé.

Neil

Super, Neil. Je devrais être à New York bientôt. Restons en contact, je verrai si quelqu'un
là-bas veut un violon alto.

*****Je vous offre un go-kart jaune
Thundercart de 2001, avec un moteur de 11
chevaux-vapeur, ainsi qu'un modèle Johnny
Lightning moulé sous pression, encore
emballé, de la BMW Z3 utilisée par James
Bond dans *Goldeneye*. C'est un modèle spécial
du 40ᵉ anniversaire de James Bond. Il est de
la taille des petites voitures Hot Wheels et
vient avec une toute petite reproduction de
l'affiche d'origine du film. Il est muni
d'un certificat d'authenticité. Je ne crois
pas que mon offre soit aussi bonne que celle
de la valise pleine de fromage… Continuez à
troquer !

Oh oui ! Avez-vous dit «go-kart Thundercart»?
Envoyez-moi une photo !

*****DUDE

Que pensez-vous d'un séjour de deux semaines
dans un condominium de Floride?

DUDE

Où en Floride?

*****Je vous offre mon porte-encens en forme
de squelette qui joue de la guitare.

C'est franchement très intrigant. Est-ce
qu'il joue du rock?

*****Je vous donne mon autographe en échange
du grand fourgon. Je serai célèbre un jour.
C'est la meilleure offre que vous puissiez
imaginer. Un seul de mes autographes existe
dans le monde. Si vous êtes intéressé, écrivez-
moi un courriel.

Ah, enfin quelqu'un qui comprend le concept
de l'offre et de la demande. Tout ce qu'il
vous reste à trouver, c'est de la demande, et
vous croulerez sous l'or!

*****Je vous offre deux voyages à Yahk contre
votre grand fourgon.

Très intéressant. Donnez-moi de plus amples
détails par courriel.

*****Mon gars, je te donne deux de mes
peintures authentiques, que j'ai faites pour

mon amoureux, son père Noël chantant… un
panneau indiquant Sherwood Place… et la
bouteille de 7 UP qui se trouve en face de
moi. Je te ferai même du gâteau au fromage !
Ha, ha !

Jackie n Steven, Virginie-Occidentale (nous
ne sommes pas des «habitants»).

Bonne chance

Du gâteau au fromage ! Je résiste diffici-
lement à la tentation du gâteau au fromage !
Dommage que vous ne soyez pas habitants,
c'est le gâteau au fromage des habitants que
je préfère !

Je reçois plus d'une centaine d'autres courriels.

Après dix jours de pluie tiède vancouvéroise, je me sens de
nouveau détendu. Quand je commence à vraiment me sentir à
l'aise et à faire la fête avec mes amis, une offre qui m'arrive par
courriel attire mon attention. L'offre idéale.

« Papa, viens voir ça !

- Qu'est-ce qu'il y a ? crie-t-il de l'autre pièce.

- Je l'ai trouvé.

- Quoi ?

- Mon prochain troc.

- Super ! Qu'est-ce que c'est ?

- Une feuille de papier.

- Quoi ?

- Une feuille de papier.

- Oui, je t'ai entendu, mais je ne comprends pas.

- Je crois que je vais aller à Toronto pour échanger le grand
fourgon contre une feuille de papier.

- Une feuille de papier ?

- Viens, je vais te montrer.

- Es-tu en train de susciter mon intérêt pour que je sois
intrigué ?

- Oui, réponds-je.

- Comme quand un auteur écrit quelque chose à la fin d'un chapitre qui nous oblige à tourner la page et commencer le chapitre suivant?

- Oui, dis-je.

Je reste silencieux un moment.

- Je déteste ça quand tu fais ça, dit-il.

J'entends des pas. Il vient sur le pas de la porte et me dit:

- JBravo, Dan Brown, tu m'as eu. Qu'est-ce que c'est?»

ON N'A PAS TOUJOURS CE QU'ON VEUT

Il faut parfois passer à travers une page entière de stupidités avant de pouvoir faire ce qu'on veut dans la vie, comme découvrir de nouveaux endroits avec ses amis, réaliser ses rêves ou, par-dessus tout, lire un texte qui parle d'une feuille de papier à Toronto.

LA CHANCE EST UN MOT DE SIX LETTRES

La croyance populaire veut que les gens soi-disant chanceux créent en fait leur propre chance en osant prendre des risques. Il est indubitable que si on n'achète pas de billet de loterie, on ne gagnera pas à la loterie.

C'EST MIEUX QU'AVANT

Tant qu'on croit que c'était mieux avant, on ne peut atteindre son plein potentiel. Chacun a sa place. Quand on n'occupe pas sa place, il est bon de penser à la retrouver.

UN CONTRAT D'ENREGISTREMENT

« Un contrat d'enregistrement ? demande mon père.

- Oui, regarde ! » réponds-je.

1. Trente heures d'enregistrement, c'est-à-dire suffisamment pour faire un album, au plus important studio du Canada.

2. Cinquante heures de mixage et de postproduction.

3. Transport aller-retour entre n'importe où dans le monde et Toronto.

4. Hébergement à Toronto pendant la durée de l'enregistrement.

5. Présentation de l'album à des cadres de Sony-BMG et XM radio.

Je regarde mon père. Il sourit et me dit :

« C'est super ! Quelqu'un va être enchanté par cette offre. Ça va être facile à échanger.

- Et ça tient sur une feuille de papier », ajouté-je.

Mon père retourne à l'activité qu'il a interrompue, et qui ne consiste pas à lire une fin de chapitre au suspense intenable, tandis que j'appelle Brendan, le gars qui m'a offert le contrat d'enregistrement. Il répond aussitôt et nous nous entendons sur le troc. Il est emballé. Moi aussi !

Pour faire l'échange, il me faut de nouveau parcourir près de 5 000 km avec le grand fourgon, pour atteindre Toronto.

Je pénètre dans la pièce où se trouve mon père et lance :

« Je viens de parler à Brendan et nous nous sommes entendus sur le troc. Veux-tu venir à Toronto ?

- Je n'ai jamais traversé le pays en voiture vers l'est, me répond mon père.

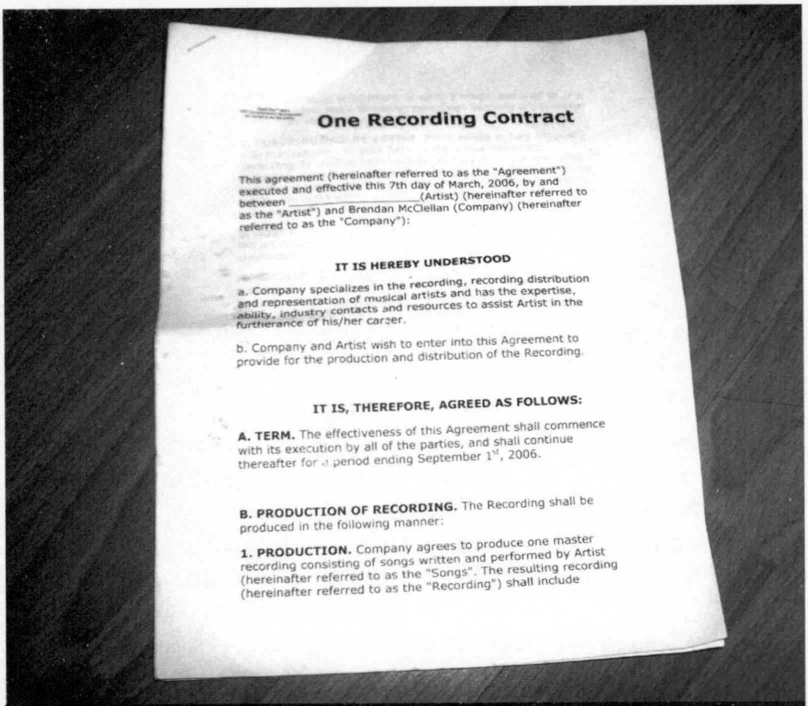
One Recording Contract

This agreement (hereinafter referred to as the "Agreement") executed and effective this 7th day of March, 2006, by and between ____________________(Artist) (hereinafter referred to as the "Artist") and Brendan McClellan (Company) (hereinafter referred to as the "Company"):

IT IS HEREBY UNDERSTOOD

a. Company specializes in the recording, recording distribution and representation of musical artists and has the expertise, ability, industry contacts and resources to assist Artist in the furtherance of his/her career.

b. Company and Artist wish to enter into this Agreement to provide for the production and distribution of the Recording.

IT IS, THEREFORE, AGREED AS FOLLOWS:

A. TERM. The effectiveness of this Agreement shall commence with its execution by all of the parties, and shall continue thereafter for a period ending September 1st, 2006.

B. PRODUCTION OF RECORDING. The Recording shall be produced in the following manner:

1. PRODUCTION. Company agrees to produce one master recording consisting of songs written and performed by Artist (hereinafter referred to as the "Songs". The resulting recording (hereinafter referred to as the "Recording") shall include

Le contrat d'enregistrement.

- Parfait, donc tu embarques? dis-je plein d'espoir.

- Tu pars quand? La semaine prochaine?

Je le regarde et réponds:

- Non, demain.

- Oh!

Son «Oh!» n'ayant rien de rassurant, je lui demande:

- Qu'est-ce qu'il y a?

- Je ne peux pas partir demain, répond-il, j'ai des choses à faire.»

J'ai beau y réfléchir quelques instants, je n'arrive pas à concevoir quelque chose de mieux qu'une traversée du pays en cinq jours dans un grand fourgon lent et bruyant, au creux de l'hiver.

«Il faut que je rentre à Montréal, que je voie Dom, dis-je. Ça fait presque un mois que je suis parti.

- Hum… Thunder Bay! Je pourrais en faire la moitié», répond-il.

Nous réservons son billet d'avion Vancouver-Thunder Bay. Nous nous rejoindrons à Thunder Bay et nous finirons le voyage ensemble. J'appelle Brendan pour lui dire que je serai à Toronto dans environ une semaine pour faire le troc.

Je quitte Vancouver le lendemain. Je fais cap vers le nord pour passer par Whistler, rencontrer Rhawnie et Corinna et voir le trombone rouge. Après plus de six mois de troc, c'est drôle de revoir le trombone rouge d'où tout est parti. Je le regarde en disant :

« Oh ! Le fameux trombone rouge ! Mais dans le fond, ça reste un vulgaire trombone.

- Oui, un vulgaire trombone ! répond Corinna.

Elle me regarde et enchaîne :

Tu vas à Toronto ?

- Oui.

- Pourrais-tu apporter quelque chose à mon frère de ma part ? demande-t-elle les yeux remplis d'espoir.

Je pense au grand fourgon dans la neige. Je regarde Corinna et lui réponds :

- Je ne sais pas. Ce n'est pas comme si j'avais des dizaines de mètres cubes d'espace vide…

- Bien sûr que non ! »

Je m'esclaffe. Il va sans dire que je dispose de plus d'une dizaine de mètres cubes d'espace vide dans le camion. C'est ce qui est drôle. Les dizaines de mètres cubes d'espace vide sont comme ça. Je souris et dis :

« Que puis-je livrer pour toi ? »

Elle va dans sa chambre et en revient avec une boîte, qu'elle ouvre. À l'intérieur se trouve un poisson en bois. Corinna me regarde et me dit :

« C'est une blague entre lui et moi.

- Je comprends.

- Je n'entretiens aucun doute là-dessus ! répond-elle.

- Je suis très sérieux. Ce n'est pas comme si c'était la première fois que je faisais la livraison transcontinentale d'un poisson en bois !

- Je n'entretiens aucun doute là-dessus ! » répète Corinna.

Je la regarde, avec la concentration d'un homme qui poursuit un objectif précis :

« J'entretiens un rapport particulier avec les poissons en bois. Quant à leur livraison, je suis passé maître en la matière, réponds-je.

- Je n'en doute pas le moindre instant.

- Il y a quelques années, j'étais sur un traversier en Indonésie avec mon ami Mathieu. J'ai acheté un poisson en bois comme souvenir pour une fille à qui je m'apprêtais à rendre visite au Québec. Environ un mois plus tard, j'arrive à Vancouver, puis je traverse le pays avec mon frère et quelques amis. Le poisson en bois est resté sur la planche de bord de la fourgonnette pendant tout le trajet. Nous sommes allés jusqu'au Québec et j'ai livré le poisson en bois à la fille dans son village. Je devais rester quelques jours avec elle, mais je ne suis jamais vraiment parti.

- C'était Dom? demande-t-elle.

- Oui.

- C'est génial. Dois-je en déduire que tu pourrais passer quelques jours chez mon frère, et que cette période pourrait s'étirer *ad vitam æternam*? demande Corinna.

- Tu sais, j'ai déjà fait pire... Mais je ne crois pas que Dom en serait enchantée.

- Je ne crois pas non plus », répond-elle.

Deux longues journées de route plus tard, j'approche de la frontière de la Saskatchewan. Sur un immense panneau vert, on peut lire *Saskatchewan, Naturally* [La Saskatchewan, naturellement]. Le panneau est flanqué d'une immense poubelle verte. On dirait un point d'exclamation après *Naturally*. La Saskatchewan est le dindon d'une panoplie de farces inventées par des Canadiens urbains qui se moquent de son paysage morne et de ses nombreux coins reculés. Disons que les responsables du tourisme n'améliorent pas la situation avec leur « poubelle d'exclamation »!

Je roule jusqu'à tard dans la nuit. L'envie me prend de rouler jusqu'à l'aube, non pas parce que ça relève du bon sens, mais parce que ça me semble très viril. Si la musique populaire m'a appris une seule chose, c'est que rien n'est aussi exaltant que de passer une nuit blanche. Rien.

La chanson *Running with the night*, de Lionel Ritchie, joue à la radio. Je hausse le volume et plonge mon regard dans l'obscurité devant moi. L'avenir se révèle au fur et à mesure que roule la fourgonnette. Je pense aux chemins qui s'offriront à moi une fois que j'aurai fait le troc avec Brendan à Toronto. Il y a beaucoup d'incertitude. Tant de choses doivent encore se produire. Je lève les yeux vers les étoiles et je me dis que le monde est minuscule par rapport à l'univers. Je passe en trombe devant une ferme et je me dis que le monde est immense par rapport à chacun de nos univers individuels. Je suis fasciné par le fait qu'on peut communiquer instantanément de façon électronique avec quelqu'un à l'autre bout de la planète, mais qu'on ignore souvent son voisin.

Un camion file à toute allure en sens inverse, laissant un mur de neige poudreuse dans son sillon. Je me mets à penser à toutes sortes de choses. Autant les idées peuvent voyager de façon presque magique, autant le transport des marchandises est-il limité au mouvement physique. Quiconque a dit que les distances ont de moins en moins d'importance n'a sûrement jamais traversé le Canada dans un grand fourgon au creux de l'hiver. La chanson *Running with the night*, de Lionel Ritchie, est bien meilleure quand on se déplace à toute vitesse dans la nuit, à plus forte raison quand on a les nerfs excités par du café de camionneur. Rien n'est plus puissant que le café de camionneur. Rien. La seule chose qui lui arrive à la cheville, c'est le café de salle de rédaction.

Après une nuit glaciale de sommeil saccadé dans un grand fourgon stationné à côté d'un Wal-Mart, dans un Winnipeg embrumé à − 30 °C, sans chauffage, je me réveille en plein lendemain de veille d'abus de caféine. Je me ressaisis, déniche dans une station-service quelque chose à me mettre sous la dent, monte le chauffage au maximum et avale les huit dernières heures de route qui me séparent de Thunder Bay, où m'attend mon père. Nous passons quelques jours avec J.P. et Andy, des amis que Dom et moi avons rencontrés au Portugal, avant de continuer jusqu'à Toronto. Un repos bien mérité après de longues heures passées sur la route.

Sur la rive nord du lac Supérieur, nous tombons sur une baie gelée. Des gens se tiennent sur la glace. Des pêcheurs. Nous stationnons la fourgonnette sur le bord de la route et marchons sur le bord de la route jusqu'à la glace. À peine les avons-nous salués qu'ils nous tendent des cannes à pêche. Je regarde le soleil. Quel plaisir que de se tenir debout, à l'extérieur! Fut-ce sur la glace! Mon paternel, à la fois habile commerçant et père débordant de fierté, demande aux pêcheurs s'ils ont entendu parler du gars qui tente d'échanger un trombone rouge contre une maison. Je regarde mon père, exaspéré. Gêné au point de ne plus savoir où me mettre, je m'en remets au classique botté de terre. Bien sûr, je perds presque pied, puisque la glace est dépourvue de terre. C'est un geste qui fonctionne pourtant à merveille avec de la terre sur le sol. Évidemment, les pêcheurs et les pêcheuses ont entendu parler du «gars au trombone rouge». Mon père me pointe en disant «C'est lui!» Je suis embarrassé. C'est bizarre. Tout ce que je veux, c'est bavarder tranquillement sur la glace. J'imagine qu'il ne peut réprimer sa fierté de père. Les pères fiers sont ainsi.

Nous livrons le poisson en bois dans son petit étui au frère de Corinna, Kyle, qui ne sait que dire. J'en déduis que la livraison de poissons en bois par de purs inconnus ne fait pas partie de son quotidien. Mais peut-être ai-je tort. Nous venons tout juste de faire connaissance. Il tend la main en se hasardant:

«Euh... Merci?»

Je suis content d'avoir livré le poisson. Le marché de la livraison de poissons en bois n'est peut-être pas florissant, mais, je dois encore l'admettre, je n'en ai aucune idée. Il se peut très bien que tout le monde ait un poisson en bois en attente d'être livré à un membre de la famille. Après 5 000 km de caféine ultrapuissante et de Lionel Ritchie, ça semble très plausible.

En arrivant à Toronto, nous nous dirigeons vers l'école de Brendan, qui sert également de studio d'enregistrement. Mon troqueur a un cours. Il sort pour nous accueillir. Nous nous saluons. Je pointe le camion en disant:

«Tu vas l'utiliser pour ton groupe?

Il regarde le grand fourgon avec fierté et répond:

- Oui, ça va être un super véhicule de tournée. Tout notre matériel va rentrer là-dedans! Présentement, nous en sommes réduits à une Volkswagen Jetta pour aller à nos concerts. Disons que nous venons de gravir un échelon!

- C'est certain!» dis-je en me juchant sur le gigantesque pare-chocs pour montrer qu'il a raison et tenter de faire rire les gens grâce à ma désarmante métaphore.

Brendan tousse. De façon parfaitement appropriée à la cir-
constance.

Je descends du pare-chocs.

En tant qu'étudiant à l'école d'ingénieurs du son, Brendan
bénéficie d'un tarif avantageux pour le temps d'enregistrement.
Il nous fait faire rapidement un tour de l'impressionnant studio :
le nombre de consoles d'enregistrement est étourdissant. De
grosses boîtes noires, couvertes de boutons coulissants, de
touches, de voyants lumineux et d'enceintes aussi compactes
que coûteuses, sont collées à une paroi vitrée qui donne sur une
salle aux murs matelassés. C'est exactement l'image qu'on se fait
d'un studio d'enregistrement. Des disques d'or ornent les murs,
ainsi que des photos autographiées par les artistes qui ont
enregistré ici : David Bowie, Guns N' Roses, Tina Turner et
autres Christina Aguilera. Je pourrais échanger le contrat
d'enregistrement avec Christina Aguilera ou encore Axl Rose. Je
suis sûr qu'il cherche un studio d'enregistrement.

Nous quittons les sombres cellules de création musicale
pour retourner dehors. Je me tourne vers Brendan et lui
lance :

Brendan et Kyle au studio d'enregistrement Metalworks à Toronto.

«Veux-tu rendre le troc officiel?

- Oui. Que veux-tu dire? répond-il.

- J'ai une petite idée», dis-je avant de la lui révéler.

Je démarre le grand fourgon et crie «Prêt?»

Je jette un coup d'œil dans le rétroviseur extérieur. Debout à côté du camion, Brendan met ses deux pouces dans les airs. Mon pied relâche doucement la pédale de frein, puis le fourgon avance tranquillement. Dans le rétroviseur, je vois Brendan accroupi à côté du pneu arrière gauche. Il tient le contrat d'enregistrement par terre, tout juste devant le pneu qui s'approche. Une bourrasque de vent plie le papier. Brendan s'étend pour bien étirer le papier. Le pneu arrive. Mon pied appuie sur la pédale de frein, juste avant que les doigts de Brendan ne se fassent broyer par un pneu boueux. Il a ôté sa main qui se trouvait devant le pneu au dernier moment, avant qu'il ne roule sur le papier. Le pneu gauche vient de signer le contrat. C'est une signature à la boue qui a failli écraser les doigts de Brendan. Pas que le pneu n'ait péché par excès de vitesse, mais disons qu'il aurait laissé plus qu'une simple marque sur la main de Brendan. Parions que celui-ci ne se serait pas contenté de tousser. J'éteins le moteur du grand fourgon, bondis par terre et remets les clefs à Brendan. Il me remet la feuille de papier imprégnée de boue. Nous nous serrons la main. C'est officiel. Il détient maintenant les clefs d'une machine gigantesque qui peut traverser les continents. Je détiens une feuille de papier. Doublée d'une promesse.

Nous disons au revoir à Brendan, puis nous marchons en direction de notre véhicule de location. J'ai oublié le modèle, mais je sais qu'il ne s'agit pas d'une Dodge Stratus. Ça, je m'en souviendrais. Je vous invite donc à nous imaginer dans n'importe quelle berline américaine de taille moyenne, sauf une Dodge Stratus, car ce serait inexact. Mon père met le levier à D puis nous embarquons sur l'autoroute vers Montréal.

Je ramasse le contrat d'enregistrement et le tiens dans mes mains. Ce n'est qu'une feuille de papier, certes, mais ça représente beaucoup plus. Ça signifie que le trombone rouge n'est plus limité à des objets de plus en plus gros. Il inclut maintenant du potentiel brut. La feuille de papier que je tiens dans ma main n'est pas qu'une feuille de papier, c'est un débouché. Un débouché qui pourrait ouvrir des portes à quelqu'un, voire à un groupe. Mais pas à moi. La seule fois où j'ai testé mes aptitudes musicales, c'est pour interpréter la partition de basse synthétique de *My Prerogative*, de Bobby Brown. Le contrat d'enregistrement ne m'est donc d'aucune utilité, à moins que Bobby Brown ne soit à l'affût d'un gringalet blanc du Canada pour attaquer les touches du synthétiseur dans une nouvelle version. On ne sait jamais ce qui peut arriver, mais je ne mettrais pas ma main au feu que Bobby Brown va m'appeler. Mais pour quelqu'un d'autre, le festi-potentiel de ma feuille de papier est immense. Quelqu'un pourrait se faire engager par une maison de disques, partir en tournée, avoir des groupies et même des techniciens itinérants. C'est impressionnant, avoir ses propres techniciens itinérants. Je viens de traverser l'Amérique du Nord à deux reprises. Je suis éreinté. Ça fait un mois que je n'ai pas une seconde à moi. Des techniciens itinérants n'auraient pas été superflus.

Je regarde mon père. Les mains sur le volant, il porte son regard au loin. Il maîtrise la situation. Dans le fond, c'est un technicien itinérant. Il sourit, hausse le volume de la radio et siffle l'air de la chanson qui joue. Je remets aussitôt en question son statut de technicien itinérant. Il n'a pas la trempe nécessaire. Les techniciens itinérants ne sifflent jamais. Ni ne lisent de livre ni n'envisagent même de siffler.

Nous arrivons chez moi, à Montréal, après un mois sur la route. Strombo et l'équipe de *The Hour* ont fait hausser la mise avec l'échange à Yahk. Je suis exténué par les deux traversées du Canada, en plus de toutes les yahktivités que nous avons faites. Je ne cherche nullement à m'apitoyer sur mon sort. Je ne souffre pas, je suis seulement épuisé.

Je me rends compte que ma version du jeu du troc est passée de simple passe-temps à emploi à temps plein. Non pas un emploi à 40 heures par semaine, mais bien à 24 heures par jour. Je consacre chaque moment d'éveil et de nombreux moments de sommeil à penser à la façon dont je vais me procurer une maison. Mon loisir est vite devenu mon travail.

En voilà une bonne! Ce n'est pas un travail, c'est une pure obsession.

Pour compenser ma très piètre qualité en tant que concepteur de site Web, j'occupe la plupart de mon temps à la maintenance du site Web et du petit système que j'ai créé pour faciliter les offres de trocs. Le système en question comprend mon numéro de téléphone et mon courriel sur la page d'accueil du site, avec les mots « Si vous avez quelque chose à échanger, faites-moi signe ! » Jusqu'à tard dans la nuit, je réponds à des courriels, apporte des améliorations au site Web et m'applique à trouver la perle rare parmi les offres. Au point où j'en suis, ce serait palpitant de me rendre jusqu'à une vraie General Lee, la Dodge Charger orange de *The Dukes of Hazzard*, aussi célèbre pour ses poursuites que pour ses dérapages. Une General Lee serait peut-être palpitante, mais au point où j'en suis, après une nuit blanche occupée à absorber des quantités de café qui me font me pâmer devant des idées ridicules, Dom se réveille, vient me voir, met sa main sur mon épaule et me dit :

« Tu devrais venir te coucher, tu sais ! »

Je le sais. Mais je n'arrive pas à m'ôter l'idée de la tête.

Je veux mettre la main sur une General Lee, et je sais que c'est possible.

Nonobstant ma surdose de café, mon insomnie et mon délire qui en résulte, je suis persuadé que l'idée saugrenue de dégoter une General Lee est la meilleure façon de troquer un trombone rouge contre une maison.

Sauf dans des cas comme celui-ci, je suis sincèrement convaincu de toujours faire le bon geste pour susciter des trocs. Mais j'ai toujours l'appréhension de rester coincé et de ne pas me rendre jusqu'à une maison. C'est une chose de dire à ses amis autour d'une bière qu'on va faire des trocs jusqu'à l'obtention d'une maison. Mais c'en est une autre de dire, à jeun, faut-il le préciser, à des millions de personnes dans le monde qu'on entend troquer un trombone rouge contre une maison.

Je ne veux pas être « le gars qui n'a pas échangé un trombone rouge contre une maison ».

Peu de gens sans doute craignent comme moi de devenir quelqu'un qui n'a pas encore échangé un trombone rouge contre une maison. C'est que je ne suis pas politicien. J'ai promis quelque chose, je vais honorer ma parole. Je n'ai pas le choix. Je ne veux pas passer pour un imbécile. Mais si jamais ça ne marche pas, je pourrai me lancer en politique. Les offres arrivent en masse :

Objet : Je le veux, je le veux, je le veux, je
le veux, je le veux, je le veux, je le veux,
je le veux, je le veux, je le veux, je le
veux, je le veux, je le veux, je le veux, je
le veux, je le veux, je le veux, je le veux,
je le veux, je le veux, je le veux, je le
veux, je le veux !

KYLE,

Si vous regardez attentivement le contrat,
vous y décèlerez mon nom ! La musique est toute
ma vie. Sans elle, je me recroquevillerais
lentement et je mourrais. Dans le froid glacial
du nord-est de l'Angleterre, je me demande
bien ce que je pourrais vous offrir qui vous
serait utile… J'ai une General Lee ! Malheu-
reusement, elle mesure 15 cm et est faite en
plastique. J'ai deux enfants travaillants…
mais c'est illégal. J'ai une guitare et une
voix, un rêve et une ambition, mais ce n'est
pas échangeable. La meilleure suggestion qui
m'ait été faite par un collègue est celle de
vous offrir mes services d'homme de ménage nu.
C'est très simple : quelque part dans le monde
se trouve quelqu'un qui possède plus d'argent
que de bon sens et qui rêve de voir une personne
nue et en santé faire son ménage ! Peut-être
éclaterez-vous de rire en me lisant et direz-
vous «Hors de question !», mais vous savez,
tous les goûts sont dans la nature. Je vous
offre deux mois de travaux ménagers, sans
restriction sur la nature des tâches. Je
nettoierai les gouttières, je ferai du
jardinage, de l'époussetage, je passerai
l'aspirateur… tout. En prime, quand j'aurai
engrangé des millions de dollars grâce au
contrat, je vous promets de vous acheter une

```
General Lee. Marché conclu? C'est de loin le
courriel  le  plus  bizarre  que  j'ai  écrit.
J'espère que ce ne sera pas en vain!

Sincères salutations (j'ai un sourire fendu
jusqu'aux oreilles) XXXX
```

Le courriel a été envoyé à partir d'une adresse qui se termine par @new.labour.org.uk. Il s'agit du Parti travailliste du Royaume-Uni. XXXX est donc un politicien! À tout le moins connaît-il des politiciens. Je pense un instant à la catastrophe qui serait engendrée si j'affichais ce courriel sur mon site Web. Son auteur serait humilié sur la place publique. Il passerait des jours terré chez lui, sans même oser aller travailler. Les médias en feraient leur tête de Turc. La vie de XXXX pourrait basculer, et sa carrière, avorter. Je meurs d'envie d'afficher le courriel sur mon site Web pour voir ce qui va se passer. Par ailleurs, je me demande également si, tout comme moi, XXXX est éveillé. Je réponds donc:

```
Objet: Re: Je le veux, je le veux, je le
veux, je le veux, je le veux, je le veux, je
le veux, je le veux, je le veux, je le veux,
je le veux, je le veux, je le veux, je le
veux, je le veux, je le veux, je le veux, je
le veux, je le veux, je le veux, je le veux,
je le veux, je le veux!

Monsieur XXXX,

Je prévois citer un extrait de votre cour-
riel, en indiquant clairement votre lien avec
le Parti travailliste.

Kyle
```

Je clique sur Envoyer. Dix minutes plus tard, le téléphone retentit.

J'entends alors une voix à l'accent du nord-est de l'Angleterre, presque en proie à la panique:

«Bonjour, est-ce que c'est Kyle?

- Oui, qui parle?

- XXXX. Je viens de recevoir votre courriel. De grâce, ne divulguez pas mon courriel. Ce serait très néfaste. Je resterais étiqueté à jamais. Ne dites à personne que je travaille pour le Parti travailliste! Ce serait ma perte.

- Ne vous en faites pas. Je voulais seulement savoir si vous étiez éveillé. Je vous promets que je n'afficherai ni votre nom ni votre offre sur mon blogue. Vous avez ma parole.»

C'est ainsi que se clôt cet épisode. Je n'ai jamais réentendu parler de XXXX. Peut-être le contrat d'enregistrement n'est-il finalement pas indispensable à la vie de XXXX? Petite note à moi-même: ne plus me mêler de politique.

Les offres apolitiques arrivent en masse:

```
*****KYLE,

C'est moi, CrittendenIV, de la radio Fellaheen
et du groupe MugWump. Je vous ai déjà offert
une expérience musicale sur scène en échange
du voyage à Yahk. J'ai maintenant une offre
encore plus alléchante pour votre contrat
d'enregistrement. Kevin Hamlin, le guitariste
du groupe, est un tatoueur professionnel à
Corvallis, en Oregon. C'est mon tatoueur
professionnel préféré. Il suggère un tatouage
complet du corps. La personne concernée a le
libre choix du motif. Il s'agit d'un forfait
qui vaut entre 20 000 et 35 000$. Pourquoi
vous fait-il cette offre? Parce qu'il nous
faut enregistrer notre album de la bonne
façon.:) Voici un aperçu de son travail:

http://fellaheenradionetwork.com/?p=570. Nous
proposons donc une œuvre d'art sur un corps
contre un contrat d'enregistrement. Je suis
d'avis que trouver preneur pour un tatouage
complet du corps sera par la suite un jeu
d'enfant. J'attends vos commentaires.
```

Merci encore Kyle. Bonne journée!

CrittendenIV

Selon ma mère, c'est une offre imbattable. Elle n'est pas friande de tatouages, mais elle est sûre que c'est très alléchant. Je suis d'accord avec elle. Ce sera dur à battre.

*****KYLE,

Voici mon offre : un an de loyer dans un logement du centre-ville de Phoenix, en plus des frais de transport aérien aller-retour à partir de n'importe quel gros aéroport en Amérique du Nord. (Si désiré, l'appartement peut être meublé.) J'habite au cœur du centre-ville de Phoenix, à un jet de pierre du quartier Roosevelt Arts, des musées et des salles de spectacle, des arénas, du campus du centre-ville de l'Université de l'Arizona, du Capitol, etc. Duplex avec une chambre, salle de bain, plafond de 2,75 m, plancher de chêne, salon avec foyer, salle à manger séparée, cuisine rénovée et salle de lavage. 65 m^2. J'ajoute également quatre billets dans la troisième rangée pour voir les Diamondbacks de l'Arizona. Le stade est à côté. Je suis prête à prendre l'avion pour faire le troc avec vous. :)

Jody Gnant

Oh Jody! Une année, c'est long pour un loyer gratuit! Je suis certain que quelqu'un qui se trouve à Phoenix, ou souhaite déménager à Phoenix, sera enchanté par ton offre. Quant aux billets de baseball, voilà la cerise sur le sundae!

*****KYLE,

Je m'appelle XXXX. J'habite à Los Angeles et, comme tout le monde ici, je suis auteur-compositeur-interprète. Je convoite avidement le contrat d'enregistrement. Voici mon offre: mon emploi. Je suis rédacteur publicitaire pour Lexus. Je vous offre la chance unique d'écrire des pubs attrayantes et provocantes (pub imprimée, radio et télé) pour un fabricant de voitures de luxe. Voici un aperçu du boulot: de longues heures de travail, y compris le soir et la fin de semaine, des réunions aliénantes, du café qui vous fait entretenir des conversations avec Dieu, des agrafes à volonté, une généreuse dose de refus et une fenêtre qui donne sur le superbe centre-ville d'El Segundo. Ne saisissez pas mon offre sur-le-champ, prenez le temps d'y penser. Bonne chance!

XXXX

Oh Josh! Vous vendriez un frigo à un Inuit! Pas étonnant que vous soyez dans la publicité! Je parie qu'une foule de gens se bousculent pour prendre votre place. Votre offre vient donc rejoindre les autres.

*****Forfait épilation au Duke's Royal Spa

KYLE,

Allons droit au but. En échange de votre contrat d'enregistrement, je vous offre un forfait épilation. Je possède un spa médical au Tennessee. Je garantis l'épilation pour un homme et une femme. Imaginez une femme qui n'a plus jamais besoin de se raser les jambes ou les aisselles! Imaginez un homme qui n'a plus jamais besoin de se raser la barbe ou qui est débarrassé de ses poils dans le dos. Grâce à la magie de l'épilation au laser, c'est possible. Il faut compter, par personne, entre quatre et huit traitements et entre 1 000 et 2 000$. Puisque ce n'est utile que pour quelqu'un du Tennessee ou du Kentucky, peut-être la personne intéressée pourrait-elle m'échanger quelque chose qui vous plairait. Je veux faire mon deuxième album.

Salut

Duke Boles

SALUT DUKE,

C'est effectivement ce qu'on appelle aller droit au but. Je ne souhaite pas le moins du monde échanger le contrat d'enregistrement contre un forfait épilation pour deux personnes (qui à n'en pas douter garantit une expérience inoubliable), mais vous venez tout juste de ravir au tatouage corporel le titre d'offre la plus insolite. Voilà du matériel cocasse qui me sera utile pour du bavardage de plateau de télé. Mais qui sait, peut-être me fera-t-on l'offre du siècle?

«Vous êtes poilu? Vous habitez au Tennessee ou au Kentucky? Alors, faites une offre pour le forfait épilation au Duke's Royal Spa!»

*****KYLE,

Bonjour! Je suis au Nebraska et j'ai une proposition audacieuse pour votre contrat d'enregistrement… Je travaille dans une usine qui fabrique des croustilles de pommes de terre de toutes sortes. Je m'engage à expédier, chaque mois, une boîte de crous-tilles ou de n'importe quelle autre de nos grignotines (à votre choix) pendant deux ans. Je vous remercie.

Jessica, qui souhaite transformer des grignotines en chansons

----

Cette offre me met l'eau à la bouche. J'espère séduire quelqu'un avec une livraison mensuelle de grignotines.

*****SALUT KYLE,

Je m'appelle Emilio et je suis au Mexique. Je suis sûr que de nombreuses personnes échan-geraient leur maison contre l'occasion de gérer un bar avec permis d'alcool en bordure de la plage. Il s'agit d'une maison clé en main en bordure de la plage, avec permis d'alcool et deux chambres (dont une avec vue sur l'océan!) En y mettant de petits efforts, on peut gagner en un an assez d'argent pour s'acheter une maison. Je vous offre donc une superbe maison de plage de plus de 465 m^2 dans une splendide localité à 20 km de la baie d'Acapulco. C'est à seulement trois heures et demie en voiture, ou 30 minutes en avion (à partir de la plage la plus proche) d'une des plus grandes métropoles au monde, Mexico. La maison est située en bordure de la plage, sur l'océan Pacifique, à un endroit privilégié par les amateurs de surf et de cerf-volant de traction. C'est un ancien centre de cerf-volant que nous avons exploité pendant quelques années, avant de le rénover pour en faire la succursale d'une petite chaîne de restos-bars. Le commerce est prêt pour l'exploitation. Nous travaillons dans les bars et dans le domaine du spectacle depuis maintenant dix ans, et nous cherchons à conquérir de nouveaux horizons. Une interruption de notre routine nous ferait donc le plus grand bien. Nous ne sommes pas musiciens, mais nous avons déjà produit une série de spectacles qui ont remporté un franc succès. Nous sommes mûrs pour du changement, et l'enregistrement d'un album de qualité semble une idée intéressante. L'offre comprend:

• un bail (*comodato* dans le jargon juridique mexicain) de 14 mois pour la maison de plage, meubles, équipements pour la nourriture et la boisson (frigo, congélateur, cuisinière, four, machine pour servir de la bière en baril, chopes, pichets, assiettes, mélangeurs, grills, enseignes au néon, etc.) Pour compenser le ralentissement des affaires pendant la saison des pluies, nous offrons

14 mois, dont 12 mois de soleil. Les deux mois de la saison des pluies peuvent être consacrés à des adaptations mineures et à la planification;

- le droit d'utiliser, pendant la durée du contrat, le nom de notre entreprise bien établie: Burma Cafe;

- l'accès aux fournisseurs et aux services de consultants juridiques et commerciaux, pour la durée du contrat;

- deux chambres entièrement meublées (téléviseur, air climatisé, lecteur DVD, douche et toilette) pour l'hébergement pendant la durée du contrat;

- cent frisbees noirs de promotion et cent rouges, avec le nom et le logo de Burma Cafe;

- cinquante chopes promotionnelles de Corona en plastique (autres quantités disponibles sur demande auprès du commanditaire);

- soixante porte-clefs promotionnels de Corona (autres quantités disponibles sur demande auprès du commanditaire).

NOTE: Les frais courants et les frais d'exploitation ne sont pas couverts. N'hésitez plus! Réalisez votre rêve de gérer un bar sur la plage!

Salutations

Emilio

Oh! Voilà une offre qui tranche avec toutes les autres! C'est une occasion en or! Je suis sûr que quelqu'un en restera pantois.

*****BONJOUR KYLE,

Je m'appelle Jacqueline. Je suis née et j'ai grandi à Edmonton, en Alberta. Je vous ai entendu parler sur les ondes de 630 CHED l'autre jour et j'ai été intriguée par votre aventure. J'ai quitté Edmonton en 1983 pour aller à Vancouver avec mon père. Nous avons lancé une entreprise de biscuits, pour laquelle je travaille encore 23 ans plus tard. J'ai vécu à Vancouver, Toronto et Phoenix de 1995 à 2004, je suis retournée à Edmonton en avril 2004. J'ai alors lancé une entreprise de collecte de fonds appelée Dough to Dough. Je vends des biscuits dans les écoles, les clubs de soccer, de hockey, de gymnastique, etc. Assez parlé de moi! Voici mon offre: une bague en or 14 carats, ornée de quatre diamants d'un quart de carat. J'ignore sa valeur actuelle, mais elle a été évaluée à 4 500$ autour de 1989. Elle vaut peut-être davantage aujourd'hui. Je connais quelqu'un qui peut faire une estimation en une journée. Si vous n'aimez pas mon offre et que vous préférez de la pâte à biscuits, j'en ai en quantité infinie et je serais ravie de vous faire une fournée de biscuits, pour que vous puissiez y goûter. Miam! Puisque vous venez de Vancouver, vous avez sûrement déjà entendu parler d'English Bay Batter. C'est notre entreprise familiale. Nous faisons de redoutables biscuits, qui font l'envie de tous. J'ignore combien de biscuits il faut pour construire une maison, alors faisons le test!

Sincères salutations

Jacqueline

English Bay Batter / Dough to Dough

Biscuits et carats! Je n'arrive pas à imaginer mieux que des quantités industrielles de
biscuits English Bay Batter. Comme j'ai grandi
à Vancouver, je me suis longtemps nourri de
pâte à biscuits English Bay Batter (crue, à
même le seau). Pourrais-je échanger facilement des biscuits et des carats? Si quelqu'un
a une offre de troc alléchante, faites-moi
signe!

Les offres ne sont pas mauvaises, mais il manque quelque chose. Je reçois beaucoup d'appels de purs et durs, des gens qui me disent clairement qu'ils veulent faire un échange à tout prix. Chacun y va de ses promesses. Je doute que toutes les offres soient légales. Je suis sur mes gardes. Habituellement, quand je me montre sceptique face à un troc, la personne insiste ou bonifie son offre. Oui, je veux échanger un trombone rouge contre une maison, et cela exige du discernement et de la stratégie de ma part, mais il faut que je fasse les bons choix. Je ne crains pas de trouver une offre profitable, mais ce qui compte, ce n'est pas l'offre, c'est la personne qui la fait. Comment entend-elle utiliser le contrat d'enregistrement? Je ne me sens pas à l'aise de faire un échange avec quelqu'un si je ne sens pas que je fais le bon choix, peu importe la valeur de l'offre.

Je n'arrive pas à trancher.

J'attends un signe.

Le palomino reprend vie. Je l'ouvre et dis:

«Allô?

- Bonjour, Kyle? dit la voix sur la ligne.

- Oui! réponds-je.

- Bonjour Kyle. Jody Gnant à l'appareil. Je vous ai fait une offre pour un an de loyer à Phoenix.

- Bonjour ! Comment allez-vous ?

- Bien, et vous ?

- Très bien.

- Je voulais être sûre que vous aviez reçu mon offre. Je trouve votre projet intéressant et j'aimerais y participer. Je suis une auteure-compositrice-interprète à Phoenix. J'adorerais avoir le contrat d'enregistrement. Je souhaite enregistrer un album à partir de matériel sur lequel je travaille depuis un certain temps. »

Quelque chose chez Jody est différent des autres. Elle m'a offert un an de loyer dans son duplex de Phoenix. Une année de loyer ! C'est une offre de taille. Mais au-delà de l'offre, Jody est authentique. Je suis sûr qu'elle utilisera le contrat d'enregistrement pour poursuivre son rêve, pour ouvrir des portes.

Je reste silencieux un moment.

Jody dit :

« Je pense que c'est une occasion en or pour moi. Ça fait longtemps que j'en rêve. Qu'en dites-vous ?

- Que voulez-vous que je dise ? »

LA PAROLE EST BON MARCHÉ ET LES TARIFS INTERURBAINS NE CESSENT DE BAISSER

Aujourd'hui, on peut transmettre la parole aux quatre coins de la planète pour moins cher qu'il n'en coûtait à la génération précédente pour appeler quelqu'un dans la localité voisine. La parole voyage plus qu'avant, pour moins cher. Elle rejoint plus de personnes qu'elle n'a jamais rejointes. Cela signifie qu'il y a désormais un plus grand nombre de personnes qui parlent. On peut appliquer le même raisonnement à nos actions. Nos actions ont plus de répercussions, pour un prix moindre. Elles rejoignent plus de personnes qu'elles n'ont jamais rejointes. On a le choix : on peut parler ou agir. Une extraordinaire occasion est à la portée de chacun.

CERTAINS RAFFOLENT DES DRAPS SATINÉS, TANDIS QUE D'AUTRES DÉTESTENT SE RETROUVER DANS DE BEAUX DRAPS

À l'école secondaire, j'ai choisi la musique au lieu de l'art dramatique. Je jouais de la trompette, mais je n'aimais pas répéter. Je ne nourrissais pas de passion pour la création musicale à l'aide de la trompette. Elle est vite devenue un fardeau. Je jouais comme un pied. La trompette me mettait sans cesse dans de beaux draps. Je n'aime pas les beaux draps. Il faut que je renonce à utiliser le contrat d'enregistrement de Brendan pour des fins personnelles. Il ne revêt aucune valeur entre mes mains. Autant me glisser dans des draps satinés. Je suis sûr que quelqu'un nourrit une passion pour la création musicale. Quelqu'un avec des goûts différents. Qui aime les draps de soie, par exemple.

UN AN À PHOENIX

C'est donc ce que je m'empresse de lui dire.

Jody et moi nous entendons pour faire le troc à Phoenix la semaine suivante. Elle est tout emballée. Comme elle travaille pour une compagnie aérienne, elle m'offre un vol gratuit jusqu'à Phoenix. J'écris un billet pour annoncer mon troc du contrat d'enregistrement contre un an de loyer à Phoenix, avant de l'afficher sur mon blogue.

C'est là que ça se corse.

Plusieurs sites Web annoncent l'échange, ce qui déclenche un enchaînement de réactions sur Internet. Dès qu'un blogue ou un site Web populaire affiche un article sur le trombone rouge, il y a un effet de cascades qui en entraîne une poignée d'autres, puis toute une série. De véritables boules de neige ! Des centaines de milliers de personnes consultent le oneredpaperclip.com. Les courriels affluent et le téléphone sonne à un rythme d'enfer. Je consulte ma boîte de réception : parmi les douzaines d'offres pour l'année de loyer à Phoenix s'est faufilée une demande d'entrevue par un journaliste de l'Associated Press. Je l'appelle aussitôt et lui raconte tout. À peine ai-je raccroché qu'un producteur de *Good Morning America* m'invite à New York pour raconter mon histoire à ABC. Le lendemain matin, une voiture m'attend à ma porte. La nuit suivante, je la passe dans une chambre d'hôtel, 50 étages au-dessus de Times Square.

Tout se passe à une vitesse étourdissante.

Le lendemain, le dimanche de Pâques, je me lève à l'aurore et traîne ma carcasse jusqu'aux studios d'ABC de Times

Square. Je cale une tasse de café de salle de nouvelles, encore plus fort que la substance responsable de mes hallucinations quand j'écoutais Lionel Ritchie quelque part en Saskatchewan. On me conduit à un fauteuil en face de Bill Weir dans le studio de *Good Morning America*. Sur fond de Times Square, je raconte à mon hôte jusqu'où le trombone rouge m'a mené jusqu'à maintenant, en m'arrêtant aux mots « vigne des bosquets ». Nous parlons ensuite de mon plan de faire des trocs jusqu'à ce que j'obtienne une maison. Pendant tout ce temps, je porte la chemise de Ricky, tandis qu'une caméra transmet l'entrevue à plusieurs millions de personnes. En direct !

Le soir même, ABC présente une capsule sur le trombone rouge à *World News Tonight*. On me réinvite donc le lendemain matin à *Good Morning America*, pour que je raconte mon aventure une fois de plus, devant le public de la semaine, beaucoup plus nombreux que le dimanche. Je passe une deuxième nuit dans la chambre d'hôtel du 50e étage. Le lundi matin, je suis assis parmi Diane Sawyer, Robin Roberts, Mike Barz et Charlie Gibson. Toute la bande est réunie ! Nous

Kyle sympathise avec l'équipe de *Good Morning America*.

parlons de mon plan de faire des trocs jusqu'à ce que j'obtienne une maison.

Je nage en plein surréalisme. Puis paraît l'article d'Associated Press sur le trombone rouge.

La même journée!

L'article est relayé par des centaines de journaux, de sites Web et d'émissions de télévision partout dans le monde. Faute de mieux, j'écrirai que c'est à ce moment que l'aventure du trombone rouge décolle avec fracas, aux yeux du public à tout le moins... Mais j'ai bien mieux: j'ai un cellulaire, qui ne dérougit pas. Disons donc que l'aventure du trombone rouge hennit avec fracas, à mes oreilles en tout cas. Les gens m'appellent pour me saluer, pour me dire qu'ils m'ont vu à *Good Morning America* ou pour me demander combien de personnes m'ont déjà appelé pour me déranger. Je reçois également des offres, mais je suis incapable de dépasser le stade des gribouillis sur une note d'hôtel fourrée dans mes poches. Je représente un risque d'incendie. Pour qu'on puisse facilement m'envoyer des offres de troc, j'ai inscrit mon numéro de téléphone sur mon site Web. Ça s'avère problématique, mais essentiel à l'acquisition d'une maison. Près de 40 000 personnes consultent mon site chaque heure. Ça représente une kyrielle d'offres potentielles pour l'année de loyer à Phoenix. En plein brouhaha, je cours jusqu'au lobby de l'hôtel puis bondis dans le véhicule de service de *Good Morning America*. Entre Times Square et LaGuardia, je donne cinq entrevues: trois aux États-Unis, une en Australie et une en Irlande. Je sors de la voiture, je monte dans l'avion qui me ramène à Montréal puis j'éteins mon cellulaire.

Nous atterrissons une heure plus tard. J'allume mon cellulaire. La messagerie vocale est pleine. Le téléphone ne cesse de sonner pendant que je passe la douane. En arrivant à l'appartement, je suis accueilli par une équipe du téléjournal à ma porte d'entrée.

Nous entrons et je leur accorde une entrevue avec plaisir. Je ne rate jamais une occasion de parler de l'objet que je souhaite troquer. Pendant toute l'entrevue, le téléphone de l'appartement et mon cellulaire s'en donnent à cœur joie. On se croirait dans une étable.

Dom, Mathieu et Marie-Claude passent la journée à répondre au téléphone de leur mieux. L'air ahuri, Dom laisse tomber un tas de feuilles sur la table : des messages téléphoniques. J'extirpe ma pile de notes de ma poche et je grossis le tas sur la table. J'ai des centaines de personnes à rappeler. Tout défile à la vitesse grand V. On me fait des offres de troc, des demandes d'entrevue ou on veut simplement bavarder. Le rythme effarant des appels m'empêche de tous les retourner.

Le téléphone se fait entendre de nouveau.

Pas de doute, la machine est en marche. Je reçois des offres quétaines. Pas quétaines au sens de drôles, comme l'épilation corporelle, mais quétaines en soi. Des agents immobiliers et des exploitants de casinos virtuels, qui voient en moi un coup de pub rapide et bon marché, m'appellent. Ma boîte vocale est truffée de messages tels que « Kyle, nous sommes enchantés par vos échanges sur eBay à partir du trombone rouge. Communiquez avec notre entreprise. Nous avons décidé de vous donner une maison. Tout ce que nous voulons en retour, c'est que vous portiez notre t-shirt sur votre site Web. »

Il y a des gens qui ne comprennent rien. Mon projet n'a rien à voir avec un trombone rouge ou avec une maison. Ce qui compte, ce sont les gens.

Les gens qui travaillent de concert.

Et je n'ai jamais utilisé eBay pour troquer quoi que ce soit.

Je détecte du premier coup les gens qui me font des offres pour les mauvaises raisons. Ils ne disent pas bonjour, ils présentent d'abord le produit. Ça sonne faux. On est loin du surréalisme, on est en pleine fausseté. C'est du toc ! Tout le contraire de ce que je vise. Je ne me vois pas tout abandonner pour une maison soi-disant gratuite. Autant m'attacher un boulet à la cheville. Pour déceler rapidement les offres qui ne sont pas sincères, je pose la même question à tous : « Pourquoi voulez-vous une année de loyer à Phoenix ? »

On me répond souvent :

« Nous ne voulons pas le logement à Phoenix, nous voulons seulement vous offrir une maison.

- Que ferez-vous avec l'année de loyer gratuit ? demandé-je.

- Nous n'y avons même pas pensé. Nous voulons profiter de la publicité.

Certains vont jusqu'à dire ça.

- Merci pour votre offre, mais je souhaite faire l'échange avec quelqu'un qui profitera de l'année de loyer. »

Ce qui met un terme à la conversation.

Il est facile pour quelqu'un qu'on s'arrache d'adopter un style de vie qui va à l'encontre de ses principes. Tout peut basculer à tout moment. Il me faut être prudent. La prochaine fois, je ne tomberai peut-être pas sur des pompiers sympathiques munis de Tootsie Pops et de dalmatiens.

Je dors très mal cette nuit-là. Entre 6 h et midi le lendemain, j'enfile au moins une trentaine d'entrevues téléphoniques, ce qui me fait presque manquer mon avion pour Phoenix. Il ne me reste qu'à faire mes bagages et héler un taxi en toute hâte. Les articles tirés de la dépêche d'AP sur le trombone rouge sont déjà publiés dans des centaines de journaux de la planète. Le téléphone sonne sans arrêt, comme un robinet qui coule, un robinet d'où coulerait une eau à saveur chevaline. Après une brève interruption nocturne, l'étable grouille à nouveau de vie.

Après avoir fourré quelques vêtements dans mon sac à dos, je réponds à l'appel d'une dénommée Stephanie :

« Ma fille Jaclyn et moi habitons à Montréal. Nous suivons votre aventure depuis des mois. Nous sommes de ferventes admiratrices de votre projet et nous voudrions échanger un de vos écussons du trombone rouge contre des biscuits de scouts.

N'importe quel autre jour, j'aurais été enchanté par cette offre, car les biscuits de scouts sont succulents. Mais je suis déjà en retard et je dois dégoter un taxi pour aller prendre l'avion. Je n'ai pas une seconde à perdre.

- J'aimerais beaucoup faire l'échange, mais je quitte le centre-ville de Montréal à l'instant même pour me rendre à l'aéroport, réponds-je.

- Ah oui ? Nous habitons à côté de l'aéroport, nous sommes présentement au centre-ville et nous rentrons à la maison. Nous pourrions vous déposer !

- Ce serait super ! »

Stephanie et Jaclyn arrivent en trombe à mon appartement, nous échangeons l'écusson contre les biscuits, et elles me déposent à l'aéroport. Toutes les entreprises de taxis devraient fournir des biscuits de scouts. Ainsi que des conductrices pimpantes au volant, accompagnées de leurs filles et pourvues du don de télépathie. J'ai une escale de deux heures à Philadelphie. Je descends de l'avion, ouvre la boîte de biscuits, en fourre un dans ma bouche et allume mon téléphone, qui hennit aussitôt. Je l'ouvre la bouche pleine :

« Awwô !

- Bonjour ! Kyle, s'il vous plaît ! dit un jovial Australien.

- Oui, c'est woi ! dis-je calmement en me plaçant dans un coin tranquille tout près de la porte d'embarquement, à côté d'une rangée de téléphones publics, et en avalant le reste du biscuit.

- Bonjour, mon gars ! Je t'appelle d'une radio de Melbourne, en Australie. Comment vas-tu ? »

Je regarde l'heure sur l'écran du téléphone public : 15 h 47.

Je me racle la gorge puis réponds :

« Je vais très bien. Vous êtes matinaux !

- Écoute, mon gars, nous avons entendu parler de ton projet de trombone rouge. Aurais-tu une seconde pour en parler à notre émission du matin ?

- Bien sûr, mais j'ai un avion à prendre dans une heure. À quelle heure voulez-vous faire l'entrevue ?

Mon cellulaire bipe. J'ai un autre appel.

- Dans cinq minutes. Ça te va ? me répond-il.

- Oui, mais pourrais-tu m'appeler à un autre numéro ? dis-je.

- À quel numéro, mon gars ?

Mon cellulaire bipe de nouveau. Je regarde un des téléphones publics.

- Rappelle-moi au…

Je lui donne le numéro du téléphone public.

- L'indicatif de pays, c'est un ?

Mon cellulaire bipe.

- Oui, c'est un !

- Super, mon gars ! C'est donc un, deux, un, cinq, neuf, tr…

- Oui, parfait ! l'interromps-je.

- C'est super ! À bientôt, mon… »

Je raccroche et prends l'autre appel :

« Allô ?

- Allô, Kyle ? dit une voix qui semble être celle d'une étudiante d'université.

- Oui.

- Le gars du trombone rouge?

- Ouais!

- Oh! Je m'appelle Jenn! Je n'arrive pas à croire que je te parle!

Mon cellulaire bipe.

- Et pourtant, c'est vrai.

Vrai de vrai. Je parle à Jenn. Tout bonnement.

- Tu mets ton numéro de téléphone sur ton site Web. Est-ce que beaucoup de personnes t'appellent pour te poser des questions idiotes?

- Parfois, dis-je en toussant, mais la plupart des gens ont d'autres choses à faire.

Mon cellulaire bipe de nouveau.

- Tu t'es rendu jusqu'à un appartement à Phoenix en faisant des trocs? C'est fou! Je n'en reviens pas, je te parle au téléphone! dit-elle.

- Je ne veux pas t'interrompre, mais j'ai un appel sur l'autre ligne…

- Je suis désolée. Bonne journée!

- Bonne journée!» dis-je avant de changer de ligne.

«Allô?

- Bonjour Kyle! Ici Dean et Hatch, de Rock 101 à Vancouver.

- Je vous connais! Je viens de Vancouver.

- Super! Nous aimerions vous parler de votre trombone rouge. Avez-vous du temps maintenant?

- Oui, mais j'ai une entrevue à une émission de radio en Australie dans quatre minutes.

S'ensuit un bref silence.

- Nous n'en avons que pour trois minutes, m'assure Graham.

- Parfait, mais pouvez-vous m'appeler sur mon autre ligne? La réception de mon cellulaire n'est pas bonne ici.

- Oui. Où êtes-vous? À Montréal?

- À l'aéroport de Philadelphie.

- Vous avez une autre ligne à l'aéroport de Philadelphie?

- C'est un téléphone public.

- Ça va marcher?

- Je crois que oui.

- D'accord, quel est le numéro?

Je regarde un autre téléphone public et je lui donne le numéro.

- Très bien. Nous vous rappelons à l'instant.

- Parfait. »

Mon deuxième téléphone public sonne aussitôt.

« Bonjour les gars ! dis-je.

- Vous êtes prêt ? me demandent Dean et Hatch.

- Oui. »

Graham Hatch prend alors sa voix d'animateur de radio :

« Nous sommes en compagnie de Kyle MacDonald, le gars du trombone rouge qui… »

En plein milieu de l'entrevue, je reçois un message textuel de la part d'une station de radio de Phoenix. Dans un élan contraire à ma nature, je m'acquitte de tâches multiples en répondant à la station de radio de m'appeler sur mon autre ligne : mon troisième téléphone public.

Après l'entrevue à Rock 101, Dean et Hatch restent sur la ligne :

« Merci beaucoup, Kyle ! C'est très apprécié !

Mon premier téléphone public sonne.

- Ça me fait plaisir !

- Venez-vous bientôt à Vancouver ?

Mon premier téléphone public sonne de nouveau.

- Peut-être dans environ un mois. Je ne le sais pas.

- Si vous passez par ici, faites-nous signe !

Mon premier téléphone public sonne de nouveau.

- C'est sûr ! réponds-je.

- Bonne journée ! » répondent-ils.

Je raccroche mon deuxième téléphone public pour prendre ma première ligne de bureau improvisée, le bon vieux premier téléphone public :

« Allô ?

- Salut, mon gars ! Tu es en ondes à Melbourne, en Australie. Comment ça va, mon gars ?

- À merveille ! Quel joli matin !

Mon cheval se met à hennir.

- Où es-tu, mon gars ? Dans une étable ?

- Non, c'est la sonnerie de mon cellulaire. Ou de portable, si tu préfères. Un instant.

Je refuse l'appel. Le cheval portable est muselé.

- Je m'excuse. Je suis prêt, dis-je.

- Super, mon gars! Parlons de ton aventure du trombone rouge!»

Les animateurs de l'émission présentent le projet aux auditeurs, tandis que hennit de nouveau mon cellulaire. Juste avant que ne retentisse mon troisième téléphone public. Je regarde par la fenêtre. Un avion vrombit sur la piste, puis les roues se détachent du sol.

Je regarde par une autre fenêtre et vois l'aéroport disparaître. Je me réveille brusquement et jette un coup d'œil autour de moi. Je suis dans un avion, assis à côté du hublot. Mon épaule est moite. Je regarde par terre: j'ai bavé. Je suis tombé comme une bûche dès que je me suis assis dans l'avion. C'est dû à l'excès de sucre provoqué par une demi-boîte de biscuits de scouts. Le fait que je n'ai pas fermé l'œil depuis une semaine n'aide pas non plus. J'ai donné une série d'entrevues pendant mon escale de deux heures. Une généreuse série. Mais j'en ai raté encore plus! Il y a une limite au nombre de téléphones publics qu'un homme peut gérer en même temps. Mon père a appelé en plein milieu du délire. Il a sans doute perçu mon état de panique dans ma voix, parce qu'il a insisté pour faire vite son voyage d'affaires dans le sud de la Californie, afin de pouvoir venir me rejoindre à Phoenix et m'aider de son mieux. J'ai accepté son offre avec plaisir.

L'avion atterrit à Phoenix. Il est minuit. Un chauffeur m'attend à l'aéroport. Il tient une feuille de papier avec mon nom, exactement comme dans les films. Il m'emmène à un immeuble, mais avant d'y entrer, je fais deux autres entrevues téléphoniques, cette fois-ci au Japon. J'entre dans l'immeuble et donne une entrevue par télé satellite pour *Good Morning TV*, une émission britannique. Après l'entrevue, l'équipe ultra-joyeuse de l'émission me souhaite une splendide journée.

Je regarde l'horloge. Il est 1 h 30 du matin.

Le soleil est toujours en train de se lever quelque part.

De la voix la plus enjouée que je réussis à forger, je promets aux auditeurs de passer la journée la plus splendide possible, je décroche le microphone et j'expire. Je suis exténué.

Jody et son copain Scott arrivent au studio. Scott me jette un bref coup d'œil et me lance:

«Tu as eu une grosse journée?

- Oui ! » réponds-je.

Nous bondissons dans leur Jeep Cherokee et allons chez eux. J'ai l'impression de connaître Jody et Scott depuis longtemps. Je suis content d'être là avec eux. Nous nous entendons sur le fait qu'il nous faut dormir. Jody m'a fixé des rendez-vous pour des diffusions à des postes de télé locaux, et nous n'avons plus qu'une heure de sommeil devant nous. Mais c'est bien plus agréable de placoter. C'est le propre du placotage : il est meilleur que le sommeil.

« Je suis très emballée, me dit Jody.

- Moi aussi », réponds-je.

Nous fendons nos visages de sourires rayonnants.

Jody et Scott ont des projets pour l'avenir. Jody travaille à temps partiel pour une compagnie aérienne, mais souhaite se concentrer sur sa carrière musicale. Scott fait des meubles à temps partiel, mais souhaite laisser son emploi et démarrer une entreprise de mobilier sur mesure. Ils ont des projets et ils font des démarches pour les réaliser.

« Quel style de musique fais-tu ? demandé-je à Jody.

- J'appelle ça du soul pour tronches à l'esprit bohème, ou steb si tu préfères. »

Je ris. Jody aussi. Je ne comprends pas du tout ce qu'il signifie, mais j'adore le nom.

Nous allons à deux entrevues ultracaféinées pour des émissions de télévision du matin de Phoenix. J'annonce que j'attends toujours la meilleure offre pour l'année de loyer, puis Jody invite les gens à venir nous joindre le soir même à une fiesta, qu'elle a en partie organisée, à Alice Cooper'stown, un restaurant qui appartient à Alice Cooper. Puisque nous sommes dans l'Ouest, midi tapant me semble l'heure appropriée pour faire le troc. Juste avant midi, nous nous rendons donc au duplex. Jody me fait visiter le logement, que j'aime beaucoup. Des œuvres d'art faites d'équipement informatique recyclé sont suspendues aux murs.

« C'est ma mère qui les fait, explique Jody. Elle trouve des choses dont personne ne veut et en fait des œuvres d'art. Elle aime créer quelque chose à partir de rien. »

Je pointe une œuvre faite d'un entrelacs de fils d'ordinateur créant un motif :

« J'aime beaucoup celle-ci.

Jody sourit et me répond :

- Elle s'intitule *Byte Me*». Elle rit. Moi aussi.

Nous sortons et nous restons sur la galerie. Je regarde le ciel, aveuglé. Le soleil est au zénith. Il est midi tapant. Je tends à Jody le contrat d'enregistrement taché de boue. Elle me tend les clefs du duplex. Nous nous serrons la main. Les frères de Jody, Sean et Chad, nous prennent en photo. C'est officiel.

Je suis assis sur les marches de la galerie, en plein soleil. L'éclatante blancheur de mes membres ferait plisser des yeux un aveugle et éblouirait un myope. Le soleil est brûlant. Je comprends maintenant ce qui motive tant de personnes à venir vivre en Arizona. Comment peut-on ne pas aimer le soleil ? Je regarde Jody, Scott, Sean et Chad. Ils se tiennent debout sous un arbre, c'est-à-dire à l'ombre.

Scott me fait un sourire :

«On reconnaît tout de suite les gens qui ne viennent pas d'ici. Ce sont les seuls qui restent au soleil. »

J'éclate de rire, me couche sur le béton chaud et imagine ma peau se faire rôtir par plus de 300 jours de bombardements d'ultraviolets par année.

Jody et Kyle font le troc devant le duplex à Phoenix.

Le cri d'un étalon déchire l'après-midi. J'ouvre le téléphone et je regarde le numéro. Il commence par 61, donc l'appel provient de quelque part en Australie. Je décroche, lance un « Bonjour ! » et embarque dans le jeu. C'est l'animateur d'une émission de radio diffusée en direct dans toute l'Australie. Il me pose quelques questions puis nous nous mettons à parler de Jody. L'animateur me demande :

« Quel style de musique Jody fait-elle, mon gars ? »

Je m'apprête alors à me lancer dans une tentative d'explication rapide de l'idée derrière le steb, mais stoppe net et dis :

« Demande-le-lui !

Je couvre le microphone et tends l'appareil à Jody en lui mentionnant :

- Tu es en direct sur les ondes dans toute l'Australie. »

Les yeux exorbités, elle dit allô. Quinze secondes plus tard, elle se lance dans une version improvisée de la chanson *Red Paperclip*. C'est hallucinant. Je crois qu'il s'agit de son tout premier concert d'envergure internationale.

Nous prenons la Jeep Cherokee de Jody pour nous rendre chez elle. Il n'y a pas de climatisation et on ne peut pas baisser les fenêtres. Nous sommes à Phoenix. Je meurs d'envie de rôtir debout sous le soleil brûlant.

Un peu plus tard, mon père arrive chez Jody. Après avoir constaté l'état cadavérique de son fils, hagard et blafard, bien que sous l'emprise d'un gigantesque coup de soleil en évolution, il se recule et me lance :

« Tu as eu une grosse journée ?

- Une grosse semaine. Merci d'être venu.

- Ça me fait plaisir de t'aider. »

J'avale en faisant cul sec une boisson énergétique dont le nom me paraît sur le coup très accrocheur, mais que je finis vite par oublier. Ensuite, mon père m'accompagne à une autre entrevue par satellite pour la télé. Cette fois-ci, c'est avec Tucker Carlson. Tucker est le genre de gars que certains appellent un expert. Chaque soir, il se prend une belle raclée, parce que chaque soir, il abreuve des gens d'injures, afin de semer des controverses qui lui procurent de la publicité gratuite, laquelle garantit l'emploi qu'il occupe chaque soir. Le fait qu'il garde ce poste est une preuve en soi de l'acharnement avec lequel il exerce ses fonctions chaque soir.

Il a récemment fait les manchettes au nord de la frontière, en disant que le Canada est «comme un cousin déficient mental qu'on voit à l'Action de grâces et à qui on tapote la tête.» Je suis d'accord, du moins en partie. Comme les Canadiens affectionnent la dinde, il n'est pas inusité d'en voir à un souper d'Action de grâces. En revanche, si j'avais un cousin déficient mental, je ne crois pas que je lui tapoterais la tête. Je lui parlerais comme à tout le monde. Je le traiterais en égal. Mais ça me regarde. Je mène une vie paisible où je n'ai pas besoin d'abreuver les gens d'injures afin de faire parler de moi et de faire monter les cotes d'écoute pour garder mon emploi.

La semaine précédente, Tucker a raccroché son traditionnel nœud papillon. J'en profite donc pour arborer un nœud papillon clignotant à l'entrevue, histoire de nourrir la flamme de Tucker, comme je dis fièrement à mon père. Assis sur une chaise devant la caméra, j'écoute l'émission grâce à un écouteur.

Après la pause, à The Situation, nous verrons qu'il faut avoir la bosse des affaires pour troquer un trombone rouge contre une maison. Nous ferons très bientôt connaissance avec quelqu'un en voie de réussir ce pari. Dans quelques instants, l'histoire extraordinaire d'une série de trocs. À tout de suite!

(Pause commerciale)

Pendant la pause, je parle à Tucker grâce au micro pincé à mon estomac et à des écouteurs sophistiqués transparents. Il me souhaite la bienvenue à l'émission et me demande si j'ai déjà pensé à venir vivre aux États-Unis. Je lui réponds que oui, mais j'aime habiter près de ma famille. J'imagine que beaucoup de Canadiens envisagent de passer la frontière pour de bon au moins une fois dans leur vie, surtout au creux de l'hiver. Quand j'étais un jeune adolescent à Vancouver, j'aimais regarder une carte de l'Amérique du Nord et penser avec stupéfaction au fait que je n'avais pas le droit de faire deux heures de voiture vers le sud pour aller décrocher un emploi à Seattle, mais je pouvais parfaitement rouler pendant six jours vers l'est, jusqu'à Terre-Neuve, une île dans le nord de l'Atlantique, m'y installer et travailler sans que qui que ce soit ait son mot à dire. Je trouve parfois la géographie capricieuse. Mais ça me regarde. Je suis quelqu'un qui aime observer les cartes.

Dans l'oreillette, Tucker m'avoue sa grande passion pour les humoristes canadiens tels que John Candy, Martin Short et Mike Myers. Je souris en lui demandant s'il veut m'aider à obtenir un visa de travail. Il rit, me dit que je suis drôle et change vite de sujet. Il me dit qu'il a hâte de me parler, et je lui rends la politesse.

Dans quelques instants, des téléspectateurs des quatre coins du pays auront leurs yeux rivés sur moi. Je prends une grande respiration et je pense à mes cheveux. Sont-ils ébouriffés? Je dirais plutôt aplatis. Dans un sens.

CARLSON: Nous sommes de retour. Mon prochain invité pourrait devenir l'homme le plus débrouillard de l'histoire. Le 12 juillet dernier, Kyle MacDonald se lance à l'aventure avec un simple trombone rouge, et se fixe comme objectif de le transformer en maison. Il commence par échanger le trombone contre un stylo, puis enchaîne une série de trocs étonnants qui le rapprochent de son but. Comment marche le jeu du troc? Posons la question au principal intéressé. Kyle MacDonald est en direct avec nous à partir de Phoenix. Kyle, tu as fière allure!

Je me demande alors s'il parle de mon nœud papillon ou de mes cheveux. Ou si, tout comme moi, il est confiné dans un studio sans moniteur et ne voit même pas son interlocuteur. Quoi qu'il en soit, mon nœud papillon reste hilarant.

MACDONALD: Merci beaucoup! Regarde ça!

Je branche le nœud papillon et me mets aussitôt à clignoter. J'ai l'air d'un clown. En fixant la caméra, je déclare: «Je porte le flambeau des amateurs de nœud papillon, Carlson!»

CARLSON: Remarquable! Kyle, je remarque à ton accent que tu es canadien. Je te redis ce que je t'ai dit pendant la pause: tu es le bienvenu dans notre pays! Nous t'accueillons à bras ouverts. Nous avons besoin de gens comme toi.

MACDONALD: Merci!

CARLSON: Je suis très sérieux.

Je le crois. Tucker et moi parlons pendant quelques minutes. Il se montre très enthousiaste et d'un vibrant soutien. C'est un admirateur sans bornes du trombone rouge. Puis je raconte l'histoire qui m'a mené d'un trombone rouge à une année de loyer à Phoenix.

CARLSON : Jusqu'où veux-tu aller ? Quel est ton objectif ? La domination des États-Unis d'Amérique ? Où vas-tu t'arrêter ?

MACDONALD : Comme c'est secret, je ne peux pas vendre la mèche. Mais il s'agit d'une forme subliminale de contrôle de la Terre. Mais mon premier objectif demeure le troc d'un trombone rouge contre une maison.

CARLSON : Prévois-tu continuer après la maison ?

MACDONALD : Comme je te dis, c'est un secret. Je dois rester motus et bouche cousue. Mais nous ne sommes pas loin d'une forme de contrôle de la Terre. Mais d'abord, cap sur la maison.

CARLSON : Je suis persuadé que tu en es capable. Kyle MacDonald, un Canadien aux États-Unis ! Comment trouves-tu les États-Unis ?

MACDONALD : J'en raffole ! C'est beau et chaud. Aucune trace de traîneau à chiens.

CARLSON : Il réalise le rêve américain en passant d'un trombone rouge à une maison. Imaginez que ça se passe au Canada. Kyle, merci de ta visite !

MACDONALD : Ça me fait plaisir. Bonne journée !

CARLSON : Merci !

J'ai bien aimé l'entrevue. C'était comme une fête d'avant-match dans un stationnement, mais avec un nœud papillon clignotant. J'ai joué le jeu : j'ai fait du babillage et j'ai eu l'air d'un con. Tout au contraire de Tucker Carlson, bien sûr, reporteur respecté.

J'enlève le nœud papillon. Mon père et moi allons à Alice Cooper'stown, où se trouvent plusieurs clients, en plus des amis et des parents de Jody. Beaucoup de gens ont lu mon invitation sur mon blogue et ont vu Jody à la télévision ce matin. Nous faisons l'agréable connaissance des amis de Jody, très emballés par l'enregistrement de son album. Dans plusieurs sens, c'est une occasion en or qui se présente à elle. Sa carrière pourrait prendre son essor. Elle court bien sûr un risque, mais un risque mesuré qui lui permettrait de concrétiser son rêve. Mon père et moi serrons quantité de pinces. Tout est confus, mais agréablement confus. Je ne suis pas moins embrouillé quand nous arrivons chez Jody. J'essaie de dormir, mais j'en suis incapable. Je suis à la fois trop fatigué et trop excité par les boissons énergétiques.

Le lendemain, Jody, mon père et moi prenons le chemin de l'aéroport. Jody se rend à Los Angeles pour un congrès d'auteurs-compositeurs ; mon père et moi y allons pour d'autres raisons. Après un souper à Los Angeles, Jody se dirige vers son congrès tandis que mon père et moi dénichons un hôtel. C'est la première fois en dix jours que je dors bien.

Le lendemain soir, je suis assis avec mon père dans notre chambre du onzième étage du Hollywood Hyatt. Le légendaire Hyatt du Sunset Boulevard ! L'hôtel où les vedettes rock lancent des téléviseurs par la fenêtre et dévalent les corridors en moto. Le paradis des *rock stars*. Je jette un coup d'œil à mon père : assis sur le lit, les bras bien étirés, il s'abandonne à un profond bâillement qui semble très satisfaisant. Ce qui enfonce le dernier clou de cercueil de sa velléité de devenir technicien itinérant. Contrairement aux gens qui lisent des livres où on décrit des personnes qui bâillent, les techniciens itinérants ne succombent jamais à l'impulsion psychologique de bâiller.

Sous aucun prétexte.

Depuis quelques jours, je réponds à des dizaines d'appels de gens qui souhaitent faire des échanges avec moi, mais conscient de mon penchant pour le gribouillage de notes inintelligibles sur des bouts de papier, je demande à tous de bien vouloir m'envoyer leurs offres par courriel. Je m'attaque ensuite à la lourde tâche de trier les centaines de courriels que je reçois, pour séparer les offres authentiques des courriels adressés au désormais célébrissime « Madame / Monsieur ». J'ai du pain sur la planche. Ça sonne au secrétariat. Je réponds :

« Allô ?

- Bonjour, Kyle ? demande une femme.

- Oui.

- C'est Leslie. Nous nous sommes rencontrés l'autre jour à Phoenix. »

J'ai rencontré des centaines de personnes en quelques jours, dans mon délire insomniaque. Leslie ne me dit rien, mais je n'ose pas le lui admettre. Je prends une courte pause dans l'espoir de me souvenir d'elle.

« Comment ça va ? dis-je.

- Super et toi ? répond-elle.

- Je n'ai pas une seconde à moi, mais je m'amuse comme un fou. »

Je parcours rapidement le disque dur de mon esprit. Leslie. Leslie… Rien.

Leslie, si on suppose que c'est son véritable nom, me lance :

« J'aimerais te faire une offre pour l'année de loyer dans le duplex.

- Ah oui ? réponds-je.

- Certainement !

- Quelle est ton offre ?

- Un après-midi avec mon patron.

- Ton patron ?

- Oui. J'offre à quelqu'un de passer un après-midi avec mon patron. »

Voilà une situation délicate. Leslie a l'air gentille, mais un après-midi avec son patron ne m'aidera pas à me rendre jusqu'à une maison. Disons que ça ne vaut pas une année de loyer. Je décline donc poliment son offre :

« Je ne vois pas comment je gagnerais à troquer une année de loyer contre un après-midi avec ton patron.

- Tu ne te souviens pas de moi ? lance-t-elle.

- Honnêtement, non.

- Je travaille au Alice Cooper'stown. Je suis l'amie de Jody. J'habite dans l'autre moitié du duplex. J'étais maquillée comme Alice Cooper l'autre soir. »

Je repense au restaurant. Leslie, l'amie de Jody… Elle travaille au Alice Cooper'stown, son ombre à paupières faisait très Alice Cooper… Oui, je m'en souviens ! Leslie ! Elle travaille au Alice Cooper'stown ? Ce qui signifie que…

« Est-ce que je comprends bien ? Tu es en train de me dire que ton patron est… »

Elle fait une interminable pause.

« Mon patron s'appelle Alice Cooper », dit Leslie.

QUAND ON VEUT, ON PEUT

Qu'il n'y ait pas de malentendu. On ne remporte pas aisément la médaille d'or du saut à la perche aux Jeux olympiques, même si on le souhaite ardemment. Mais c'est possible. Quand j'avais 15 ans, je me suis inscrit au saut à la perche et j'ai passé la journée à en faire. Je me suis amusé, mais je n'ai jamais consacré les longues heures nécessaires pour raffiner l'art de la propulsion de mon corps par-delà une barre, à l'aide d'une perche. Si j'avais entretenu une passion plus vive pour la propulsion de mon corps par-delà une barre avec une perche, peut-être aurais-je mis les bouchées doubles jusqu'à pouvoir un jour me propulser par-delà la barre la plus haute jamais franchie par un perchiste. Mais quelqu'un quelque part convoite la médaille d'or du saut à la perche aux Jeux olympiques, et la remportera.

IL FAUT ESSAYER
POUR EN AVOIR LE CŒUR NET

Si je n'avais jamais essayé le saut à la perche, j'aurais passé toute une journée au secondaire à ne pas faire de saut à la perche au championnat régional. Je crois qu'il est bien mieux de se projeter par-delà une barre avec une perche que de ne pas se projeter par-delà une barre avec une perche. Si je n'avais jamais essayé, je n'aurais jamais su que je peux me projeter par-delà une barre à l'aide d'une perche. J'aurais pu passer le restant de mes jours à me triturer l'esprit pour savoir si je suis capable de me projeter par-delà une barre avec une perche. Alors que, sans être un médaillé d'or du saut à la perche aux Jeux olympiques, je peux regarder quiconque dans les yeux et dire que je peux me propulser au-delà d'une barre avec une perche. Je vous garantis que le fait de savoir que l'on détient une telle aptitude procure une grande paix d'esprit. Même si on arrive dernier.

IL EST PLUS FACILE D'ÊTRE SOI-MÊME
QUAND ON EST SUR PLACE

En général, quand je me trouve à côté de quelqu'un, je suis curieux de savoir ce que cette personne a à dire. On peut interagir par courriel, téléphone, vidéo, messagerie, etc. Mais ça ne prouve pas qu'on est soi-même. Ce n'est pas comme une poignée de main. De toute façon, tout le monde ne répond pas au téléphone. Ni ne prend ses messages téléphoniques. Ni ne possède de téléphone. Ni n'en veut.

UN APRÈS-MIDI AVEC ALICE COOPER

J'accepte sur-le-champ l'offre de Leslie. Je n'ai jamais passé un après-midi avec une légende du rock. C'est le genre d'occasion qui se présente rarement. Mais j'y pense, si je veux me rendre jusqu'à une maison, il faut que je troque l'après-midi avec Alice Cooper contre autre chose. Et chercher un troqueur pour échanger un après-midi avec une légende du rock est le genre d'occasion qui se présente très rarement.

« Alice est-il au courant ? demandé-je.

– Pas vraiment, mais il m'en doit une, me répond Leslie.

– Mais a-t-il donné son accord ?

Un silence tragique s'ensuit.

– Il va le donner.

– Oh ! dis-je.

– C'est donc marché conclu ?

Voilà un marché avantageux pour Leslie. Tout ce qu'elle a à faire, c'est de parler à son patron, et puis, comme par enchantement, elle hérite d'un an de loyer gratuit. Mais il faut qu'elle déménage dans l'autre moitié du duplex. Après y avoir réfléchi quelques instants, je pose mes conditions :

– Oui, mais il faut que tu déménages.

– Déménager ?

Tout sourire, je lui réponds :

– L'année de loyer gratuit concerne l'autre moitié du duplex, pas la tienne. Il faut que tu déménages pour que ce soit officiel.

– Oui... »

On dirait le oui que je lui ai répondu quand elle m'a demandé si je me souvenais d'elle. À tout le moins, il s'agit d'un oui. Je brûle d'envie de la voir déplacer toutes ses affaires de sept mètres, sans compter que l'autre moitié du duplex étant identique, mais inversée, elle devra tout changer de sens. Ne serait-ce pas hilarant si au lieu de prendre un verre à vin, elle s'emparait d'une tasse? Voilà de quoi se tordre, voire se tirebouchonner de rire.

« J'aimerais te serrer la main pour conclure le marché, mais je suis à 500 km. Mon vol de retour vers Montréal comprend une escale à Phoenix, donc je passerai officialiser le troc.

- Excellent », me répond-elle.

Je la salue et je referme le téléphone. Mon père, qui est parti avant l'appel de Leslie, revient dans la chambre au moment même et me demande :

« Qui était-ce ?

- Te souviens-tu quand nous étions à Alice Cooper'stown, à Phoenix, et que nous avons rencontré Leslie, l'amie de Jody ?

- Je ne m'en souviens pas, dit-il le visage dépourvu d'expression.

- En tout cas, elle vient de me faire une offre pour l'année de loyer, dis-je.

- Super, qu'est-ce ? demande-t-il.

- Un après-midi avec son patron.

- Avec son patron ? répète-t-il l'air complètement interloqué.

- Oui.

- Ce n'est pas la mer à boire.

- Devine qui est son patron.

- Qui ?

De toute évidence, il n'a pas envie de s'éterniser.

- Alice Cooper, dis-je.

Il esquisse un rictus, s'esclaffe puis demande :

- C'est vrai ?

- Oui !

- Vas-tu faire le troc ?

- Je viens de le faire au téléphone. Allons célébrer !

- Bonne idée. »

Je suis si emballé que j'ai le goût de lancer un téléviseur par la fenêtre et de dévaler les corridors en moto. Je regarde mon père, lève les sourcils et demande :

« Hamburger ?

- Au poulet.

- Là, tu parles ! »

Nous descendons les marches et nous nous rendons au casse-croûte le plus proche pour manger des hamburgers au poulet. Nous faisons la fête en ville toute la soirée. Je raffole des hamburgers au poulet ! D'ailleurs, c'est moi qui invite mon père. Je commande même des rondelles d'oignons. Le lendemain matin, je me réveille un sourire fendu jusqu'aux oreilles. Voilà un gigantesque pas de franchi ! Et tout à fait inattendu. Un mordu d'Alice Cooper me fera sûrement une offre géniale. La cerise sur le gâteau, c'est qu'il n'y a aucune restriction géographique. Alice Cooper peut aller n'importe où pour passer un après-midi avec quelqu'un. Leslie a mentionné que le troqueur pourra faire toutes sortes de choses avec Alice : ils pourront magasiner, jouer de la musique, passer à sa célèbre émission de radio diffusée dans tous les États-Unis, ou jouer au golf. Alice Cooper a beaucoup de ressources à sa disposition. On dirait un couteau suisse dont chaque outil est une source de plaisir brut. Son festi-potentiel atteint des hauteurs vertigineuses. Leslie étant l'instigatrice du troc, elle obtient l'année de loyer, tandis que je garde l'après-midi avec une légende du rock. Alice, quant à lui, n'a rien. Sauf la satisfaction d'avoir rendu une employée très heureuse. Je déteste l'admettre, mais Alice Cooper n'est qu'un pion dans un jeu d'échecs. Mais un pion génial.

Le lendemain, je reçois l'appel d'un producteur de télévision du Japon. Il m'invite à passer quelques jours à Tokyo pour raconter mon histoire à l'émission *Miracle Experience Unbelievable* [Expérience du miracle incroyable]. J'accepte seulement pour le titre de l'émission et, quelques jours après, Dom et moi sommes assis dans un studio de télévision à Tokyo. Nos interventions sont traduites oralement et sont sous-titrées. Des acteurs présentent des reconstitutions de chacun de mes trocs. Puis nous faisons irruption sur scène, ce qui surprend le public qui nous croyait à Montréal. Tout le monde est surpris : nous ne nous attendions pas à faire un séjour au Japon et le public ne s'attendait pas à nous voir sur le plateau. Je ne comprends pas un traître mot de ce que disent les gens. Le plateau est décoré de jaune et de mauve. C'est extra !

Miracle Experience Unbelievable est à la hauteur des attentes suscitées par son titre. Un voyage-surprise au Japon pour participer à une émission de 60 minutes à une heure de grande écoute... Voilà qui redéfinit la notion même de plaisir.

Le présentateur de l'émission parle d'un conte de fées traditionnel japonais, *Warashibe Chojaj*, ce qui signifie M. Paille Chanceuse. C'est l'histoire d'un garçon qui part d'un brin de paille et, au bout de cinq échanges, obtient une maison de paille.

Je suis béat d'admiration. Je ne sais que dire.

Lors de la dernière journée de notre séjour au Japon, je reçois un courriel de Leslie, qui m'annonce des nouvelles sensationnelles : Alice Cooper, présentement en tournée, m'invite à le rencontrer à son concert à Fargo, dans le Dakota du Nord. Je ne tiens plus en place, mais le doute me ronge. Si je passe un après-midi avec Alice Cooper, je ne pourrai plus échanger l'après-midi. L'expérience garantit d'être fascinante, mais mon objectif reste l'obtention d'une maison. Alice Cooper est sans contredit une des personnes les plus fascinantes et les plus riches qui soient, mais j'ai beau le regarder

Leslie remet à Kyle un masque d'Alice Cooper sur sa galerie à Phoenix.

sous tous les angles, je ne lui trouve aucune ressemblance avec une maison. On me donne alors l'assurance que mon après-midi avec Alice Cooper à Fargo en est un de promotion seulement. Il me reste toujours un véritable après-midi avec Alice Cooper à troquer.

Voici ce que dit Alice Cooper à mon sujet : « Kyle est en train de battre Donald Trump sur son propre terrain. Je n'arrive pas à croire qu'il me demande de me donner en troc pour l'aider à acquérir une maison, mais c'est trop fou pour que je refuse. Que la personne qui va passer la journée avec moi attache sa tuque avec de la broche ! »

Je modifie l'itinéraire de mon retour à Montréal pour pouvoir rencontrer le chanteur, mais je dispose toujours d'une escale à Phoenix, qui me permet de rencontrer Leslie pour lui serrer la main et officialiser le troc. Je lui tends ensuite les clefs de l'autre moitié du duplex, et elle me tend un masque d'Alice Cooper. J'enfile le masque et nous nous serrons la pince. Jody croque une photo de nous. J'ai maintenant un après-midi avec Alice Cooper, et Leslie a une année de loyer gratuit. Jody et moi nous disons que ce serait cocasse de donner un coup de hache géante dans le mur qui sépare les deux logements du duplex, et de mener une opération clandestine pour déménager toutes les choses de Leslie sept mètres plus loin. Pendant que Leslie est au travail, bien sûr. Jody abonde dans mon sens.

« Imagine filmer ça ! dit-elle fébrile. Ce serait délirant ! »

Je me tourne vers Leslie :

« Tu déménages à côté de chez toi, non ? »

Mal à l'aise, elle répond :

- C'est-à-dire que… Jody et moi en avons discuté, et elle est d'avis que ce sera plus simple si je reste de mon côté et si elle loue son côté.

Je regarde Jody et m'indigne :

- Est-ce que c'est vrai ? m'exclamé-je, feignant d'être outré.

- C'est-à-dire que… », dit Jody en tentant de s'excuser, mais d'une voix sarcastique.

Étant donné la pureté du projet et notre très officielle poignée de main, je ne peux me considérer comme satisfait de la tournure des événements. J'estime que Leslie devrait trimbaler tous ses avoirs à sept mètres de chez elle, ce qui causerait tout un remue-ménage, juste pour respecter l'esprit du jeu. Mais c'est déjà décidé. Il me faut accepter que Leslie sache déjà où se trouvent les tasses dans ses armoires. Elle restera donc de son côté et bénéficiera d'une année de loyer gratuit. Quant à Jody, elle louera son côté. Est-ce que tout ça est raisonnable ? Je suppose que oui.

Je dors chez Jody et Scott. Comme Jody travaille pour une compagnie aérienne et dispose de quelques jours de congé, elle dégote, grâce à ses privilèges d'employée, des billets pour Fargo. Nous arrivons à l'hôtel à Fargo et nous faisons la connaissance de Kristine, une productrice de l'émission de radio d'Alice, *Nights with Alice Cooper*.

Nous accédons au hall de l'hôtel, où nous attend l'équipe de tournée d'Alice : Toby, Brian et Calico, la fille d'Alice. Les trois sont très gentils, mais je n'ai toujours pas rencontré Alice. Je suis énervé. Après tout, ce n'est pas tous les jours qu'on rencontre Alice Cooper. Aussi loin que je me souvienne, je me suis abreuvé de son rock à la radio. Je l'ai même déjà vu deux fois ailleurs que sur scène : à l'émission de télé australienne *Rove Live* et dans *Wayne's World*, où, dans une brève apparition, il se fait dire « On n'est pas dignes ! On n'est pas dignes ! » Les deux fois, j'ai trouvé qu'il avait l'air d'un chic type, mais il jouait peut-être juste un personnage. Je ne sais pas si je devrais avoir peur de le rencontrer en personne. Après tout, il s'agit d'Alice Cooper ! Je souhaite qu'aujourd'hui, il n'ait ni serpent autour du cou ni poulets morts dans les poches. Je croise les doigts.

Le voilà qui arrive. Il est exactement comme ce à quoi je m'attendais : pantalon noir, blouson noir et longs cheveux noirs.

Aujourd'hui, Alice Cooper est sorti sans serpent.

Il marche vers nous et nous salue. Jody et moi lui serrons la main. Alice Cooper et moi nous assoyons et bavardons de façon décontractée, histoire de faire connaissance.

Alice Cooper et moi.

Dans un hall d'hôtel.

À Fargo.

Comme dans le bon vieux temps !

Alice s'apprête à recevoir les clefs de la ville d'Alice, au Dakota du Nord. Je présume que c'est pour la simple et bonne raison qu'il porte le nom de la ville. Du moins, j'espère. Nous sommes tous invités à l'accompagner à Alice. Nous bondissons dans une version limousine de la Ford Excursion et nous regardons défiler le paysage infiniment plat du Dakota du Nord. L'air est gris et la terre, vert-brun. Ça et là, on peut voir des arbres, des lignes électriques et des vaches.

En arrivant à l'orée du Grand Alice, nous sortons de l'autoroute. Une voiture attend au-dessus du viaduc. Jody éclate de rire et dit :

« C'est sans doute une escorte policière !

- C'est sûr ! » confirme Kristine.

Nous nous esclaffons.

Nous tournons à gauche et traversons le pont qui mène à Alice. Toute l'escorte policière se déploie alors, avec force gyrophares bleu et rouge. C'est ce qui se passe quand on est une vedette du rock, qu'on soit dans le Dakota du Nord rural ou non. Sur le bord de la route, on peut lire sur des panneaux : « Alice, Welcome to Alice ! » Le sourire fendu jusqu'aux oreilles, Alice admire la scène. Nous arrivons ensuite au centre-ville d'Alice. Les amateurs se massent au centre du village pour accueillir bruyamment l'arrivée de la limousine. Il y a des gens partout, par milliers. C'est la cohue. La limousine s'immobilise tandis que les gens se collent le visage à la fenêtre et crient « Nous t'aimons, Alice ! »

Une poignée de gardiens de sécurité repousse la foule avant que la limousine passe par une ouverture dans la clôture en plastique. Quelques minutes s'écoulent avant que les gardiens de sécurité lèvent leur pouce pour donner leur accord. Les imprésarios et l'équipe de tournée d'Alice sortent d'abord, entraînant la clameur de la foule. Puis l'homme tant attendu sort de la limousine. Un rugissement déchire le ciel.

Alice est à Alice.

Se frayant un chemin dans la foule, Alice marche jusqu'à une scène érigée sur la place publique, en face d'un bar. Debout devant le micro, il prend la parole :

« Est-ce que quelqu'un a bu aujourd'hui ? »

La foule est survoltée.

Alice s'adresse à elle pendant quelques minutes. Il remercie les citoyens d'Alice, au Dakota du Nord, de lui donner les clefs de la ville, pousse quelques blagues et invite les gens à son concert le lendemain soir. C'est un moment d'émotion très intense. La horde de milliers de mordus de tous les âges venus pour l'occasion en dit long sur la popularité et l'influence d'Alice Cooper depuis de nombreuses années. Pour clore le tout, Alice pointe la foule du doigt :

« Et quand je viens ici, je m'attends à ce que tout soit gratuit ! »

La foule lui répond par un tonnerre de bruit. Quelle scène pittoresque ! Pas si mal pour un village de 56 habitants.

En retournant à sa limousine, Alice signe des autographes et pose pour des photos. Les gens s'agenouillent en disant : « On n'est pas dignes ! On n'est pas dignes ! » Alice fait des yeux de merlan frit et sourit.

Nous bondissons dans la limousine et je lui pose la question :

« Est-ce que ça vous arrive souvent ?

- Non, pas vraiment… juste une dizaine de fois par jour. Chaque jour depuis 1992. »

Il hausse les épaules en souriant, l'air de dire « Qu'est-ce que je peux bien y faire ? » Puisque ce n'est pas le genre de choses qu'il peut arrêter, il a avantage à en tirer du plaisir. Un homme poursuit la limousine qui démarre, s'agenouille et crie :

« On n'est pas dignes ! On n'est pas dignes ! »

Alice se tourne vers nous, grimace, se tourne de nouveau vers l'amateur au sol derrière la vitre teintée et lance d'une voix aussi entraînante que sarcastique :

« Non, tu n'es pas digne ! »

En retournant à Fargo, la conversation passe au golf. Alice Cooper est un golfeur redoutable, il a un handicap de quatre. Je dois admettre que je n'ai aucune idée de ce que ça veut dire. Mais la personne qui m'en a déjà parlé me l'a dit en levant les sourcils, donc je me montre impressionné par l'exploit d'Alice. Je lui mentionne que mon grand-père de 79 ans vient de jouer son âge. Alice me regarde, hoche légèrement la tête, en fronçant les sourcils pour montrer son approbation et s'exclame :

« C'est très impressionnant ! »

Je dois admettre que je n'ai aucune idée de la difficulté de jouer son âge, mais Alice lève les sourcils, ce qui dissipe tous mes doutes.

Nous retournons à l'hôtel, et le groupe ainsi que l'équipe de tournée se dirigent vers un restaurant chinois. Jody et moi nous assoyons au bout de la table avec Alice et son imprésario, Shep Gordon. Les membres du groupe et de l'équipe de tournée s'installent le long de la table. C'est la première fois que je vois tant de techniciens itinérants en même temps dans un restaurant chinois. Pendant son repas, Alice se fait aborder par au moins dix personnes qui veulent des autographes et des photos. Tout en mangeant, il signe, pose et s'amuse avec chacun. Je demande à Alice s'il est habitué de se faire constamment aborder par des gens. Il me répond :

« Oui, quand ça arrive 40 ans de suite sans interruption, on s'y habitue. Mais tu sais quoi ? Aujourd'hui, quand nous sommes arrivés à Alice, et nous avons vu les panneaux sur le gazon, en face des maisons, et tout le monde qui s'agitait, j'étais aussi intrigué par la situation que n'importe qui. J'ai créé un tel écart entre ma vie personnelle et ma vie sur scène, que j'en viens parfois à oublier que c'est moi, Alice Cooper ! Il faut alors que je me secoue et que je me raisonne en me disant « C'est vrai, c'est moi ! » Je suis un gars ordinaire comme tout le monde, mais un gars ordinaire que tout le monde connaît. C'est inévitable quand on est une légende vivante.

J'apprends alors qu'Alice n'a pas bu une goutte d'alcool depuis presque 30 ans, qu'il est membre de l'association des parents d'élèves à l'école de son fils, et qu'il conduit une Smart. Il me dit fièrement : « Trente kilomètres au litre, cent vingt kilomètres à l'heure. Je l'adore ! » J'aime imaginer Alice Cooper, un des rockeurs légendaires les plus subversifs de tous les temps, prendre sa voiture ultracompacte pour se rendre du terrain de golf à une réunion de parents d'élèves. Étant donné l'image que les gens ont de lui, c'est un geste qui atteint un degré de subversion bien plus élevé que s'il se bornait à décapiter des poulets avec ses dents. De toute façon, décapiter des poulets avec ses dents, c'est vraiment rendu quétaine.

Alice et moi marchons vers le comptoir à salade. Pendant qu'il détache un morceau de laitue à l'aide d'une pince, une vieille connaissance s'approche de lui et les deux se mettent à bavarder. Je retourne à la table pour satisfaire ma fringale de pépites de bacon. Deux minutes plus tard, Alice revient et me demande :

« As-tu vu le gars à qui je parlais ?

- Oui.

- Devine son âge.

J'avale les pépites de bacon à l'aide d'une rasade d'eau puis lui réponds :

- Je ne sais pas. Soixante-quinze ans ?

Alice me regarde, un sourire fendu jusqu'aux oreilles, et dit en levant les sourcils :

- Cinquante-neuf !

- Il a cinquante-neuf ans ? Oh ! dis-je, en rendant aux sourcils levés d'Alice Cooper la monnaie de leur pièce.

Le sourire d'Alice se fend encore davantage.

- J'ai 58 ans. Je me sens très jeune. »

Il affiche une satisfaction habituellement réservée aux emmes entre deux âges qui revendiquent une apparence jeune. Mais dans le cas d'Alice, ce sentiment va au-delà de la vanité ou de l'attrait de la fontaine de jouvence. Si on observe les rockeurs de sa génération, on constate que le simple fait qu'il soit encore en vie relève du miracle. Et il savoure cet état de fait chaque jour. Il me confie :

« Quand je buvais, je n'avais jamais de lendemain de veille, parce que je me levais le matin et décapsulais une bière pour démarrer la journée. Je n'ai jamais été assez longtemps à jeun pour subir un lendemain de veille. Ça a duré des années. »

Assise à côté de lui, sa fille Calico secoue la tête sans mot dire. Son langage corporel laisse croire que c'est bien la première fois qu'elle entend son père dire qu'il n'avait pas de lendemain de veille.

La bouche pleine de laitue, Alice reconnaît :

« J'ai une personnalité qui me rend facilement accro. »

Je hoche poliment. Je n'ai rien à dire. C'est fabuleux de voir quelqu'un être honnête envers lui-même. Il n'invoque pas d'excuses, il assume. Alice prend une gorgée de Coke diète puis dit :

« Il ne faut pas essayer d'arrêter une dépendance. On ne peut pas changer sa personnalité. Mais ce qu'on peut faire, c'est réorienter notre dépendance vers quelque chose de mieux. Les seules choses auxquelles je suis accro, présentement, c'est ma famille, la scène, le Coke diète et la pratique du golf. »

Il parle alors du clivage nécessaire entre sa vie hors scène et son personnage sur scène. C'est une question de survie, me dit-il.

« Hors scène, je suis Vince. Si j'essayais d'être tout le temps Alice Cooper, la vedette rock, je serais mort. »

Il m'explique pourquoi tant de vedettes rock sont mortes au fil des années.

« Ils ont voulu être des vedettes rock 24 heures par jour, dit-il en mordant dans la laitue. Ça les a tués. »

Il a vu de près Jimi Hendrix, Keith Moon et Jim Morrison essayer, à chaque moment de leur existence, de refléter leur image de vedette rock sur scène. Ni leurs corps ni leurs esprits ne pouvaient suivre le rythme effréné de leur folie. Alice me dit qu'il écrit un livre intitulé *Alice Cooper, Golf Monster*, qui aborde ce thème. Le personnage de scène Alice Cooper, dangereux maniaque assoiffé de vengeance, verrait les bâtons de golf comme des armes, alors que dans la vraie vie, Alice Cooper hors scène, Vince, voit le golf comme un passe-temps tranquille, une passion et, dans plusieurs sens, un salut.

C'est fascinant d'écouter Alice parler. J'ai très hâte de lire son livre. Nous finissons de manger et ouvrons nos biscuits chinois. Je ne me rappelle plus mon message, qui est sans doute « Vous aimez la nourriture chinoise », mais je me souviens de celui d'Alice. Il met ses lunettes de lecture, tient le petit bout de papier devant lui et lit :

« Point de succès sans effort. »

Il me regarde par-delà ses lunettes, sourit et relève les sourcils.

Je n'ai pas besoin de voir Alice relever ses sourcils pour savoir qu'il incarne parfaitement son message.

La quinzaine de personnes qui forme la bande d'Alice Cooper, en plus des gens qui s'y sont greffés, quitte le restaurant. Nous marchons dans la rue. Un enfant passe en vélo, fait un salut de la main et dit :

« Salut, Alice ! »

Alice sourit et le salue de la main.

Nous traversons la rue. Un couple de piétons nous croise et lance « Bonsoir, Alice ! ».

Alice sourit et dit bonsoir.

Tandis que nous nous approchons de l'hôtel, une masse compacte de gens sort de l'aréna de Fargo, où on présentait un spectacle d'humour. La foule s'approche de nous et crée un épais rideau humain qui nous sépare de notre hôtel. Les accompagnateurs d'Alice sentent un danger et l'encerclent pour le protéger de la foule nombreuse. Quelques personnes manifestent un intérêt pour la formation compacte en forme de phalange sur le bord de la rue, tandis que d'autres exercent leur faculté de déduction après avoir vu «Alice Cooper» sur la marquise de l'aréna, le gigantesque autobus de tournée devant l'hôtel et le groupe de gens en noir aux cheveux longs. Nous atteignons néanmoins l'hôtel sains et saufs. Si Alice avait été repéré, je suis certain qu'une réaction en chaîne aurait créé la frénésie. Qui ne connaît pas Alice Cooper? Quelque chose me dit qu'Alice aurait aimé rencontrer tout le monde, parce qu'il est sympathique, mais présentement, il désire gagner sa chambre et regarder *Jerry Springer* comme tout le monde.

L'ascenseur arrive au treizième étage. Jody, Kristine et moi souhaitons bonne nuit à Alice. Il tourne à gauche tandis que nous nous dirigeons vers la droite.

Le lendemain matin, nous sommes assis dans un studio de radio avec T-Bone, un animateur de The Box, 101,9 FM, la station rock de Fargo. Devant le studio criblé de reporters et de caméras, Alice enregistre son émission diffusée dans tout le pays, *Nights with Alice Cooper*. Je suis un invité spécial. Pour le *Closet Classic* [classique déterré], je demande *Rainbow in the Dark*, de Ronnie James Dio, que je trouve très approprié. Alice, qui n'en rate jamais une, raconte un incident de jardinage saugrenu au cours duquel Ronnie James Dio a été attaqué par un nain de jardin. Il paraît que pendant que Ronnie était en train de placer un massif nain de jardin sur une pente abrupte à côté de sa maison californienne, le nain a cédé et les deux se sont mis à dévaler le remblai ensemble. Le chanteur s'est fait écraser le pouce entre le nain et un rocher. Dio a fini par perdre un bout de son pouce.

Ma mâchoire pend jusqu'à terre. C'est sans contredit l'accident de jardinage le plus insolite que j'ai entendu cette semaine.

Jody et Kristine nous rejoignent, Alice et moi, dans le studio. Nous nous lançons dans un petit sketch radiophonique où Alice est réduit à la soumission par des trombones rouges qui le brûlent. C'est agréable de faire du théâtre à la radio.

Alice est un véritable personnage de bande dessinée quand il joue son propre rôle au théâtre.

Alice et moi discutons des trocs potentiels. Nous en arrivons au consensus qu'un milliardaire européen avec une demeure en trop me l'offrirait contre un après-midi avec Alice Cooper. Mais il faudrait que j'ajoute un Speedo rouge. Ce détail fait dire à Alice qu'il ne peut s'agir que d'un milliardaire italien. Il me questionne :

« Kyle, je sais que tu obtiendras quelque chose d'intéressant en échange d'un après-midi avec moi, mais peux-tu me promettre une chose ?

- Oui, quoi ? demandé-je.

- Ne me troque pas contre une fin de semaine avec KISS, ou quelque chose du genre.

- Non, je ne ferai pas ça.

Il hoche la tête. Nous sommes d'accord.

Nous terminons l'émission, puis Alice et moi nous promenons dans le complexe autour de la station de radio. Après avoir parlé ensemble comme des vrais, nous marchons maintenant ensemble comme des vrais. Alice sourit et dit :

« Tu étais excellent à l'émission. Tu as un talent pour l'improvisation et tu as très vite adopté le rythme. C'est le genre de truc qui ne s'apprend pas.

- Merci, dis-je timidement.

- Tu sais, dit-il en me regardant, bien des gens ne comprennent pas ce que je fais sur scène ou dans mes chansons. Ils ne peuvent pas comprendre. Frank Zappa m'a déjà dit à propos de tout ça : « Soit on comprend, soit on ne comprend pas. » »

Je hoche la tête. « Soit on comprend, soit on ne comprend pas. » J'adore cette citation !

Nous bondissons dans le camion et roulons jusqu'au centre d'accueil de Fargo. En chemin, Alice parle des années 1960 et 1970, quand il passait du temps avec de vieilles vedettes de Hollywood, comme Groucho Marx. Au début de sa carrière, les gens étaient effrayés par ses tours sur scène :

« Nous vidions une salle en cinq minutes, tellement nous étions perçus comme des marginaux. Mais les vieilles vedettes de cinéma comprenaient notre humour, qui leur rappelait le vaudeville. »

J'ai l'impression qu'Alice aurait remporté du succès à n'importe quelle époque. C'est un pionnier, très alerte. Il marche jusqu'à l'entrée du centre d'accueil de Fargo, salue la foule, fait un superbe petit laïus improvisé et met sa main sur une portion de ciment frais. Il fait maintenant partie du parcours des célébrités de Fargo. À tout jamais. Nous retournons à l'hôtel. Alice fait une sieste d'une heure, un rituel d'avant-spectacle, tandis que je démarre au volant de notre voiture de location, en direction du Wal-Mart du coin, pour trouver des CD vierges afin que Jody, Kristine et moi puissions échanger nos photos de la fin de semaine. The Box, 101,9 FM, crache du rock dans mes enceintes. Les animateurs des émissions de l'après-midi parlent d'Alice et moi. Ils admirent mes trocs et sont emballés par le concert d'Alice Cooper. Le lecteur de nouvelles du bulletin télévisé du soir fait irruption dans le studio et annonce en ondes :

«Nous étions au studio ce matin avec T-Bone et nous avons eu la chance de rencontrer à la fois Alice Cooper et Kyle MacDonald. Ce sera au onze ce soir à 18 h 09. »

Je remets en question un tel niveau de précision, presque trop élevé. Une telle précision me donne des frissons, voire la chair de poule. Puis j'aperçois un château d'eau, structure titanesque bleu ciel. Sur le côté, on peut lire «Fargo». Comme j'ai grandi dans les montagnes, les châteaux d'eau exercent sur moi une fascination. Je peux passer de longues minutes à les observer. Ils me procurent la paix d'esprit. J'admire celui-ci quelques instants, puis achète de façon autonome des CD vierges avec ma carte de crédit, au comptoir libre-service du gigantesque Wal-Mart adjacent, avant de vite retourner à l'hôtel.

Je mets le téléviseur au onze juste à temps pour enregistrer la capsule sur Alice et moi. Nous avons droit à tout un reportage. Le journaliste dit même « *Oh yah* » à la fin, comme dans le film *Fargo*.

Je me rends à l'aréna où je rencontre Shep. Nous passons du temps à côté des consoles de mélange de son à admirer le groupe en première partie, Vindictus, qui fait dans le *viking metal*. Après qu'ils ont ramassé leurs instruments, nous visitons la loge d'Alice et parlons du plan pour la fin du concert. Très détendu, Alice est assis dans un fauteuil, les yeux rivés sur un film de kung-fu. Il me regarde et explique :

« Je n'aime que ceux qui sont très mauvais. Pire le jeu est, plus j'aime ça. »

Les navets de kung-fu lui procurent une tranquillité d'esprit.

Nous énonçons un plan et nous hochons la tête d'un commun accord. Alice retourne à son film de kung-fu, tandis que Shep et moi allons à l'aréna pour voir le spectacle. Quelques minutes plus tard, Alice Cooper prend la scène d'assaut avec furie. Il y règne en roi et maître. Il manie sa canne avec autorité et casse la baraque. J'ai peur. Je n'arrive pas à croire que je viens d'ouvrir des biscuits chinois et de regarder un extrait de navet de kung-fu avec l'homme qui est sur la scène. Je suis désarçonné par la totale métamorphose. Il enfile tous ses succès, quelques pièces récentes et se fait décapiter par une guillotine. Ses musiciens, pour la plupart de 20 ans ses cadets, s'en donnent à cœur joie. Ils le soutiennent grâce à un mur impénétrable de rock trempé dans de l'acier inoxydable.

Tandis que la fin du concert approche, Shep regarde en ma direction et nous allons en coulisses. La pièce *Under My Wheels*

Kyle et Alice sur scène à Fargo.

tire à sa fin, et T-Bone de 101,9 FM fait irruption sur scène. Il demande à la foule si elle connaît le gars qui est parti d'un trombone rouge et qui fait des trocs sur Internet.

La foule réagit par une clameur timide. Insatisfait, T-Bone crie alors dans le micro :

« Nous avons une surprise pour vous, mais vous devez faire du bruit, allez ! »

Puis il ramène ses mains vers lui dans un grand mouvement, ce qui signifie en langage gestuel « Allez, faites du bruit ! »

Le public répond en faisant du bruit.

J'arrive sur scène et soulève un trombone rouge de 2,5 mètres à l'horizontale au bout de mes bras, debout à côté d'Alice. Le groupe se déchaîne, tandis qu'un mélange de rires, de cris d'étonnement et d'applaudissements émane du public. Alice lève ses bras pour tenir le trombone rouge avec moi. Nous le faisons monter et descendre au-dessus de nos têtes, au rythme de la musique.

Je suis sur scène avec Alice Cooper.

Sur scène avec Alice Cooper !

Je veux me pincer pour m'assurer que je ne rêve pas, mais mes deux mains sont occupées à tenir le trombone géant dans les airs. Je tends le monstre à Alice. Il le tient au-dessus de sa tête pendant quelques secondes, puis le met à côté de lui, s'approche du micro et dit :

« Merci, Kyle, mais tu sais, je ne peux pas accepter ton cadeau sans t'en donner un à mon tour.

Je sors ma main droite de ma poche et me pointe :

- À moi ?

- Oui ! » répond-il en pointant dans mon dos.

Je me tourne et vois Calico avec un immense ballon-sonde météorologique rouge au-dessus de la tête. J'accepte le ballon géant et je le tiens à mon tour au-dessus de ma tête. Quel troc agréable : un trombone rouge géant contre un ballon-sonde météorologique rouge géant ! Je regarde les milliers de personnes dans la foule et je souris avec satisfaction. On entend le fracas des cymbales puis le rythme de la musique s'accélère. Pendant un cours moment, je suis aveuglé par les projecteurs et l'intensité de la situation. À mon insu, Alice tient un long poignard et arrive dans mon dos. Il plonge le poignard dans le ballon, qui explose sur le coup. Le ballon est rempli de sang, et la crevaison éclabousse les spectateurs des premières rangées. Surpris par la détonation, je me suis couvert la tête avec les mains, qui ruissellent de sang. À peine ai-je pivoté sur moi-même que je me fais asperger par un puissant jet de sang décoché par le contenant en plastique de Calico. Afin de me remettre de ces violentes attaques, je déguerpis dans les coulisses en traversant la scène le corps complètement ensanglanté.

Le groupe monte l'intensité d'un cran.

La foule est en délire.

Alice soulève le trombone géant au-dessus de sa tête, grimace et jette le monstre dans la foule. Les spectateurs le mettent en pièces en un rien de temps, comme si c'était un poulet.

Voilà le clou du spectacle !

Kyle et Alice dans les coulisses à Fargo.

Peu après, je sors de la loge, encore couvert de sang. Un gars qui tient un petit morceau du restant de trombone géant vient vers moi avec un feutre noir et me demande :

« Est-ce que je peux avoir un autographe ?

- Oui », dis-je en souriant.

Je saisis le vestige du trombone, l'autographie et le remets au gars.

Il me remercie, me scrute attentivement, les mains couvertes de sang, puis demande :

« Quel genre de sang est-ce ?

Je réprime un rictus :

- Du sang de poulet, bien sûr. »

Une semaine plus tard, de retour à Montréal, je passe à la loupe les offres de troc pour l'après-midi avec Alice Cooper. J'en ai reçu beaucoup trop pour toutes les afficher sur mon site Web ou toutes les mentionner. Néanmoins, je tente d'en afficher le plus possible sur le site, afin de susciter une préoffre de la part de quelqu'un, à la condition que j'accepte une offre en particulier. Bref, à l'image de la phrase précédente, tout est très complexe.

```
*****KYLE,

J'aimerais te faire une offre pour l'après-
midi avec Alice Cooper. Mon père est un mordu
de rock (il adore également Bob & Tom, et
c'est grâce à eux que j'ai entendu parler de
l'échange.) J'aimerais beaucoup lui offrir
ce cadeau pour la fête des Pères. En échange
d'un après-midi avec Alice Cooper, je t'offre
une Ford Thunderbird 1988 grise en bon état,
en dépit de la jauge à essence brisée (je
surveille le kilométrage), de la barre
stabilisatrice «déconnectée» et de la fuite
d'huile cachée. Outre la voiture, j'ajoute
200$ en produits Tupperware (je suis consul-
tante pour Tupperware), un paquet de biscuits
au sucre maison et un don de 50$ en ton nom
ou au nom d'un être cher envers une société
de protection de la nature. S'il te plaît,
```

prends mon offre en considération parce que
je serais ravie d'offrir à mon père la chance
inouïe de rencontrer Alice Cooper.

Merci

Rachel

*****NOUS AVONS UN CAMION D'INCENDIE (AUTO-
POMPE) DE 1974 EN BON ÉTAT. NOUS AIMERIONS
L'ÉCHANGER CONTRE L'APRÈS-MIDI AVEC ALICE
COOPER. LE CAMION EST IDÉAL POUR LES CONCOURS
DE T-SHIRTS MOUILLÉS À GRANDE ÉCHELLE ET POUR
ALLER CHERCHER DE LA BIÈRE. C'EST LE VÉHICULE
PARFAIT POUR CEUX QUI CONDUISENT EN ÉTAT
D'ÉBRIÉTÉ, PUISQU'IL EST PEU PROBABLE QUE LA
POLICE ARRÊTE UN CAMION D'INCENDIE. MERCI DE
CONSIDÉRER NOTRE OFFRE.

*****SALUT KYLE,

J'ai quelques offres pour le tête-à-tête
avec Alice Cooper : d'abord, une Rolex, authentique bien sûr. C'est un modèle des années
1980 en acier inoxydable, en bon état de
fonctionnement. Je les collectionne, donc je
n'achète que des pièces de qualité. Ensuite,
je t'offre un numéro de téléphone très célèbre, celui de la chanson *867-5309/Jenny*, de
Tommy Tutone : (514) 867-5309. C'est mon
numéro de téléphone. Je reçois des tonnes
d'appels de partout dans le monde de gens
qui veulent parler à Jenny. Tiens-moi au
courant. Ciao ! Porte-toi bien.

Alex

*****Salut, je t'offre une semaine dans ma tente-roulotte à Burningman. Le véhicule fait près de 10 mètres de longueur. Il est équipé d'un climatiseur, d'une douche, d'une toilette, d'une cuisine qui sera très utile étant donné la chaleur et la poussière de la plage qui est balayée par le vent. J'ai des serviettes, une trousse de premiers soins et des accessoires pour le camping. Je m'occupe du transport à partir de la région de San Francisco. Assure-toi de pouvoir te doucher et d'avoir accès à une voiturette de golf pour te déplacer durant tes escapades à la plage. Je travaille à la station de radio BMIR. Tu pourrais donc, si tu le souhaites, venir à mon émission de musique quotidienne de 21 h à 22 h, *Sexy Sunburn Erotic*. Je t'offre de la boisson et je ramasserai tes déchets. Tout ce que tu dois apporter, c'est tes vêtements et tes aliments favoris. Merci pour ton intérêt.

Sarah Coup de Soleil

*****J'offre les droits de camping pendant six mois dans notre cour à Meridian, au Mississippi, une des villes les plus pitoyables et ennuyeuses du sud des États-Unis. Nous déménageons demain, et notre maison est à vendre. Nous souhaitons vivement t'offrir six mois dans notre superbe cour, puisque les gens de partout dans le monde pourraient voir que la maison est en vente! Soit dit en passant, nous demandons un prix très raisonnable, soit 99 000$. Dans l'éventualité où la maison est vendue avant la fin du camping

```
(ou du squattage), l'heureux campeur se voit
offrir un voyage à la plage toutes dépenses
payées en car Greyhound. Le camping est un
des grands plaisirs de la vie. Que demander
de mieux?
```

J'en reçois des dizaines et des dizaines, mais je ne vois aucune trace d'un milliardaire italien. Je n'en souhaite pas moins prendre une décision. Il va sans dire que l'offre du camion d'incendie se démarque des autres grâce à toutes ses lettres majuscules, mais le mystérieux expéditeur de ce message a choisi d'écrire un commentaire anonyme sur mon blogue, donc je n'ai aucune façon de le retracer. Je suis aussi tenté par le camping dans une des villes les plus pitoyables et ennuyeuses du sud des États-Unis… Comment décider? Mais comme c'est le cas depuis le début, l'important, ce n'est pas l'offre, c'est l'offrant.

Je veux faire l'échange avec un amateur d'Alice Cooper, quelqu'un qui me fasse une offre raisonnable, mais qui me facilite la tâche de choisir en démontrant une volonté profonde d'obtenir l'après-midi avec Alice Cooper. Le téléphone sonne.

Je décroche. C'est Mark Herrmann, du Kentucky. Il m'a fait une offre par courriel, pour une guitare ou quelque chose du genre. Je ne me rappelle plus. Nous parlons quelques instants. Il me donne l'impression d'être un gars très sympathique, un amateur de rock qui meurt d'envie de faire la connaissance d'Alice Cooper. Jusqu'ici, j'ai investi beaucoup de temps et d'énergie dans ce troc. Je veux donc faire un choix qui me permettra de progresser. Bien sûr, la valeur d'un après-midi avec Alice Cooper est relative. Elle varie avec l'intensité de la passion de l'admirateur d'Alice Cooper. Aux quatre coins du globe, on observe quotidiennement mon progrès. Tout le monde aimerait qu'un riche sorte de nulle part pour m'offrir une maison. Pourquoi pas un milliardaire italien en Speedo rouge? Les gens suivent de près l'évolution de mes trocs et m'encouragent vivement à me rendre jusqu'à une maison. Je ne peux pas les laisser tomber. Mark comprend. À un moment déplacé de la conversation, il m'avoue son souhait de devenir photographe de concert. Rencontrer Alice Cooper et le prendre en photo pourrait donner à sa carrière l'essor nécessaire pour percer. Ce troc pourrait faire toute la différence pour lui.

Toute la différence.

Une étincelle jaillit dans ma tête. Une folle idée me vient à l'esprit. Une idée complètement folle. Assez folle pour que ça marche.

Je souris et dis :

« Tu vas peut-être trouver que je délire, mais as-tu des boules à neige ?

- Les boules remplies d'eau qu'on brasse pour donner l'impression qu'il neige ? demande-t-il.

- Oui.

- Oui, j'ai des boules à neige.

- Ah oui ?

- Oui, ma mère en a une du *Fantôme de l'opéra*. J'en ai quelques autres.

- Combien ?

- Je ne sais pas... Peut-être cinq ou six. »

Il répond assez vite, somme toute. Ce n'est pas une question qu'on se fait souvent poser : « Combien de boules à neige as-tu ? »

« Voudrais-tu échanger un après-midi avec Alice Cooper contre une de tes boules à neige ?

- Oui, répond-il.

Je me penche en avant et demande :

- Quelle est ta boule à neige la plus précieuse ?

- La plus précieuse ?

- Oui, ta boule à neige la plus précieuse.

- Je dirais que ma boule à neige la plus précieuse, dit-il après avoir réfléchi, c'est... »

QUEL TABLEAU PEINDRE?

Les gens disent toujours des phrases comme « Je ne suis pas un artiste. Je ne sais pas dessiner ». Mais la majorité des artistes ne dessinent pas, ils peignent des tableaux. La plupart du temps, c'est seulement dans l'esprit des gens. Prenons Alice Cooper. Il peint des tableaux colorés dans l'esprit des gens depuis plus de 40 ans. Cette faculté n'est pas l'apanage des artistes : tout le monde peint des tableaux. Dans le monde du commerce, on parle de l'art de faire des affaires, que j'associe personnellement à un groupe d'hommes d'affaires qui sautent dans les airs pour se féliciter en se tapant dans la main, autour d'un contrat récemment signé sur une table de conseil devant un camembert dessiné à la main sur une ardoise appuyée à un chevalet. Le commerce est un art, et c'est l'image qu'on en a qui peint un tableau dans l'esprit des autres, comme si on était un chanteur de rue ou un sculpteur. Chacun a son style propre et sa façon de composer avec une situation. Le fait qu'on soit agressif, passif, ambigu, brillant, fin tacticien ou encore créatif a des répercussions sur toute situation. La façon qu'on a de composer avec la situation et de peindre le tableau influence la façon dont les autres composent avec la situation, et donc la façon dont on réagit par rapport à la réaction des autres. Il est sans doute plus amusant de mettre en scène des spectacles grandioses avec des guillotines, des goules et du rock'n'roll tonitruant, devant des milliers d'amateurs en plein délire, plutôt que d'apprendre la perspective et le dégradé dans un cours d'art dramatique ou de sauter par-dessus des obstacles, une valise à la main. Mais tout ça n'est qu'une question de perspective. Et peut-être de dégradé.

TOUT CE QUE NOUS TENONS POUR ACQUIS PROVIENT D'UNE IDÉE

L'électricité, l'ordinateur, la roue, la maison... Tout. La langue, les mots, les livres, les petites capsules de texte qui, avec leurs clins d'œil au récit, ajoutent de la texture au livre, d'autant plus qu'elles contiennent de temps en temps une phrase métalinguistique subtile conçue pour créer la confusion chez certains et l'hilarité chez d'autres. Mais ce ne sont que des idées. Si on peut imaginer une chose, elle peut se réaliser. Quelles choses imagine-t-on? Comment les réaliser?

UNE BOULE À NEIGE DE KISS

Il ne s'agit pas d'une vulgaire boule à neige de KISS. Que non. Nous sommes en présence d'une boule à neige de KISS électrique, munie d'un bouton pour régler la vitesse !

Un bouton pour régler la vitesse !

Je n'arrive pas à contenir mon enthousiasme !

Une semaine plus tard, je suis à l'entrée de la maison de Mark à Villa Hills, au Kentucky. M'accompagnent mon père, Evian et Blago, le savant fou derrière Table Shox. Après une foire commerciale à Chicago, nous roulons en voiture pendant trois heures vers le sud, jusqu'à Indianapolis, où nous passons la nuit. Le lendemain matin, nous nous levons et faisons deux heures de voiture pour atteindre l'entrée de la maison de Mark au Kentucky, juste au sud de Cincinnati. Mark nous souhaite la bienvenue à l'intérieur. Il semble un peu nerveux. Nous nous sommes parlé au téléphone à quelques reprises dans les deux dernières semaines, mais mon père, Evian et Blago n'étaient pas tout le temps dans le décor. Je suis persuadé qu'il est plus contrariant d'avoir quatre personnes chez soi que de parler à une seule personne au téléphone. Mais si jamais Mark est nerveux, il sait qu'il peut compter sur la protection de son chien, Bear.

Bear est le genre de petit chien blanc qu'on peut facilement catapulter d'un simple botté de dégagement, mais son nom impose le respect. Je vois d'ici l'écriteau sur un terrain : « Premises Protected by Bear » [Ours de garde]. Ce serait hilarant ou très efficace, selon le côté de la clôture où l'on se trouve.

Mark m'explique le nom :

« Quand nous l'avons eu, nous avons trouvé qu'il ressemblait à l'ours polaire des pubs de Coke à la télé, donc nous l'avons appelé Bear. »

C'est logique.

Je caresse prudemment Bear sur la tête. Aussitôt, il perd son agressivité, plisse des yeux et me lèche le doigt. Bear n'a d'ours que le nom. Il est mignon comme tout.

La maison de Mark est un véritable musée consacré aux banlieusards entre deux âges. Une forte odeur de pot-pourri domine. La moquette du salon est toute brossée dans le même sens. Des chiots en porcelaine blanche, semblables à Bear, sont juchés çà et là. Un des chiens lève la patte, comme s'il faisait perpétuellement pipi sur la patte de la table basse. Tous les goûts sont dans la nature, mais quelque chose cloche. Quand j'ai parlé à Mark au téléphone, il m'a donné l'impression d'être un garçon dynamique, un fonceur. Bref, un mordu de hard rock qui fait tout sauf brosser sa moquette dans le même sens et saupoudrer de pot-pourri un panier d'osier sur une cuvette rose au siège coussiné. Y a-t-il anguille sous roche ?

« Tu habites ici ? dis-je nerveusement en regardant autour de moi.

Mark me fait une grimace et répond :

- Non, ici, c'est chez mes parents. Je garde la maison pendant qu'ils ne sont pas là. J'habite dans un appartement qui ressemble à un musée de KISS. »

J'espère que c'est vrai.

Sans avoir le visage maquillé, Mark a le physique de l'emploi. C'est le portrait craché d'un mordu de KISS : favoris, coiffure extravagante... Il a l'air d'un amateur de musique, pas d'un gars qui carbure au pot-pourri. Mais on ne sait jamais.

Mark est un ancien animateur et réalisateur de radio. Son rêve est de devenir photographe de concert pour des magazines de rock. Par ricochet, le troc d'un après-midi avec Alice Cooper pourrait l'aider à le réaliser.

Nous extirpons la boule à neige de KISS de sa boîte protectrice pleine de styromousse et la branchons aussitôt. Mark l'allume. Elle s'illumine sur-le-champ ! Je tourne le bouton, et le moteur électrique commence à faire virevolter les paillettes.

La boule à neige de KISS de Mark.

C'est hallucinant. En pointant le bouton pour régler la vitesse, je demande :

« Puis-je ? »

Mark acquiesce de la tête.

J'étire mon bras pour tourner le bouton. Le moteur se met à tourner plus vite, entraînant les paillettes dans un ouragan éblouissant. La lumière commence à changer de couleur.

Le bouton pour régler la vitesse est plus sensationnel que tout ce que j'avais imaginé.

Nous sommes complètement absorbés par la boule à neige.

Je me tourne vers Blago et lui demande :

« Qu'est-ce que tu en penses ?

Les yeux fixés sur les paillettes virevoltant dans la boule éclairée, Blago sourit et résume :

- J'adore ça ! »

Nous remballons délicatement la boule à neige de KISS dans sa boîte protectrice et nous dirigeons vers la cour. Debout sur l'herbe, Mark et moi posons pour le traditionnel cliché.

Au moment où mon père appuie sur le gros bouton en haut à droite de l'appareil, je me tourne vers Mark en lui disant :

« Je ne savais pas que Cincinnati se trouvait sur la frontière du Kentucky.

Mark répond :

- Si ! J'ai déjà travaillé à l'aéroport de Cincinnati, qui est situé au Kentucky. Les gens qui débarquaient de l'avion s'exclamaient « Je croyais que Cincinnati était en Ohio ! » « Ah, aimais-je répondre, vous n'êtes pas au courant ? La ville a déménagé. » »

Nous éclatons de rire. Mais honnêtement, nous ignorions tous que Cincinnati avait déménagé au Kentucky. La tâche a dû être colossale !

Mark et Kyle font le troc au Kentucky.

Nous allons en avant de notre voiture de location pour tourner une vidéo pour le site Web. Mark et moi nous serrons de nouveau la main pour officialiser le troc, mais cette fois, il affiche un sourire machiavélique, fixe la caméra et dit :

« La récréation est terminée ! »

Quel troc ! Un après-midi avec Alice Cooper contre une boule à neige de KISS électrique, munie d'un bouton pour régler la vitesse ! Je suis persuadé d'avoir fait le bon choix.

Nous retournons à l'hôtel à Indianapolis, histoire de nous « préparer » pour l'Indy 500 le lendemain. Je sors mon ordinateur portable et j'écris un billet sur mon blogue pour annoncer le troc. Mon frère, Scott, arrive à l'hôtel. Je lui parle de l'échange avec Mark. Il me lance un regard perplexe :

« Qu'est-ce que tu as fait !

- J'ai échangé un après-midi avec Alice Cooper contre une boule à neige de KISS.

- C'est ce que je dis : « Qu'est-ce que tu as fait ! »

Je tiens la boule à neige de KISS dans les airs, souris puis dis :

- Contre cette boule à neige de KISS-ci ! Elle est munie d'un bouton pour régler la vitesse, tu sais !

Il plisse les yeux puis dit :

- Je te connais, tu as une idée derrière la tête.

- Je vais te confier un secret. »

Je lui confie alors mon secret. Je ne couvre pas son oreille avec mes mains, parce que nous sommes seuls. C'est donc parfaitement superflu. Mais si vous souhaitez m'imaginer les mains autour de son oreille, pour vous créer une image précise, je vous en prie.

Après que je lui ai révélé mon secret, Scott sourit et dit :

« Si je n'étais pas ici en ce moment, je me demanderais bougrement où tu t'en vas !

Je pense deux secondes puis je réponds :

- C'est le but visé ! Je veux voir ce que les gens pensent de mes trocs. Tout va rentrer dans l'ordre à la fin. Fais-moi confiance.

- Maintenant, je te fais confiance. Mais les gens qui ne savent pas ce que tu viens de me dire ne te feront pas confiance.

- Nous verrons bien », réponds-je.

Il saisit l'ordinateur de notre père et lit mon article sur le troc avec Mark. Il pointe les commentaires sous le billet et dit :

« Si jamais tu décides d'écrire un livre sur ton histoire, ça va bien aller. Les gens sont déchaînés. Ils écrivent pratiquement le livre à ta place.

Je vais le rejoindre à l'ordinateur et dis :

- Je veux voir. »

```
C'est comme si une partie de moi venait de
mourir. Je suis ton projet depuis quelques
mois et je consulte fréquemment ta page.
J'ai été très impressionné par ce que tu as
accompli jusqu'à maintenant, mais essaies-
tu de mettre la main sur une maison ou de
combler de bonheur ton partenaire de troc?
Ou s'agit-il d'un poisson d'avril au mois de
mai? J'imagine que tu le sais déjà, mais la
boule à neige de KISS se vend moins de 50$
sur eBay.

Anonyme


-------


C'est le pire troc dont j'ai entendu parler
de toute ma vie.

Jared


-------


Je crois que je n'ai jamais vu quelqu'un pren-
dre une décision plus stupide que celle-ci...
sauf les invités de Jerry Springer qui, eux,
passent leur temps à prendre des décisions
stupides.

Anonyme


-------
```

J'espère que tu te mords les doigts. J'espère que tu te mords les doigts jusqu'au sang! Je savais que tu n'aurais pas dû échanger une année à Phoenix (c'était pourtant une entrée fracassante dans le monde de l'immobilier) contre quelque chose de valeur aussi relative qu'un après-midi avec une célébrité. Regarde avec quoi tu restes dans les mains! Une boule à glace? Je ne veux pas miner ton éternel optimisme et ton espoir sans borne, mais un magasin d'objets de collection à côté de chez moi vend la boule à neige 40$. Je ne donnerais même pas en échange une poignée de porte souriante, si j'en avais une. J'entends d'ici la complainte du trombone rouge. Je n'en reviens pas. Quel gaspillage! C'est un triste jour pour le trombone rouge.

Anonyme

Je crois sincèrement que tu as commis l'erreur la plus idiote qu'on puisse imaginer. Tu aurais dû prendre le camion d'incendie ou la chaîne stéréo avec télé… Bref, quoi que ce soit qui vaille plus de 50$ sur eBay. Tu déçois tout le monde qui a suivi ton progrès jusqu'ici.

Anonyme

Tu as choisi la BOULE À NEIGE? AÏE! J'aurais pu t'offrir quelque chose de mieux qu'une fichue boule à neige de KISS! J'aurais pu avoir l'après-midi avec Alice. Je me précipite dans le coin le plus proche pour pleurer. Ah!

Zoogirl

QUOI ?

Anonyme

J'ai perdu toute confiance en toi et en tes capacités de troqueur. J'ai une maison de poupée qui vaut plus que la boule à neige de KISS. À quel point t'es-tu drogué avec Alice ?

Anonyme

Comme bien d'autres, je pense que c'est une erreur, que tu as franchi un gigantesque pas par en arrière. Alice Cooper, c'était déjà très risqué, mais il y avait un potentiel. Mais une boule à neige ? Certains gardent espoir en toi, mais j'étais déjà très sceptique après le troc de l'après-midi avec Alice Cooper… Alors maintenant, ma confiance en toi a fondu au soleil. Elle est brisée. Démolie. Réduite à néant. Mais tu me fais pitié. Je t'offre donc une cloison sèche contre la boule à neige. Tu pourras peut-être construire toi-même ta maison.

Anonyme

Je regarde Scott et lui dis :
« Tu as raison. Si jamais j'écris un livre sur mes trocs, des commentaires comme ceux-là vont être très utiles.
– Il y en a encore des tonnes. Veux-tu les lire ? demande mon frère.

Je tire une chaise, croise les pieds sur la table et dis :
- Il faut bien qu'ils soient utiles ! »

Tu es fou, mon gars ! Une année de loyer à Phoenix, c'était bon, parce que tu aurais pu avoir une maison bas de gamme en échange. Pour un après-midi avec Alice Cooper, tu aurais pu dénicher un amateur acharné, mais que vas-tu faire avec une boule à neige ? Tu avais un beau projet, mon gars, et des gens de partout sur la planète t'accordaient leur soutien, mais tu as tout gâché.

Anonyme

C'est ainsi que ce projet « saute par-dessus le requin ».

Anonyme

Tes 15 minutes de gloire sont écoulées. Après un troc si piètre, je sais que je ne visiterai plus ton site longtemps. Je t'encourageais vivement à te rendre jusqu'à une maison, mais maintenant, je constate que tu ne fais que suivre la vague pour profiter de la célébrité. Si tu avais eu quelque chose qui m'intéresse, j'aurais troqué une de mes maisons avec toi !

Anonyme

Le pire troc de tous les temps.

Anonyme

La boule à neige? Oh, j'ai beau me casser la
tête à essayer de comprendre, je n'y arrive
pas. Depuis que je t'ai entendu à une entrevue
à la radio, je consulte ton site presque chaque
semaine. Je vais probablement attendre avant
de le consulter de nouveau, puisque tu auras
besoin de beaucoup de temps pour revenir au
niveau de trocs où tu étais. Je me demande
néanmoins si tu sais quelque chose à propos de
la boule à neige que nous ne savons pas. Peut-
être n'attendrai-je finalement pas si longtemps avant de revenir sur ton site, histoire
de vérifier si nous ne sommes pas tous dans
l'erreur concernant la boule à neige.

Mark

Tête de nœud!

Ryan

Pourquoi, mais pourquoi n'ai-je pas fait une
offre? N'importe quelle offre! Maintenant, je
me dis que tu aurais peut-être été intéressé
par mon offre! Ah!

Anonyme

Tous les commentaires ne proviennent pas de
gens désillusionnés. Certains voient dans

l'acceptation de la boule à neige de KISS un geste positif.

Bien que je croie moi aussi que la boule à neige de KISS est un mauvais choix, j'apprécie le fait que tu aides des gens à réaliser leurs rêves, tout en poursuivant ton objectif. Comme tu l'as déjà soulevé, qu'est-ce qui vaut le plus pour quelqu'un qui meurt de soif dans le désert: un million de dollars ou un verre d'eau? Tu aurais pu troquer l'après-midi avec Alice Cooper à un amateur du dimanche qui avait la meilleure offre. Mais tu as choisi un amateur invétéré qui aspire à devenir un photographe de rock'n'roll, et donc à qui l'après-midi avec Alice Cooper revêtirait une grande valeur. Si c'était facile de troquer des trombones contre des maisons, tout le monde le ferait. Ce n'est pas la destination qui compte, c'est le voyage pour l'atteindre. Bonne chance et continue à travailler fort!

Brittany

SALUT KYLE,

Il semble que de nombreuses personnes ont des choses négatives à dire sur ton acquisition de la boule à neige de KISS. Ce sont peut-être les mêmes personnes qui ont ri de toi quand tu as annoncé pour la première fois ton projet de troquer un trombone rouge contre une maison. Quant à moi, je te dis BRAVO! Toutes les bonnes idées méritent qu'on les acclame et ton idée est excellente. Bonne chance et bon voyage jusqu'à la maison de tes rêves. Je te soutiens jusqu'au bout.

Sam au Cap-Breton

KYLE,

Je pense que la plupart de tes «admirateurs» passent à côté de l'essentiel. L'important, ce n'est pas la maison, c'est la façon dont tu l'atteins. Tu nous emmènes dans ton périple. Je n'ai jamais entendu parler de voyage génial qui se fait directement du point A au point B. Il faut parfois arrêter pour sentir les roses, voir la bobine de fil géante ou le plus gros œuf de Pâques au monde. Peut-être y a-t-il une maison au bout du chemin, mais s'il n'y a aucun plaisir à s'y rendre, à quoi bon? Continue à continuer!

Jay

Ne laisse pas les pessimistes t'abattre!

Anonyme

Il est incorrect de comparer le prix d'un objet sur eBay avec sa véritable valeur, ou sa «troquabilité». Si on calcule l'équivalent en argent des objets échangés jusqu'à maintenant, on constate qu'il y a toujours une des deux personnes qui perd de l'argent. Alors, pourquoi troquer? Parce que la valeur en argent n'est pas le critère exclusif, ou le critère le plus important, dans l'évaluation d'une chose.

Je lis chaque commentaire sans exception. C'est fascinant de savoir ce que les gens pensent. Pendant toute la fin de semaine du Jour du Souvenir à Indianapolis, je me nourris d'intenses commentaires, regarde des bolides tourner à gauche sur 800 kilomètres. Ensuite, je retourne à Montréal.

À mon retour, je réponds au commentaire qui prétend que j'ai « sauté par-dessus le requin » par une vidéo sur mon blogue. Je place une photo de Greg Norman, alias The Shark [le Requin] dans un bol d'eau, puis saute par-dessus ces eaux infestées de requins. Tant qu'à me faire dire que je saute par-dessus le requin, autant sauter par-dessus un requin! Je mets également un lien vers l'épisode de *Happy Days* où Fonz, en train de faire du ski nautique en blouson de cuir, évite un requin en sautant par-dessus à l'aide d'un tremplin. Voilà l'origine de l'expression, qui désigne le moment exact d'une émission de télévision où les scénaristes commencent à trouver des idées tordues pour maintenir la série en vie par respiration artificielle… C'est ce que certains m'accusent d'avoir fait dans ma quête d'une maison.

Les offres pour la boule à neige n'en commencent pas moins à arriver:

```
*****J'ai un peu copié ton idée. J'ai échangé
10 points dans une partie de cribbage contre
une banane, que j'ai échangée contre un tour-
nevis. J'ai troqué le tournevis contre une
boîte de soupe, elle-même échangée contre un
voyant qui se fixe à une console de mixage.
J'ai échangé le voyant contre un micro, puis
le micro contre un meilleur micro (un Audio
Technica MB4K Midnight Blues Condenso).
J'aimerais échanger le micro contre ta boule
à neige.

*****Je t'offre le choix:

•Un billet autographié du spectacle de Super
Dave Osborne
```

- Deux billets neufs de la première partie (1977) et de la dernière partie (1988) des Blue Jays à Exhibition Place

- Une collection d'une trentaine de canettes de Coke (vides) provenant du Japon, de la Nouvelle-Zélande, de l'Espagne… ou arborant les couleurs d'équipes de hockey canadiennes ou des Blue Jays pour la série mondiale de 1994

- Tous ces choix

*****J'adorais venir à Montréal voir les Expos jouer leur style de baseball bien à eux, en mangeant des frites enduites de sauce brune et de fromage, et en buvant de la Labatt Bleue. Je suis déçu que les Expos n'existent plus, donc je te laisse choisir, parmi les trois choix suivants, ce que tu veux en échange de ta superbe boule à neige :

1. Une photo autographiée de José Canseco, héros du baseball et chantre des stéroïdes. José était mon joueur préféré quand j'étais enfant, et j'étais très emballé quand il est allé jouer pour les Expos. Mais j'étais beaucoup moins emballé quand l'équipe l'a remercié quelques semaines plus tard…

2. Une grosse boîte remplie de cartes de baseball, dont plusieurs proviennent de l'âge d'or de la collection des cartes de baseball, c'est-à-dire la fin des années 1980 et le début des années 1990. Je promets d'inclure les cartes de plusieurs grands joueurs qui ont joué pour les Expos, comme Larry Walker, Marquis Grissom et Delino Deshields.

3. Un forfait familial des Braves de Richmond. Comme les Expos n'existent plus, et que de toute façon j'habite la Virginie, j'encourage maintenant une autre équipe fabuleuse : les Braves de Richmond. Je veux que tu puisses voir jouer ma nouvelle équipe locale. Comme pour les Expos, les bons joueurs finissent tous avec d'autres équipes, surtout les Braves d'Atlanta, pour une raison X. Le forfait familial inclut quatre billets d'admission générale, quatre hot-dogs et quatre colas de 350 ml.

Jeff

*****SALUT KYLE,

Je m'appelle Dave Leroux. Je suis une vedette de cinéma à la retraite. Mon offre n'a pas une grande valeur financière, mais faire un troc avec moi vous procurera une publicité qui n'a pas de prix! J'ai joué dans une série de superproductions, dont *MVP 2 (Most Verticle Primate)*, *Slapshot 2* et *Airbud 4 : 7th Inning Fetch*. Je vous offre des exemplaires neufs des DVD *MVP 2* et *Slapshot 2* en échange de la boule à neige de KISS. Je suis même prêt à autographier les DVD! J'inclus une photo pour prouver que je suis le plus acharné de tous les mordus de KISS. C'est moi qui porte la chemise de Singapour!

Dave Leroux

P.-S. Je suis le chat. Miao!

Les offres sont bonnes, mais aucune n'est à la hauteur de la boule à neige de KISS et de son magique réglage de vitesse. En parcourant les commentaires sur le blogue, je remarque celui-ci :

SALUT KYLE,

Je m'appelle Jules et je viens de Montréal. Il y a quelques semaines, je me suis couché tard et j'ai regardé une émission de télé sur GSN (Game Show Network) intitulée *I've got a secret*. Corbin Bernsen était un des invités. Il a avoué qu'il était… collectionneur de boules à neige! Je me suis dit que ça pourrait t'intéresser. Salut et bonne chance dans tout ce que tu entreprends.

Étant donné le commentaire de Jules de Montréal, je considère que je peux afficher l'offre de troc suivante sur le blogue :

SALUT KYLE,

*****J'ai entendu parler de ton projet sur KROQ le mois dernier. Je n'ai aucun intérêt pour un logement à Phoenix ou un après-midi avec Alice Cooper, mais quand j'ai vu que tu avais obtenu une boule à neige scintillante, je me suis décidé. Je collectionne les boules à neige depuis longtemps et c'est le genre d'objet qui agrémenterait bien ma collection. Non seulement je veux la boule à neige de KISS, mais j'en ai besoin! (Pour ton information, et je l'avoue en sachant que ça me fait passer pour quelqu'un de quétaine, j'ai joué dans *L.A. LAW* et dans les films *Major League*. Je crains que ce ne soit inscrit sur ma tombe : «Ci-gît Arnie Becker et Roger Dorn».) Je consacre maintenant mon potentiel à la production de films avec ma maison de production, Public Media Works. L'an dernier, nous avons terminé notre premier film, *Carpool Guy*. Mon entreprise réalise des films pour des publics ciblés. Dans ce cas-ci, le film est destiné aux amateurs de feuilletons télévisés. J'offre en échange de la boule à neige un rôle parlant (avec mention dans le générique) dans un de nos prochains films, *Donna on Demand*. Je paie le transport aller-retour à partir de n'importe où dans le monde jusqu'au lieu de tournage, le gîte et les repas, afin que l'acteur soit constamment sur place. Si la personne qui hérite du rôle ne correspond pas au personnage, nous écrirons un rôle parlant qui lui convient. Nous rétribuerons la personne selon les ententes négociées par le syndicat pour le film. Donc, un rôle dans un film, qui sera tourné l'an prochain. J'espère que mon offre te fera bouger, soit vers la maison, soit de côté, pour que tu sois en meilleure position.

Corbin Bernsen, président de Public Media Works

J'écris ensuite un billet de blogue intitulé « Un message spécial de la part de Kyle » :

L'extrait de *Happy Days* où on voit Fonzie sauter par-dessus un requin vaut la peine d'être vu ! Le meilleur, c'est quand il accoste à la fin et s'en va comme si de rien n'était. Quelle aisance et quelle confiance en soi ! Si vous n'avez pas encore vu le célèbre extrait qui a donné naissance à l'expression « sauter par-dessus un requin », cliquez ici. (À *ici*, il y avait un lien vers la vidéo.)

Il est temps de passer à autre chose. Si vous parcourez les offres pour la boule à neige de KISS ainsi que les commentaires qu'elles suscitent, vous avez sûrement une idée de mon prochain troc. Il y a environ un mois, j'ai reçu l'offre de l'objet de troc en question, mais je n'avais rien qui puisse intéresser l'offreur, dont je vous laisse deviner son identité. Je ne lui ai donc jamais garanti de troc. Je n'ai jamais cherché de boule à neige. Je n'ai même jamais pensé à échanger une boule à neige avant que j'apprenne que Mark Herrman en avait, quand il m'a appelé il y a dix jours. Le fait qu'il s'agisse d'une boule à neige de KISS est la cerise sur le sundae. Le sundae de l'ironie. Jusqu'à ce que Mark appelle, je ne savais pas du tout avec qui j'échangerais l'après-midi avec Alice Cooper. Je voulais voir ce qui se passerait si j'acceptais un échange apparemment désavantageux pour moi. Quelle réaction les gens auraient-ils? Il a vite été clair que beaucoup ne comprennent pas que le projet s'appuie sur les gens qui en font partie, et non sur la valeur marchande des objets échangés. Mark Herrman est la SEULE personne qui m'a appelé pour me dire que l'après-midi avec Alice Cooper avait de la valeur pour lui et pourrait changer sa vie. Il m'a dit qu'il souhaitait devenir photographe de concert, et que passer du temps avec Alice Cooper lui permettrait de franchir un grand pas vers son rêve. Il a été chanceux parce qu'il était au bon endroit, au bon moment et muni du bon objet de troc. Mais il ne s'est pas installé sur son sofa en attendant que la chance lui sourie. Il a fait un appel. Il a couru un risque. Bien sûr, il est très utile d'être au bon endroit, au bon moment, et muni du bon objet de troc, mais pour que ça arrive, il faut se positionner au bon endroit et attendre le bon moment. Je pourrais approfondir le sujet à l'infini en dissertant sur la métaphore de la vie, mais j'opte plutôt pour une anecdote savoureuse sur Darryl Strawberry. Petit, je collectionnais les cartes de baseball et je lisais *Beckett Monthly*. Tous mes copains en faisaient autant. J'allais toujours directement à la fin pour vérifier la valeur courante de ma carte Topps de Darryl Strawberry. Mais l'ai-je jamais vendue? Non. L'ai-je déjà échangée avec quelqu'un contre un stylo en vue de m'inscrire à un concours où j'aurais pu gagner un prix? Absolument pas. Et pourtant, j'adore les concours. Je me contentais de mâcher ma gomme dure comme du ciment en rêvant à ce que j'aurais pu acheter avec les cinq dollars que la carte «valait» (en parfaite condition). Ainsi, la carte ne valait que ce que je croyais qu'elle valait. Il va sans dire que j'ai perdu toute trace de cette carte et que je n'ai pas gagné de concours. D'ailleurs, je n'ai jamais gagné de concours.

Voici donc le message que je veux transmettre par mon projet: la valeur d'une chose dépend de ce qu'on obtient en échange. Mais si on ne prend pas l'initiative d'échanger le trombone rouge, le petit trombone rouge ne servira jamais à rien, sauf qu'il aura peut-être l'honneur de relier de précieuses cartes de baseball, dont celles de Dan Gladden, Oil Can Boyd, Atlee Hammaker et Rance Mulliniks. Ce projet m'a rapidement fait comprendre que je peux à la fois obtenir une maison et aider les gens. C'est donc exactement ce que je fais. Je suis sidéré par le nombre d'internautes qui suivent l'aventure du trombone rouge aux quatre coins de la planète. Je pense que beaucoup de gens consultent mon site plus souvent que moi. Mes aventures sont géniales, mais les personnes avec qui je les partage sont tout aussi géniales, et c'est ce qui est le plus important. J'ai déjà présenté

un concept que j'ai appelé festi-potentiel.
Le trombone rouge a atteint et même dépassé
son plein potentiel de festi-potentiel, mais
je suis persuadé que le meilleur reste à
venir. À l'époque de la fête instantanée,
j'ai également créé le mot «furiosité». On
pourrait décrire la «furiosité» comme une
étrange combinaison de colère, de stupéfaction, de curiosité et de délire, qui s'est
manifestée pour la toute première fois quand
j'ai échangé l'après-midi avec Alice Cooper
contre la boule à neige de KISS. Je crois que
je me contenterai de cette définition sommaire
pour le concept de «furiosité». J'ai décidé
d'obtenir une maison de la façon la plus
rapide et la meilleure, tout en respectant
mes principes de festi-potentiel. C'est pourquoi je ne cesserai pas de faire des trocs
tant que je ne posséderai pas une maison en
bonne et due forme. Le trombone rouge est
fondé sur les pérégrinations qui me mènent du
trombone rouge à la maison, mais surtout, sur
les personnes que je rencontre en cours de
route. Le trombone rouge n'est pas le fruit
d'une mûre réflexion. Le projet évolue depuis
dix mois. Il s'est complètement métamorphosé
par rapport au début. Il n'y a pas de règles.
Je fais du hors-piste. Ce projet est légal à
cent pour cent et se déroule en temps réel.
J'ai reçu l'appel de Yahk après avoir dit le
nom de cette ville par pur hasard sur les
ondes, et jamais je n'aurais pu imaginer me
retrouver sur scène avec Alice Cooper. Ces
deux très heureux concours de circonstances
m'ont fait halluciner ferme. Je n'ai aucune
idée des offres qui me seront faites pour mon
prochain troc, ni de l'identité des offreurs.
Je n'ai qu'un plan : ne pas avoir de plan. Le
vendredi 2 juin à 8 h 18 HNE, j'annoncerai
avec qui j'échangerai la boule à neige. Si

vous voulez me faire une offre pour mon prochain objet de troc, vous savez quoi faire. Amusez-vous !

Kyle

Les commentaires fusent.

Prends le rôle dans le film !

Anonyme

CORBIN BERNSEN A L'UNE DES PLUS IMPORTANTES COLLECTIONS DE BOULES À NEIGE AU MONDE. JE SAVAIS QU'UN PASSIONNÉ FINIRAIT PAR SE MANI-FESTER. PRENDS LE RÔLE, MON GARS !

Anonyme

Je pense que Corbin Bernsen vient de te sauver *in extremis* (ou que tu as tout arrangé). (Corbin, je suis un excellent caméraman en recherche d'emploi dans le cinéma :). Appelez-moi à mon… numéro de téléphone :).

Adam

Mon père est antiquaire. Il m'a déjà dit que le déchet de l'un est le trésor de l'autre. Je pense que Kyle comprend le concept encore mieux que mon père.

Anonyme

Corbin m'a offert le rôle dans le film quand j'avais le contrat d'enregistrement, il y a plus d'un mois. À l'époque, j'ai lu son courriel, mais son nom ne me disait rien. J'ai d'abord pensé qu'il prétendait être une vedette de cinéma seulement pour attirer mon attention, contrairement à Dave Leroux, mordu de KISS et vedette de cinéma acclamée dans le monde entier pour ses participations remarquées dans des suites de films mettant en scène des animaux qui font du sport.

J'ai demandé à des gens autour de moi s'ils connaissaient Corbin Bernsen. Contrairement à moi, tout le monde connaissait Corbin Bernsen et se montrait très enthousiaste. On m'a dit des choses comme « Tu as une offre de Corbin Bernsen ? » et « C'est le gars qui joue dans *Major League* et *L.A. Law* ! »

Je ne pouvais pas partager leur fébrilité, parce que j'ignorais qui était Corbin Bernsen. Mais qu'il soit célèbre ou non n'a pas d'importance. Son offre est alléchante. Elle est en fait affriolante.

Un rôle parlant dans un film, avec rétribution et mention du nom dans le générique !

On dirait le contrat d'enregistrement gonflé aux stéroïdes.

J'ai appelé Corbin. Il a décroché aussitôt et nous avons bavardé. Nous nous sommes entendus sur le fait que si j'acceptais son offre, il fallait jouer franc-jeu. Je ne pouvais pas recevoir son offre comme un don. Pour que je puisse faire un troc avec Corbin, il me fallait trouver quelque chose qui lui serait utile. Je cherchais une situation où tout le monde serait gagnant. Je venais tout juste d'échanger le grand fourgon contre le contrat d'enregistrement. Corbin m'a dit :

« Ah, le camion ! J'aurais aimé entendre parler de ton troc quand tu avais le gros camion.

- Vous voulez dire le grand fourgon ?

- Oui, le nom n'est pas important. J'aurais pu l'utiliser pour ma maison de production. Si tu as quelque chose qui permettrait un troc équitable, fais-moi signe.

- C'est sûr. »

Nous en étions restés là.

Après le grand fourgon, l'année de loyer à Phoenix est arrivée, puis repartie. Corbin n'avait pas vraiment besoin d'un demi-duplex à Phoenix.

Quand j'ai eu l'après-midi avec Alice Cooper, j'ai appris que Corbin avait déjà rencontré Alice Cooper et qu'il pouvait l'appeler n'importe quand si ça lui chantait. De toute façon, je tenais à faire l'échange avec un mordu d'Alice Cooper, à qui profiterait la rencontre.

Pendant que Dom et moi étions au Japon, Evian m'a envoyé un lien vers la page de Wikipedia consacrée à Corbin Bernsen. Dans la section « Le saviez-vous ? », on pouvait lire qu'il « détient une des collections de boules à neige les plus grosses au monde, avec plus de 6 000 pièces. » J'ai ricané, puis classé cette information dans le compartiment de mon cerveau réservé à des pensées telles que « Je ne me rappelle plus comment on appelle les petits morceaux de plastique au bout des lacets, mais je sais qu'un épisode de *Seinfeld* pourrait combler cette lacune », avant d'aller manger des sushis avec Dom.

Avant que Mark appelle, je n'ai jamais pensé à trouver une boule à neige pour Corbin. Puis une étincelle a jailli dans mon cerveau. Pour presque n'importe qui sur la planète, une boule à neige de KISS n'est qu'une boule à neige comme les autres. Mais pour Corbin, irréductible passionné de boule à neige, c'est un rêve à atteindre. La boule à neige de KISS du trombone rouge n'est pas qu'une vulgaire boule à neige, c'est la célèbre boule à neige de KISS. Quand j'ai su que Mark avait une boule à neige de KISS, j'ai appelé Corbin pour voir s'il était intéressé. Je lui ai décrit toutes les caractéristiques de l'hallucinante boule à neige scintillante munie d'un bouton pour régler la vitesse, puis je lui ai envoyé des photos.

Corbin m'a répondu :

« Non seulement je la veux, mais il me la faut !

- C'est donc un marché conclu ? demandé-je.

- Entendu ! »

J'ai tu l'entente avec Corbin pendant toute une semaine après le troc avec Mark. C'était un peu cruel, mais pas plus qu'un concert d'Alice Cooper. En fait, c'était beaucoup moins cruel qu'un concert d'Alice Cooper. En dépit de certains commentaires parfois incendiaires, je n'ai versé aucune goutte de sang. Aucune.

Les commentaires montrent de façon déconcertante l'intensité avec laquelle certaines personnes suivent mes trocs.

J'étais stupéfait de voir la déception des gens qui estimaient que j'avais tout gâché. Bien sûr, je détenais de l'information privilégiée sur le troc suivant et j'étais certain que tout baignerait dans l'huile. Les commentaires sur la valeur marchande de la boule à neige de KISS m'ont fait réfléchir sur la relativité de la valeur de toute chose. Une chose ne vaut que ce qu'on peut obtenir en échange. Si on n'échange pas une chose contre de l'argent, on ne peut pas lui attribuer une valeur marchande.

Il aurait été hautement improbable que quelqu'un d'autre que Corbin soit assez obsédé par les boules à neige pour me faire une offre qui surpasse un rôle parlant dans un film, mais si ça avait été le cas, j'aurais court-circuité Corbin et fait le troc avec le meilleur offreur. Ce n'est pas comme si Corbin avait reçu mon sceau d'approbation à l'avance. Le marché n'a pas été conclu avant que je parle à Mark. Mon offre de troc pour la boule à neige de KISS était tout à fait légitime. Pour être franc, je dois admettre que j'étais curieux de voir si quelqu'un dépasserait l'offre de Corbin. Mais il ne faut pas le dire à Corbin. C'est motus et bouche cousue.

IL FAUT REGARDER EN MARGE, ON NE SAIT JAMAIS CE QU'ON PEUT Y TROUVER

Si on ne regarde que ce qui est évident, on ne voit pas tout le reste. Et tout le reste, c'est pharaonique. On peut trouver en marge des choses bien plus intéressantes que ce qu'on a vu auparavant. Tout y est. Certaines phrases contiennent cinq mots. D'autres en contiennent quatre. Et si on est très chanceux, on peut même tomber sur des phrases à 23 mots qui ont un point final de trop..

IL FAUT PARFOIS RECULER POUR MIEUX AVANCER

J'ai un bon sens de l'orientation. Je ne me perds presque jamais. Mais je connais rarement le chemin exact pour me rendre à ma destination. Je n'en ai souvent qu'une vague idée. Parfois, je sors d'une autoroute et je tombe dans un endroit inconnu. D'habitude, je sais à peu près où se trouve l'autoroute, je continue dans cette direction jusqu'à ce que je l'aperçoive puis je remonte dessus. De temps en temps, je me perds et je tombe sur une route qui me mène à un endroit assez proche de l'autoroute pour que je puisse la voir, mais il n'y a pas de voie d'accès. L'autoroute est encore en vue, mais elle est inaccessible, sauf si je traverse un champ à fond la caisse. Je reviens sur mes pas et cherche une autre façon d'accéder à l'autoroute. J'en trouve une aussitôt. Sans jamais perdre de vue sa destination, il ne faut pas avoir peur de reculer pour trouver une façon d'avancer. On ne peut quand même pas toujours traverser un champ à fond la caisse. Même si on le souhaite, qu'on l'a déjà fait ou qu'on le refera.

UN RÔLE DANS UN FILM

Pendant toute une semaine, je croise les doigts pour ne pas que Corbin Bernsen meure. Je n'ai bien sûr jamais souhaité la mort de Corbin Bernsen, mais jamais n'a-t-il revêtu autant d'importance à mes yeux. Nous ne sommes que des humains. À tout moment, la mort peut nous emporter, même Corbin Bernsen.

L'avion atterrit à LAX. Dès que nous sortons de la passerelle, tous les passagers remettent frénétiquement en marche leurs cellulaires et prennent leurs messages. Je regarde Dom et nous commençons à rire. Il est cocasse de voir les gens paniquer afin de rester en contact. Comme si une ou deux minutes faisaient toute la différence ! Je sors mon téléphone à la quatrième vitesse, l'allume et fais mine de prendre nerveusement mes messages.

« Pas de messages. Ouf ! » dis-je en m'essuyant le sourcil.

Nous nous esclaffons.

Puis le cheval se met à hennir. Les autres passagers regardent vers moi et secouent la tête. Dom rit.

« Allô ? réponds-je calmement.

- Bonjour, Kyle MacDonald, s'il vous plaît ? demande une femme.

- Oui, dis-je tranquillement.

- Je m'appelle Susan. Je travaille pour le réseau CTV. Vous êtes à Los Angeles ?

- Oui, nous venons juste d'atterrir. Comment le savez-vous ?

Apparemment, j'ai la télé canadienne à mes trousses.

- Vous avez affiché sur votre blogue que vous seriez à Los Angeles cet après-midi, répond-elle.

- Oui, c'est vrai.

Apparemment, j'ai plus ou moins la télé canadienne à mes trousses.

- Pourrions-nous couvrir votre échange avec Corbin Bernsen aujourd'hui ? » demande-t-elle.

J'y pense deux secondes. Comment est-ce possible qu'un des principaux réseaux de télévision n'ait rien d'autre de plus spectaculaire à couvrir dans le sud de la Californie ? Un tapis rouge ? une petite poursuite en voiture ? un feu de broussailles ? Nous sommes à Hollywood, après tout. C'est probablement le jour le plus pauvre en événements depuis dix ans. J'aurais intérêt à en profiter.

« Avec plaisir. Je vous donne l'adresse. » Je lui annonce en grande primeur où aura lieu l'échange : dans un entrepôt non identifié de Van Nuys. L'endroit idéal pour échanger une boule à neige.

Nous arrivons à l'entrepôt qui sert de bureau à Corbin, à Van Nuys. Jody Gnant, qu'un projet musical a attirée à Los Angeles, se joint à nous pour l'échange. Je gare la voiture de location dans le stationnement, regarde Dom et lui demande : « Prête ? »

Elle se tourne vers moi et dit : « Mais oui ! » Elle voit que je suis nerveux. Elle me sourit et me dit :

« Tu as le trac avant de faire ton troc ! »

Je ne sais pas quoi dire. Je souris. Je saisis la boule à neige de KISS et nous entrons.

Le voilà. Corbin est assis en dessous d'une affiche du film *Major League*, le sourire fendu jusqu'aux oreilles. Il me lance :

« Salut ! »

Je mets la boule à neige par terre puis je lui serre la main. Dom et Jody en font autant, et Corbin les prend dans ses bras.

Corbin a un bureau fabuleux. Une pièce sert de salle de projection, tandis que dans une autre se trouve une table de conférence. Mais dans chaque pièce, il y a des boules à neige.

Je tends à Corbin la boule à neige de KISS en lui disant :

« Voici la boule à neige.

Après avoir examiné la boîte, il rit et me dit :

- Moi aussi, j'ai quelque chose pour représenter mon objet de troc.

Je relève mes sourcils et le regarde sortir une pile de feuilles de son bureau. Il me montre celle du dessus : c'est le scénario de *Donna on Demand*.

- Pas mal !

- Il n'est pas encore fini. J'espère que ça ira. C'est tout ce que j'ai.

- C'est très bien ! » réponds-je.

Nous nous serrons la main pour conclure le marché. Corbin et moi sommes debout en dessous de l'affiche de *Major League* et nous sourions gentiment pendant que Dom nous prend en photo.

C'est officiel. J'ai maintenant un rôle dans un film. C'est le premier troc que je fais avec un ancien animateur de *Saturday Night Live*, donc je m'en réjouis. J'aime le fait que le scénario de *Donna on Demand* ne soit pas terminé. Il y a beaucoup de choses qui s'en viennent. Le scénario représente une belle occasion pour quelqu'un.

Corbin retire la boule à neige de KISS de sa boîte et se perd dans le scintillement qui s'offre à lui. Les yeux rivés sur la boule, il pousse des oh ! et des ah ! Il la branche puis

Corbin et Kyle font le troc.

appuie sur l'interrupteur. Les particules tournaillent lentement et changent de couleur. Je lui montre le bouton pour régler la vitesse et, béats d'admiration, nous voyons les paillettes virevolter de plus en plus vite. Corbin, le regard plongé dans la boule, me confie :

« C'est comme le matin de Noël. Ça fait des années que je collectionne les boules à neige, mais avant que tu me proposes la boule à neige de KISS, je n'en avais jamais entendu parler. »

Il est transcendé par la boule.

Nous le regardons puis haussons les épaules. Tous les trois.

Après encore un court laps de temps de pure fascination, il sourit et nous demande :

« Voulez-vous voir le reste de mes boules à neige ?

- Est-ce que nous voulons les voir ? demande Dom.

- Pourquoi croyez-vous que nous sommes venus jusqu'ici ? demande Jody.

- J'abonde dans leur sens, ajouté-je.

- Suivez-moi ! » dit Corbin.

Nous traversons le stationnement pour accéder à une unité d'entreposage. Corbin déverrouille la porte puis l'ouvre toute grande. Nous entrons. Le local est rempli à craquer de boules à neige. Il y en a plus de 6 000. Nous sommes renversés. C'est édifiant. Les étagères sont séparées en différentes sections : boules à neige de Noël, boules à neige de l'Halloween, boules à neige européennes... des boules à neige, des boules à neige et encore des boules à neige.

Corbin nous fait faire le tour, en nous montrant quelques-unes de ses préférées. En plus de toutes celles étalées sur les étagères, des centaines de boules à neige, que Corbin a en double, sont entreposées dans des caisses en plastique.

« C'est celles que j'échange à des salons. Je veux me débarrasser de presque toutes celles que j'ai en double » explique-t-il.

Nous marchons pendant quelques minutes, mystifiés par les petits univers contenus dans toutes ces boules et ces dômes de plastique et de verre. Je pointe d'immenses étagères le long d'un mur, remplies jusqu'au plafond de caisses d'entreposage en plastique vert, et demande :

« Corbin, qu'y a-t-il dans toutes ces caisses d'entreposage en plastique vert ?

Il sourit, balaie toutes les caisses de son bras et répond :
- Chaque t-shirt que j'ai porté. »

Ébahis, nous mesurons du regard l'étendue des caisses. Des douzaines et des douzaines de boîtes vertes se dressent devant nous. Il en ouvre une : elle est bourrée de t-shirts. Il y en a au moins une centaine dans une seule caisse. Ce n'est pas une blague. Il s'agit bel et bien de l'ensemble des t-shirts qu'il a portés dans sa vie. Entreposés dans de grosses caisses en plastique vert.

Au beau milieu de plus de 6 000 boules à neige et de chacun des t-shirts déjà portés par Corbin Bernsen, je suis en proie à un délire hallucinatoire. Il faut que je me dise de respirer. Soudain, je ne peux me concentrer sur rien d'autre. J'inspire, j'expire, j'inspire, j'expire… Je suis absent. D'habitude, un rien m'amuse. Le supermarché est pour moi plus affriolant que la chocolaterie de Willy Wonka. Des étiquettes à n'en plus finir ! Il y a tant de choses à voir. Me voici pourtant dans le repaire secret des boules à neige de Willy Wonka, et tout ce que je trouve à faire, c'est de respirer. Je regarde autour de moi. La multitude de boules à neige me rend paisible. Est-ce à cause de l'innocence tout enfantine des boules à neige ou de l'hallucination provoquée par 6 000 boules à neige et la totalité des t-shirts déjà portés par un quinquagénaire ?

Dom, Kyle, Corbin et Jody admirent les boules à neige.

Je me sens très à l'aise dans ma peau. C'est bizarre.

Inspire, expire, inspire, expire !

Nous sortons. Je me tourne vers Corbin :

«Y a-t-il quelqu'un qui a plus de boules à neige que toi ?

- Qui a la meilleure collection de boules à neige ? Disons que la question soulève d'ardents débats. Un type en France aurait soi-disant des boules à neige plus rares que les miennes, mais pour ce qui est de la quantité, on peut dire que je détiens la plus grosse collection de boules à neige sur la Terre.»

Petite note à moi-même : «on peut dire» de Corbin Bernsen qu'il a la plus grosse collection de boules à neige sur la Terre.

Dom, Jody et moi saluons Corbin, nous nous promettons de rester en contact et nous nous séparons. L'équipe de tournage qui nous suit depuis le début éteint enfin le voyant rouge sur la caméra.

Le soir, je me rappelle ma petite note à moi-même concernant le statut de Corbin Bernsen, détenteur de la plus grosse collection de boules à neige sur la Terre, et j'entreprends de faire quelque chose. Je me dis que si une vaste collection fait d'un collectionneur un collectionneur respecté, une très vaste collection ferait d'un collectionneur respecté un collectionneur vénérable. Corbin en détient déjà plus de 6 000, mais je suis sûr que sa collection prendrait encore de la valeur si elle était grossie de nouvelles boules à neige. Je fais donc un billet de blogue pour rendre mes intentions publiques : je veux aider Corbin Bernsen à devenir le plus important collectionneur de boules à neige de tous les temps. Point à la ligne. Ne serait-ce que pour trancher le débat. J'adore trancher des débats.

Voici une version mise à jour du billet publié sur mon blogue. L'offre est toujours valide. Parfaitement. Tous sont invités à répondre à l'appel !

JOIGNEZ-VOUS À L'ASSOCIATION DE LA BOULE À NEIGE DE KISS DE CORBIN BERNSEN !

Vous aimez trancher des débats ? Vous voudriez faire un troc avec Corbin Bernsen ? Tant mieux ! Pour recevoir une photo autographiée de Corbin

Bernsen avec la boule à neige de KISS, vous n'avez qu'à faire parvenir une boule à neige à l'adresse suivante :

The Corbin Bernsen KISS Snow Globe Army
WORLD HEADQUARTERS
3940 Laurel Canyon Blvd.
Studio City, California
Box 328
91604
États-Unis

Pour chaque boule à neige qu'il recevra, Corbin Bernsen vous fera parvenir une preuve d'adhésion à l'Association de la boule à neige de KISS de Corbin Bernsen, c'est-à-dire une photo autographiée. Plus vous enverrez de boules à neige, plus vous recevrez d'exemplaires autographiés de la photo de collection. Peu importe combien de boules à neige vous envoyez à Corbin Bernsen. Pour chaque boule à neige, vous recevrez une photo autographiée. La seule façon d'en recevoir, c'est d'écrire à l'adresse susmentionnée. Cette offre est illimitée et n'expirera jamais ! Alors qu'attendez-vous ? Devenez membre de l'Association de la boule à neige de KISS de Corbin Bernsen (ABNKCB) et vous recevrez une photo autographiée gratuite !

Comme il est écrit plus haut, il s'agit d'une offre tout à fait valide. Elle n'a pas expiré. Veuillez envoyer vos boules à neige à Corbin Bernsen, et vous recevrez une photo autographiée de Corbin Bernsen avec la boule à neige de KISS. Réglons la question une fois pour toutes.

Une fois faite ma bonne action de la journée, je consulte ma boîte de réception. Les offres pour le rôle dans un film fusent de toutes parts.

*****SALUT KYLE,

Je suis le directeur du marketing de Gold-teeth.com. J'aimerais t'échanger un dentier en or 14 ct de six dents, en échange du rôle dans un film. Les dents seront faites sur mesure pour la personne qui en héritera.

Merci

Scott

*****SALUT KYLE,

Ce que tu fais est génial. Je n'ai pas grand-chose à offrir puisque je n'ai que 12 ans, mais j'aimerais beaucoup participer au projet et obtenir le rôle dans un film. Je suis prêt à donner TOUTES mes peluches et, crois-moi, j'en ai une tonne. Je donnerai également tous mes jouets, Y COMPRIS LES CADEAUX DE NOËL ET D'ANNIVERSAIRES. J'ai un grenier au-dessus de ma chambre qui est rempli à craquer de peluches. Qui n'aime pas les peluches? Qui n'aime pas les jeux en général? Tu pourrais obtenir plus qu'un rôle dans un film pour ma collection de peluches… Je sais que je n'ai pas de dents en or, mais j'offre les peluches et les jeux que j'ai accumulés durant toute ma vie, j'offre TOUT! S'il te plaît, prends mon offre en considération. J'aimerais beaucoup participer au projet!

*****SALUT KYLE,

Je m'appelle Garrett Johnson et je suis vos trocs depuis longtemps. Votre rôle dans un film m'intéresse. Je sais que vous voulez une maison, et je suis désolé de vous apprendre que je n'en ai pas à offrir, mais j'ai un lopin de terre sur lequel on peut en construire une. Avant que je vous donne les détails, j'aimerais vous parler de moi brièvement. Je suis un travailleur de l'automobile de 50 ans. J'ai 32 ans d'expérience et j'approche de la retraite. J'ai toujours été attiré par le jeu, mais je n'ai jamais pu réaliser mon rêve. À l'école secondaire, j'ai reçu un prix de théâtre et j'ai défendu le premier rôle masculin dans une pièce présentée à l'école. J'ai aussi joué dans plusieurs pièces afin de ramasser des fonds pour le centenaire de notre ville. Je n'ai jamais eu la chance de continuer à faire du théâtre. En 1973, j'ai déménagé à Kansas City et j'ai commencé à travailler pour General Motors. J'y travaille toujours. J'ai une fille de 12 ans qui suit des cours d'art dramatique depuis quelques années, donc je revis un peu mon rêve à travers elle. Voici ce que j'ai à offrir : je possède un lopin de terre près de Warsaw, au Missouri, à un endroit qui s'appelle Bent Tree Harbor. C'est près du lac Truman, mais pas sur la rive. Je l'ai payé 4 100 $ en 1984, mais je ne connais pas sa valeur actuelle. C'est un terrain vierge de forme ronde. Tout est réglé et il n'y a pas d'impôts rétro-actifs. Les dimensions sont environ de 30 m X 50 m X 90 m. J'ai dû commander un exemplaire du relevé d'arpentage, et je ne l'ai pas encore, mais je vous transmettrai les dimensions exactes lorsque je les aurai. Peu importe quel sera votre choix, je veux vous remercier de m'avoir permis de reprendre un vieux rêve que je croyais avoir perdu.

*****J'ai un carlin noir pur sang femelle. Elle est âgée de quatre mois. J'aimerais l'échanger contre le rôle dans un film.

*****SALUT,

J'aimerais te faire une offre pour le rôle dans un film. J'ai environ 300 briques rouges. Elles sont dans mon entrée depuis maintenant trois semaines. Elles proviennent d'un vieux patio. Imagine tout ce que tu pourrais faire avec les briques ! Tu peux les empiler et en faire une pyramide, tu peux faire un autre patio ou tu peux construire une petite forteresse. Les possibilités sont sans fin. J'espère que tu prendras mon offre en considération.

Merci

Joe

*****Pour le rôle dans un film, je fais une offre à tout casser ! Je suis le détenteur d'un billet gagnant de loterie. Ce qui est rigolo, c'est que je ne révèle pas la valeur du billet. Mais je GARANTIS que c'est un billet gagnant. C'est un billet à gratter de l'Indiana. Je l'enverrai dans une enveloppe opaque pour ne pas en dévoiler la valeur. Ce pourrait être agréable et ajouter un peu de mystère à ton aventure.

Bonne chance !

Alexisycho

*****Ma femme et moi attendons un enfant en janvier. Nous ne savons pas encore si ce sera un garçon ou une fille, mais nous sommes prêts à vous laisser choisir le nom de l'enfant en échange du rôle dans un film. Il ou elle portera notre nom de famille, mais vous pouvez choisir le prénom. Vous pouvez lui donner votre prénom, celui de votre vedette de cinéma favorite… comme vous voulez. J'éliminerai probablement les prénoms vulgaires ou explicites, mais à part ça, c'est vous qui décidez ! Merci !

Matt et Hannah Lowrance

*****SALUT !

J'aimerais jouer dans ton film;) J'aimerais échanger une antiquité de Iosif Stalin. Sais-tu c'est qui ? Cette chose a été faite en 1933. C'est une chose vieille, importante et rare. Je m'appelle Kate, je viens de Russie, j'habite à Ussuriisk, près de Vladivostok, tu en entends parler peut-être. Les personnes de Russie connaissent votre aventure de trocs, c'est très original :) Merci et bonne chance !

*****SALUT !

Oui, j'aimerais avoir un rôle dans ton film. Je t'échange le rôle dans un film contre un baiser ! C'est tout !

Salutations,

Anna

*****SALUT KYLE !

Je t'offre un troupeau de huit superbes
vaches. Elles accourent quand on les appelle,
et on peut les gratter et les caresser.
Certaines d'entre elles ont déjà été saillies
par le jeune taureau séduisant d'à côté :)))
Elles sont également d'excellentes mères.
J'aimerais beaucoup avoir le plaisir de jouer
dans un film, et le voyage serait un extra
très agréable. Et puis il est grand temps
que l'Australie mette son grain de sel dans
ce projet :)))) Le troupeau se trouve à
Toowoomba Qld, à l'intérieur des terres, à
environ 90 minutes de Brisbane. Les vaches
sont d'excellentes mères adoptives, elles
sont douces et très gentilles. Il y a également quelques génisses gravides (du moins,
je l'espère), et les trois mères adoptives
sont de nouveau prêtes à être saillies. On
pourrait penser que je suis une hurluberlue,
mais honnêtement, je ne fais que lancer une
idée, juste pour le plaisir, pour voir où la
vie me mènera. Je suis mariée et j'ai quatre
enfants âgés de 10 à 18 ans. Ça fait donc
longtemps que j'ai fait quoi que ce soit
d'impulsif ou d'audacieux, et la rebelle en
moi en meurt d'envie. Ce serait franchement
génial ! J'ai récemment joué sur scène et
parlé en public. Je me considère extrovertie
et sûre de moi. De toute façon, j'ai aussi
un jeune ami qui est un aspirant acteur, et
qui sauterait sur cette occasion à pieds
joints (et mordrait dedans à pleines dents !)

```
Je joins une photo de notre vache nour-
ricière, Murray Grey X, avec un bébé né en
janvier cette année.

Kerrie

-------

*****SALUT KYLE,

Je t'offre six mois de toilettage pour chien
contre le rôle dans un film. Pour toutes les
tailles et toutes les races.

Steph

-------

*****Je t'offre un trombone bleu. Anonyme
```

Il y en a encore des centaines et des centaines. Le rôle dans un film suscite le même genre d'interventions que le contrat d'enregistrement. Les gens offrent leur âme, des parties de leur corps, ainsi que leur virginité, en échange d'un rôle dans un film. Je suis ouvert à la majorité des offres, mais il faut fixer une limite quelque part, à peu près aux âmes, aux parties du corps et aux virginités.

Cette fois, les gens ont lu mon article sur Mark qui était au bon endroit, au bon moment. Ils prennent l'initiative de m'appeler. Maintenant, tout le monde veut être au bon endroit, au bon moment. À tout moment. Notre chambre d'hôtel à Hollywood résonne de lancinants hennissements. Les offres sont bonnes, et je parle à des gens au téléphone qui souhaite-raient apporter leur contribution. Mais encore une fois, la décision est dure à prendre. Les courriels galopent vers moi, mais je ne sais pas quoi faire. Je vais donc me coucher et je remets ma décision au lendemain.

Je suis sûr que tout va se placer le lendemain.

Le lendemain, Dom et moi rencontrons notre ami Nirvan en marchant sur un viaduc dans le centre-ville de Los Angeles.

Le soleil darde ses rayons. Monsieur Ed se fait entendre. Je l'ouvre d'un coup et je dis allô.

« Bonjour ! Kyle, s'il vous plaît ?

- Moi-même.

- Salut Kyle, je m'appelle Bert Roach.

- Bonjour Bert ! Vous allez bien ? réponds-je.

- Très bien et vous ?

- Pas mal du tout, pas mal du tout.

- J'en suis ravi. Je vous appelle de Kipling, en Saskatchewan, dit-il.

- Super ! Comment se porte la ville de Kipling ? demandé-je.

- À merveille ! Êtes-vous déjà venu à Kipling ?

- Non.

- Mais j'imagine que vous en avez déjà entendu parler ? s'informe Bert.

- Non. Sauf par vous.

- Bien sûr ! Je suis le responsable de l'action communautaire de la ville. Nous avons fait un remue-méninges et nous aimerions vous faire une offre pour le rôle dans un film !

- C'est bien. De quoi s'agit-il ? » questionné-je avant de l'écouter en plissant des yeux.

En l'écoutant, je ferme mes yeux et je tourne mon visage vers les chauds rayons du soleil. La lumière qui traverse mes paupières semble d'un orange vif rougeoyant. Les mots de Bert créent une image dans ma tête. Une image très précise. Une image d'avenir. Je termine l'appel puis fourre mon mustang argenté dans ma poche. Je remets ma tête droite, ouvre les yeux, regarde en avant et je souris en coin.

« Pourquoi souris-tu ? me demande Dom.

- Marchons, je vais tout te raconter ».

Je pose mon pied droit devant mon pied gauche et nous commençons à marcher.

IL FAUT ACHETER À PETIT PRIX
ET REVENDRE QUAND LES PRIX SONT DOPÉS,
SANS SUCCOMBER À LA DROGUE

Cette phrase est rigolote parce que je parle d'un concept connu, celui d'acheter à bas prix et de revendre à prix fort, en ayant recours au mot « dopé », et j'ajoute l'avertissement contre les dangers de la drogue. Du coup, « dopé » prend un tout autre sens pour le lecteur. De « gonflé », il prend le sens de « drogué ». Voilà ce qui est drôle.

QUEL EST VOTRE « SI » ?

Votre « si » est une pensée latente qui peut se concrétiser. C'est une idée, une vision. Une réalité potentielle. Mais pour que le « si » se transforme en réalité, il faut faire quelque chose. Si le « si » de quelqu'un, c'est de manger un délicieux bol de céréales, il faut alors planter un grain de blé et prendre soin du germe qui perce le sol pour qu'il se transforme en une boîte de délicieux Mini Wheats de Kellogg. Si on a comme « si » de devenir le plus important collectionneur de boules à neige au monde, il faut commencer à collectionner les boules à neige. Et si on a comme « si » de connaître mon prochain troc, il faut tourner la page.

Désolé. Je ne pouvais pas résister à la tentation.

Tant qu'à avoir cassé le rythme, autant en profiter pour préciser qu'Alice Cooper a bel et bien honoré sa promesse de passer un après-midi avec le troqueur, en dépit du fait que je l'ai échangé contre une boule à neige de KISS. Mark est allé à Columbus, en Ohio, pour prendre cette photo. Il m'a dit qu'ils s'étaient beaucoup amusés. Mais il ne m'a glissé aucun mot sur un déménagement éventuel de Columbus au Kentucky.

Une photo d'Alice Cooper prise par Mark.

267

UNE MAISON À KIPLING

« C'est vrai ? On t'a offert une maison contre le rôle dans un film ? demandent en chœur Dom et Nirvan.

- Pas exactement. Pas encore. Mais c'est possible. Il est trop tôt pour crier victoire, réponds-je. Je viens de parler à Bert Roach au téléphone. C'est le responsable de l'action communautaire de la ville de Kipling, en Saskatchewan. Il m'a fait une offre hallucinante : un lopin de terre dans la ville, je suis maire pendant une journée et citoyen d'honneur à vie, et, écoutez ça : ils veulent construire le plus grand trombone rouge au monde !

- C'est bien ! dit Nirvan.

- C'est la meilleure offre jusqu'à maintenant, mais j'ai dit à Bert que je n'étais pas encore certain, dis-je.

- Pourquoi pas ? demande Dom.

- Je ne veux pas devenir citoyen d'honneur à vie, puis tout retroquer et ne jamais vivre là-bas. J'ai dit à Bert que si je deviens citoyen d'honneur à vie, je dois acquitter ma conscience et nous devons donc vivre dans la ville.

- Sur le lopin de terre ? dit Nirvan.

- J'imagine que nous pourrions construire une maison sur le terrain. Nous pourrions aussi vivre dans une tente », dis-je en blaguant à moitié.

Je regarde Dom, les yeux pleins d'espoir. Elle me fusille du regard... Je cesse aussitôt de me demander si elle trouve la blague à moitié bonne ou à moitié mauvaise. La tente constitue une faille dans la logique, parce qu'elle est temporaire. Et une yourte ? Une yourte, c'est plus ou moins permanent...

Oui, peut-être bâtirions-nous une yourte. La Saskatchewan est dotée d'un climat similaire à celui de l'Asie centrale. Oui, une yourte, c'est peut-être ce que je cherche.

Dom me dérange, moi qui étais très « concentré », et demande :

« Est-ce que c'est quelqu'un de la ville qui va prendre le rôle dans un film ?

– Bert m'a dit qu'ils veulent organiser des auditions à Kipling pour le rôle.

– C'est une bonne idée ! dit Dom.

– Oui ! acquiescé-je. Je ne sais pas exactement comment ça va marcher, mais j'ai un bon pressentiment.

– Moi aussi, dit Dom.

– Moi au ci-néma ! » dit Nirvan.

Je prends la main de Dom. Nous traversons le viaduc sous le soleil.

Au cours de la semaine qui suit, je parle souvent à Bert. Au fil des conversations, j'apprends que sa nièce Mary lui a parlé de ma tentative d'échanger un trombone rouge contre une maison. À un barbecue familial, elle a tout raconté à oncle Bert. Et oncle Bert, responsable de l'action communautaire de la ville de Kipling, a tout à coup une idée.

Bert et moi travaillons justement à la concrétisation de cette idée.

Assis dans mon appartement de Montréal, j'écoute Bert. Il cherche une façon de faire marcher l'échange. Il doit y en avoir une. Il me dit qu'on pourrait bâtir une hutte de terre sur le terrain. Une authentique hutte de terre !

« Dom, que penses-tu de l'idée de vivre dans une hutte de terre ? demandé-je.

– Une hutte de terre ?

– Oui, une maison en terre. »

Dom fait un bruit que je n'arrive pas à rendre avec les mots, puis cette fois, elle me crucifie du regard. Oublions la hutte de terre. Mais l'idée reste bonne. Au téléphone, j'explique à Bert que la réaction de Dom par rapport à la hutte de terre a été de me crucifier du regard. Il me répond que son regard correspond à peu près à ce que pensent les responsables de l'assurance de la ville et des normes de délivrance de permis de construction. Apparemment, il est devenu difficile de faire assurer des terriers.

Bert me dit que la ville de Kipling possède de nombreuses maisons, et s'apprête à en obtenir d'autres, en raison d'impôts fonciers non payés, d'acquisitions municipales, etc. Pour que la ville accepte d'échanger une maison contre le rôle dans un film, Bert doit «vendre» l'idée au conseil municipal et faire signer des documents officiels par la division d'enregistrement des droits immobiliers du gouvernement provincial. Le processus peut prendre des semaines.

Je dis à Bert que je souhaite vivement faire l'échange avec Kipling. Ça correspond à ce que je veux. Mais pour que l'échange se fasse, il doit y avoir une offre officielle, pour que nous puissions nous serrer la main. Quelque décontracté et sensible aux belles choses que je sois, je passe maintenant en mode négociateur/motivateur. Je parle à Bert des douzaines d'offres que j'ai reçues pour le rôle dans un film et je lui dis qu'il y en a de nouvelles chaque jour. Je lui garantis qu'une maison à Kipling est la meilleure offre. Le genre d'offre qu'on ne peut pas refuser. Je lui dis que ma date limite approche pour acquérir une maison: le 12 juillet, la «date limite» que je me dois de respecter à cause de l'article de Patrick Lagacé dans *Le Journal de Montréal*, huit mois plus tôt. C'est déjà fin juin. Le 12 juillet n'est pas loin. Il ne me reste que quelques semaines pour mettre la main sur une maison. Il y a un avantage à devoir tenir une promesse annoncée publiquement. C'est très motivant!

Bert dit:

«Je veux vraiment que ça marche, je vais voir ce que je peux faire.»

Ce qui me frappe chez Bert, c'est sa façon de garder la tête froide en toute situation. Mais je suis persuadé qu'il peut aussi être une tête brûlée… dans le bon sens, bien sûr. Il faut avoir le cerveau un peu brûlé pour convaincre un conseil municipal d'échanger une propriété qui revient à la communauté, contre un rôle dans un film. Mais Bert et moi accordons de la valeur à des choses qui sont dures à quantifier.

Voilà pourquoi c'est si spécial.

Une semaine plus tard, le téléphone sonne. C'est Bert. Nous faisons quelques plaisanteries. Il se racle la gorge d'une façon très solennelle. C'est le bon vieux raclage de gorge qui annonce qu'on s'apprête à mettre cartes sur table. Voici ce qu'il dit:

« Kyle, la ville de Kipling, en Saskatchewan, souhaite t'aider à trouver une maison. La mairesse et le conseil municipal, avec le soutien des employés et des résidents de la ville de Kipling, ont une offre révisée pour toi. Tu ne peux pas ne pas l'accepter !

« En tant que résident de notre communauté, tu recevras une trousse de bienvenue, avec des renseignements et des promotions de la part de commerces des environs. La chambre de commerce de Kipling te donne 200 $ en argent de Kipling. Cet argent est accepté dans tous les commerces affiliés à la chambre de commerce. Tu recevras une clef de la ville de Kipling. Tu deviendras maire d'honneur de Kipling pendant une journée. Tu seras nommé citoyen d'honneur à vie de la ville de Kipling. La journée consacrée à l'échange sera décrétée Journée du trombone rouge par le conseil municipal. On encouragera tout le monde à porter un trombone rouge en l'honneur de tes réussites. Nous construisons aussi le plus grand trombone rouge au monde en hommage à toi et à ton projet de trombone rouge.

« Mais comme nous souhaitons t'aider à atteindre ton but, nous t'offrons une maison. Elle a été construite dans les années 1920 et vient d'être rénovée. Elle est située au 503, Main Street, Kipling, Saskatchewan, Canada. La superficie d'environ 100 m^2 est répartie sur deux étages. On compte trois chambres, une salle de bain et une salle d'eau, cuisine, salon et salle à manger. La maison est recouverte sur le côté de vinyle blanc, possède un toit neuf et des gouttières installées la semaine dernière. Nous t'enverrons des photos de la maison dès que nous l'aurons repeinte.

« Nous souhaitons également te faire part de nos intentions concernant le rôle dans un film. Nous organiserons des auditions à Kipling, au centre communautaire. Les auditions se feront dans le style d'*American Idol* et *Canadian Idol*. Vous serez juge en chef. Nous aimerions aussi inviter Corbin Bernsen et les producteurs du film à être juges. Ceux qui veulent auditionner devront faire un don, soit en argent, soit en donnant un article de leur choix. Les articles sont ensuite répartis entre le service des parcs et des activités de Kipling et de la région et l'organisme de charité de ton choix. Nous refusons les animaux vivants, les enfants, les âmes ou les chèques en blanc, parce que nous avons déjà assez de trucs blancs dans la ville. »

Solennellement, Bert s'arrête. Dans ma tête, mes pensées vrombissent comme des bolides.

La maison est située au 503, Main Street? Sur la rue principale! Je n'ai jamais habité sur la rue principale d'une ville. Et pourtant, j'ai serré la main d'Al Roker. Et le restant de l'offre? Les clés de la ville? Maire pour un jour? Construction du plus grand trombone rouge au monde? Est-ce que je viens de troquer un trombone rouge contre une maison? Devrais-je me pincer pour être sûr que je ne rêve pas? Non, pas encore. Il faut que je serre la main de Pat, la mairesse, pour officialiser le troc. Je me pincerai à ce moment-là. Peut-être.

Bert interrompt sa pause solennelle. Il a autre chose à dire :

« Kyle MacDonald, acceptes-tu notre offre d'une maison à Kipling contre un rôle dans le film *Donna on Demand*, de Corbin Bernsen ? »

Si vous avez lu le titre de ce chapitre, vous devez avoir une idée de ma réponse.

Après presque une année passée à chercher un troc, je peux enfin me relaxer, en pouvant dire avec satisfaction qu'après 14 trocs avec des gens de partout en Amérique du Nord, j'ai transformé un trombone rouge en une maison.

Bien que je brûle d'envie de transmettre sur-le-champ la nouvelle à tout le monde, je tiens à ce que le journal local de Kipling, *The Citizen*, l'annonce en primeur. *The Citizen* est un hebdomadaire. Il sort en kiosque le vendredi. Il est imprimé le mercredi. C'est-à-dire aujourd'hui. Bert me rappelle pour me dire que Mike Kearns, le reporteur en chef du *Citizen*, a dû appeler l'imprimeur pour le convaincre d'arrêter les presses afin d'insérer la nouvelle du troc final.

Pendant deux jours, je lutte de toutes mes forces contre le moulin à rumeurs et jure que je n'ai jamais entendu parler de l'échange d'une maison de Kipling contre le rôle dans un film. Ça ne me dit absolument rien.

Dès que j'apprends que *The Citizen* est en kiosque à Kipling, j'écris un billet sur le blogue intitulé *C'est intrigant* :

```
Pendant que je lisais le journal ce matin, un
article a attiré mon attention. C'est une
primeur! L'affaire serait dans le sac. Pensez-
vous qu'il s'agit d'une source fiable?
```

« Affaire » est un lien vers la page couverture de l'hebdomadaire de Kipling, *The Citizen*, et « sac » est un lien vers la deuxième page de l'article.

Your Community Newspaper!

SINGLE COPY PRICE

$1

INCLUDES G.S.T.

The Citizen

Kipling, Saskatchewan   Friday, July 7, 2006   Volume 70, Number 37

It's a done deal!

It's official!

Kyle MacDonald's quest to trade one red paper clip for a house will be fulfilled at Kipling.

As reported in earlier editions, Kyle, who for now calls Montreal home, began by swapping a red paperclip for a fish pen; the pen for a doorknob; the doorknob for a camping stove, and so on, and most recently has been offering a speaking role in an upcoming movie, "Donna On Demand".

Wednesday, Kipling's community development officer, Bert Roach, along with Mayor Pat Jackson, sweetened the Town's earlier offer during a telephone conversation with Kyle.

The original proposal had included a Key to the Town, a day as Honorary Mayor, honorary lifetime citizenship, declaration of One Red Paper Clip Day and construction of the world's largest red paper clip in his honour, a community welcome package for him as the Town's newest resident and $200 in Kipling Kash, along with a residential lot.

Wednesday, a house was thrown into the mix. With the mayor and some Town staff looking on, and with a CBC television camera rolling at the Town Office, Roach popped the question that promises to set off a sequence of exciting events, both for Kyle and for residents of Kipling:

"Kyle MacDonald, do you accept our offer . . .?"

His answer was an unequivocal, "Yes".

And amidst applause from those gathered to witness the event, he continued, "This is going to be awesome! That's all I can say!"

It is hoped the final "exchange" in Kyle's quest will

continued on Page Two

Kipling High School graduates honoured

Kipling High School Class of 2006.   PAPER MOON PHOTOGRAPHY, GRENFELL

Graduation exercises honouring the Class of 2006 were held Thursday, June 29 at Kipling High School.

The 22 graduates and their escorts entered the hall to strains of the Rascal Flats song My Wish.

This year's graduation theme was "A Step Forward... With A Look Back."

Pastor Chris Toth delivered the Ministerial message.

Greetings were brought by Mayor Pat Jackson for the Town of Kipling and by Jo-Ann Meszaros for the local Board of Trustees.

Mr. Mark Edmonds spoke on behalf of the teaching staff. The reply was by grads Lyndsie Bachtold and Kyra Clark.

The large audience enjoyed a video presentation prepared by the grads.

continued on Page Two

Windthorst celebrates Centennial next weekend

Windthorst is getting set for a big weekend, in celebration of its Centennial, July 13-16.

Advance registrations have totalled 600 and the number will no doubt swell considerably as the festivities wear on.

A social will be held

Thursday evening, from 7:00 to 9:00 at the Recreation Centre, to start things off. All are encouraged to register, either at this time or beginning at 2:00pm on Friday (regardless of whether or not you are pre-registered) as information packages which include tour maps and a schedule of

events will be available.

Tours begin Friday at 2:00pm and include a Country School Tour, a Century Farm Tour and a Village Heritage Tour. The Museum will be open from 2:00 to 5:00 Friday, from 2:00 to 4:00 Saturday and from 1:00 to 4:00 on Sunday.

A map indicating the locations of 17 nearby country school sites, along with one showing 27 Century Family Farms in the area, have also been prepared.

Friday evening, and again Saturday afternoon, there will be opportunities to browse through numerous historical

displays, in the Windthorst School.

Also Friday, there will be an evening of entertainment, beginning with a wine and cheese social which starts at 7:00, Opening Ceremonies at 8:00, followed by a variety

continued on Page Two

Junior Drama Night held at Kennedy

A scene from Junior Drama Night at Kennedy-Langbank School. More on Page Two.   CITIZEN PHOTO

Page couverture de l'hebdomadaire *The Citizen*, de Kipling, le 7 juillet 2006.

Ça y est. Les plus importants réseaux d'information appellent pour en apprendre plus sur la primeur : BBC, CBC, CNN, ABC… alouette ! Mais l'exclusivité mondiale n'appartient qu'à un diffuseur d'information : *The Kipling Citizen*.

MARCHÉ CONCLU !

C'est officiel ! C'est à Kipling que Kyle MacDonald atteindra son objectif d'échanger un trombone rouge contre une maison. Ainsi que nous l'avons mentionné dans des éditions précédentes, Kyle, qui habite maintenant à Montréal, a commencé par échanger un trombone rouge contre un stylo en forme de poisson ; il a troqué le stylo contre une poignée de porte ; la poignée de porte contre un réchaud de camping, et ainsi de suite. On vient tout juste de lui offrir un rôle parlant dans un film à venir, Donna On Demand.

Mercredi, le responsable de l'action communautaire de la ville de Kipling, Bert Roach, ainsi que la mairesse Pat Jackson, ont bonifié l'offre de la ville lors d'une conversation téléphonique avec Kyle. Voici ce que comprenait l'offre initiale : il reçoit une clef de la ville de Kipling, il est maire d'honneur de Kipling pendant une journée, il est nommé citoyen d'honneur à vie de la ville de Kipling, la journée consacrée à l'échange est décrétée Journée du trombone rouge par le conseil municipal, la ville construit le plus grand trombone rouge au monde en son honneur, il reçoit une trousse de bienvenue conçue pour le tout nouveau résident de la ville, 200 $ en argent de Kipling et un lot résidentiel.

Mercredi, on a ajouté une maison dans le marché. Devant la mairesse et les employés de la ville, et la caméra de CBC qui filme à l'intérieur de l'hôtel de ville, Roach a lâché la question qui promet d'enclencher une cascade d'événements rocambolesques, tant pour Kyle que pour les résidents de Kipling : « Kyle MacDonald, acceptes-tu l'offre… ? » Sa réponse a été sans appel : « Oui ! » Sous les applaudissements de ceux venus assister à l'événement, il a poursuivi : « Ça va être génial ! C'est tout ce que j'ai à dire ! » Le dernier de la série de trocs de Kyle doit avoir lieu le mercredi 12 juillet, c'est-à-dire un an après le début de son aventure. Pour autant qu'il sera possible d'aménager des horaires qui puissent garantir l'hébergement de reporteurs internationaux, Kyle et sa copine Dominique deviendront de tout nouveaux résidents de Kipling et les propriétaires de la maison du 503, Main Street.

En retour, la ville recevra les droits pour un rôle dans un film à venir de Corbin Bernsen. Il est prévu dans l'entente d'organiser des auditions pour le rôle à Kipling peut-être dès septembre. MacDonald dit qu'il a parlé de l'idée avec Bernsen, qui s'est montré très intéressé par le projet. MacDonald a même laissé comprendre que la vedette de cinéma et sa famille pourraient peut-être participer aux auditions et aux célébrations qui vont les entourer. « Nous allons enclencher une cascade d'événements rocambolesques qui vont transformer nos vies, a prédit MacDonald à Roach. Il a forgé le terme « festi-potentiel » pour décrire son aventure jusqu'à maintenant, et tout le plaisir auquel il s'attend encore.

Sans être l'histoire d'un homme qui passe des haillons à la fortune, cette odyssée a grandement attiré l'attention des médias. oneredpaperclip.com a reçu plus de trois millions de visites depuis son apparition sur la toile le 12 juillet. La ville de Kipling souhaite à son tour bénéficier de la notoriété d'entrepreneur de MacDonald : « Je suis heureux et comblé ! a dit Roach après avoir conclu l'entente, abouti après des semaines de discussions. Le potentiel, ou plutôt le festi-potentiel de ce projet est titanesque. » Il a ensuite parlé des plans de commercialisation, en ligne et hors ligne, du plus gros trombone rouge au monde, en tant qu'attraction touristique. La Journée du trombone rouge pourrait devenir une célébration annuelle, à l'occasion de laquelle on encouragerait tout le monde à porter un trombone rouge comme symbole de la ville de Kipling. La ville est d'ailleurs présentement en train de concevoir un nouveau logo qui comprendra un trombone rouge. « Ce sera une véritable partie de plaisir ! » s'est-il exclamé.

Une fois sa décision prise, MacDonald a admis qu'il ressentait une étrange sensation de soulagement. Il imagine que ça doit ressembler à ce qu'on ressent quand on finit un marathon. Fin 2005, quelques mois seulement après le début de sa quête, les offres arrivent sur le site Web de Kyle, oneredpaperclip.com, à un rythme effarant. Les médias commencent à le remarquer et quand il réussit à échanger une génératrice (contre « une fête instantanée », qui comprenait un baril de bière et une enseigne au néon de Budweiser), Kyle a déjà un avant-goût de la célébrité. Mais ce n'est qu'en troquant la fête instantanée (offerte par un New-Yorkais) contre une motoneige offerte par un animateur de télévision et de radio du Québec, que le jeune homme de 26 ans devient une célébrité en bonne et due forme. Les capsules pendant les nouvelles et les passages à des émissions de télévision et de radio deviennent vite le lot quotidien de Kyle. L'échange très médiatisé d'un voyage à Yahk, en Colombie-Britannique s'avère alors non seulement un génial coup de pub, mais donne le coup d'envoi d'une série d'échanges reliés au monde du spectacle. On compte entre autres: un contrat d'enregistrement, un après-midi avec Alice Cooper et le double troc d'une boule à neige de collection de KISS (le groupe), en échange duquel Kyle obtient le rôle dans un film, ce qui amène Roach à le joindre sur-le-champ pour lui transmettre l'offre de Kipling.

La mairesse Pat Jackson partage l'enthousiasme de Roach et MacDonald: «Nous entendons tant de choses négatives aux nouvelles ces jours-ci, dit-elle. C'est bon d'avoir une nouvelle rafraîchissante et positive. Nous sommes heureux d'aider Kyle dans sa quête et nous avons hâte de l'accueillir dans notre ville.» Les négociations de dernière minute de mercredi se portent bien. Quand on a demandé à MacDonald s'il allait faire partager à Dom (Dominique) le privilège d'être citoyen d'honneur, la réponse automatique du maire a été: «Mais bien sûr!» En prévision de mercredi, le contremaître de la ville, Kelly Kish, a modelé de longs tuyaux pour en faire un immense trombone de 3,5 mètres (et peint en rouge). Roach a vite dit que le produit fini sera beaucoup plus gros et sera long à concevoir et à fabriquer. Le 12 juillet 2007 est une date à la fois réaliste et appropriée pour dévoiler le plus grand trombone rouge au monde, dont Roach dit qu'il servira de symbole à la fois de l'esprit d'entreprise que la ville souhaite stimuler chez les résidents, et du lien entre la ville et la quête de MacDonald. La maison de deux étages à Kipling a été bâtie dans les années 1920 et a subi des rénovations il y a quelques années. Roach admet qu'il y a des retouches et du travail dans le jardin à faire avant de remettre les clefs à MacDonald. C'est pourquoi une corvée est prévue le 8 juillet. Il espère que les résidents voudront se joindre à l'aventure et que beaucoup de personnes prêteront main-forte le 8, pour bien préparer l'accueil de Kyle et Dom à Kipling. Quelque soutien positif que les gens puissent offrir pour le projet sera apprécié. Si vous voulez être des nôtres, appelez Bert au XXX-XXXX.

Dès l'instant où j'affiche le lien vers *The Citizen* sur mon site, Internet se met à grouiller de vie, par des billets de blogue et des articles de forum. L'Associated Press refait une capsule sur le trombone rouge, et l'intense cirque médiatique se met en branle, comme lors de ma frénétique escale à Philadelphie, quand j'étais aux prises avec de multiples téléphones publics. Mais cette fois-ci, la frénésie atteint un plateau bien supérieur, bien que dépourvu de téléphones publics. Pendant les jours qui suivent, on trouve un lien vers www.oneredpaperclip.com sur les pages d'accueil des sites Web de Yahoo!, AOL, BBC, CBC, ABC, MSN, CNN, FOX News, et d'innombrables autres médias. Je suis même sur la couverture du *Journal de Montréal*, avec dans les mains le trombone rouge géant que la mère de Dom a fait! En quelques jours, quatre millions de personnes consultent www.oneredpaperclip.com. Le palomino frôle la crise cardiaque. Bert et moi décidons que la longue fin de semaine de la fête du Travail est idéale pour faire la pendaison de crémaillère. Je passe à des dizaines d'émissions de télé et de radio, entre autres à CNN et à *Good Morning America*. En direct à la télé, j'invite tout le monde à ma pendaison de crémaillère à Kipling, la fin de semaine de la fête du Travail. Il y a maintenant des dizaines d'animateurs de radio sur la planète que j'appelle par leur prénom parce qu'ils m'appellent souvent et tiennent constamment leurs auditeurs au courant de l'objet d'échange auquel je suis rendu. Je parle à Ian et Margery de FM107, au moins pour la septième fois, et j'encourage les braves habitants des villes jumelles à se préparer à une pendaison de crémaillère du tonnerre à Kipling. C'est moins compliqué que d'envoyer des invitations.

J'écris un blogue sur la pendaison de crémaillère:

```
Nous  ignorons  combien  de  personnes  se
présenteront à la fête. Nous n'en avons pas
la  moindre  idée.  Kipling  compte  à  peine
1 100 âmes. Une fois que Dom et moi aurons
emménagé, nous serons à peine 1 102 âmes.
Il y a un motel. Il contient 25 chambres.
Mais 25 chambres ne suffiront pas à loger
l'ensemble  des  invités  de  la  pendaison  de
crémaillère la plus courue de toue l'histoire
```

de la Saskatchewan. Le nom même de la fête l'exige. Où diable dormiront les gens? Je l'ignore pour l'instant, mais nous trouverons bien des solutions. Apportez des véhicules dans le style des VR, et nous trouverons de la place pour vous. Je revendique l'exclusivité des droits sur mon lit. En fait, Bert m'a dit que le 503, Main Street n'est pas

Page couverture de l'édition du 9 juillet 2006 du *Journal de Montréal*

meublé, donc j'imagine que je n'ai pas de
lit. Je revendique donc l'exclusivité des
droits sur mon futur lit. La bonne nouvelle,
c'est que la ville compte trois épiceries,
aussi ne manquerons-nous sans doute pas de
nourriture.

Le plus cocasse dans toute cette histoire, c'est que je n'ai
encore jamais vu de quoi la maison a l'air, pas même quand
j'ai fait le troc avec Bert au téléphone. J'ai vu une image pour
la première fois au *National* de CBC, comme tout le monde.
C'est une maison carrée de deux étages, avec trois chambres,
toute blanche avec une bordure rouge. Si on demandait à
n'importe quel enfant de dessiner une maison, on obtiendrait
le 503, Main Street.

Elle est parfaite.

Mais il me reste à serrer la main au maire pour officialiser
l'échange.

Dom et moi nous assoyons dans un avion, avant qu'il ne
décolle pour entreprendre le vol de trois heures qui nous
emmène de Montréal à Regina, la capitale de la Saskatchewan.
Nous rencontrons les résidents de Kipling Eldon Gibson et
Kelly Kish à l'aéroport, et passons la nuit à Regina. Mes parents
nous rejoignent à l'hôtel, ma mère me coupe les cheveux et
tout le monde essaie de dormir, mais c'est impossible. J'ai le
trac, mais un trac agréable.

Nous nous réveillons puis nous nous mettons en route
pour Kipling. Les plates prairies, légèrement arrondies, s'étalent
devant nous. Des champs verts, jaunes et bleus s'étendent à
perte de vue. Silos, élévateurs à grain et fermes ponctuent
l'horizon au fur et à mesure que nous roulons vers l'est sur
l'autoroute 48. De temps en temps, nous traversons un village.
Chaque village est comme une petite île dans un océan de
champs.

À un moment donné, nous arrêtons le long de la route
pour mieux observer un nouveau terminal céréalier. Eldon et
Kelly nous apprennent que Kipling est un des importants
centres de distribution de céréales du Canada. Les céréales
provenant des champs à l'est de Kipling sont expédiées vers
l'est, en direction de Montréal. Les céréales provenant des

champs à l'ouest de Kipling sont expédiées vers l'ouest, en direction de Vancouver. Kipling est sur la ligne de démarcation entre les deux grandes divisions de distribution de céréales. Je ne sais pas si je dois interpréter cet état de fait comme une profonde métaphore du stade où nous nous trouvons dans notre vie, Dom et moi, ou comme une cocasserie à laquelle je repenserai en faisant une grille de mots cachés sur le dos d'une boîte de Mini Wheats. Dans le fond, les deux sont vrais, mais dans les faits, ça dépend du niveau de difficulté de la grille de mots cachés.

Nous revenons à la fourgonnette et continuons de rouler vers l'est. Peu après, l'éclat argenté d'un élévateur à grain brille à l'horizon. Mon cœur saute un battement.

L'île se trouve au loin.

Mais ce qui est loin s'approche tranquillement.

Au fur et à mesure que nous nous approchons de l'élévateur à grain, nous ralentissons jusqu'à la limite permise. Un grand panneau frappe la vue : le dessin d'un vieux rouleau de papier long de 4,5 mètres se dresse à côté d'une plume. Sur le papier, on peut lire les mots *Kipling Welcomes You*.

Kipling vous souhaite la bienvenue.

Nous passons devant le scintillant élévateur à grain, puis nous apercevons un grand panneau de la coopérative de Kipling sur le bord de la route, où on peut lire: « Welcome Kyle & Dom.

La devise de Kipling est *Quand le « si » devient réel*. Je me rends compte de quelque chose. Nous sommes le « si », et tout est réel autour de nous.

Nous nous stationnons près du 503, Main Street et sortons de la fourgonnette. Nous sommes nerveux. Des centaines de personnes se tiennent de l'autre côté de la rue. Il y a de l'électricité dans l'air, comme quand Alice Cooper est arrivé à Alice, au Dakota du Nord. Mais cette fois-ci, ce n'est pas Alice Cooper qui doit se rappeler que c'est lui, Alice Cooper. C'est moi qui dois me rappeler que c'est moi, Kyle MacDonald. Que je suis le célèbre Kyle MacDonald. Je suis très nerveux. C'est une chose de créer un site Web et de passer à la télévision devant des millions de téléspectateurs des quatre coins de la planète. Mais c'en est une autre d'être confronté à une foule compacte de centaines de personnes.

Dom et moi nous frayons un chemin à travers la foule jusqu'à la maison, pour rencontrer Bert, Pat et le reste de Kipling, en Saskatchewan. Nous faisons face à la foule et nous saluons timidement les gens. Ma mère nous prend en photo, exactement comme pour le premier troc avec Ronnie et Corinna devant le 7-Eleven.

Il existe une célèbre photo au Canada, prise le 7 novembre 1885, juste à l'orée de la ville de Craigellachie, en Colombie-Britannique. Une foule de badauds se pressent autour d'un homme à la barbe blanche et au chapeau haut de forme, Donald Smith, qui abat une masse sur un crampon de fer, pour l'enfoncer dans une pièce de bois. Ce mouvement avait été fait d'innombrables fois auparavant, partout sur la planète, mais ce crampon-ci était différent des autres. C'était le dernier crampon du Chemin de fer Canadien Pacifique, la première voie ferrée transcontinentale du pays. Après des années de dur labeur par une foule de travailleurs, le rêve était enfin réalisé: un train pouvait dorénavant traverser le pays d'un océan à l'autre. Sur la photo, des dizaines de personnes se tiennent autour, les yeux rivés sur le dernier crampon qui se fait inexorablement enfoncer dans la traverse de chemin de fer. Les badauds assistent à l'ultime coup de masse, ils veulent être là dès que le chemin de fer sera complété. C'est un des moments les plus marquants de l'histoire canadienne. Un vulgaire coup de masse qui a soudé tant de gens ensemble. J'ai toujours été fasciné par cette photo. Par le fait qu'un vulgaire coup de masse puisse revêtir tant de gravité. Par le fait qu'une simple action puisse avoir tant de répercussions.

La cérémonie débute au 503, Main Street. Nous nous levons pour l'hymne national. Mes parents sont derrière nous. On fait des discours et des présentations officielles. Pat, la mairesse, lève une feuille de papier dans les airs.

« *J'ai dans ma main droite l'acte de vente de la maison qui se trouve derrière nous. J'ai l'honneur de demander à Kyle MacDonald de bien vouloir s'avancer avec son objet de troc et de signer cette feuille de papier, afin d'officialiser l'échange.* »

La foule applaudit. Je m'avance. La foule se tait soudain. Je souris et lui remets le scénario du film. Pat me tend un stylo. Je signe l'acte de vente et je souris.

Pat me dit :

« Pour officialiser le troc, il faut un témoin. Gord, acceptes-tu d'être témoin ? »

Dom et Kyle à l'entrée du 503, Main Street, peu après le troc.

Gord, le membre de la Gendarmerie royale du Canada, s'avance et signe l'acte de vente.

Pat me dit:

« Bienvenue à Kipling ! »

Nous coupons un ruban rouge avec des ciseaux.

Main dans la main, Dom et moi montons les marches. J'étire le bras pour ouvrir la porte de la maison. Je fais face à la foule, à qui je souhaite m'adresser. Mes lèvres commencent à trembler.

C'est la réalité toute crue.
Et c'est parfait.
On entendrait une mouche voler.
Dom me tient la main.
Nous remercions les gens.
Nous saluons la foule.
Nous pénétrons dans la maison.
Dans notre avenir.

Un trombone rouge. Quatorze trocs. Une histoire époustouflante! L'aventure de Kyle MacDonald, du Québec, au Canada, est un des exemples de réussite humaine les plus poignants de ces derniers jours: il a réussi le tour de force de troquer un trombone rouge contre une maison. Parfaitement: une maison!

Bâtie sur deux étages, elle a récemment été rénovée et se trouve au 503, Main Street, à Kipling, en Saskatchewan. (Les clefs de la ville font également partie du marché.)

Il a réussi son exploit en seulement 14 échanges et en une année. Il a pris officiellement possession de la maison hier.

Locataire au Québec, MacDonald voulait posséder une maison, mais il n'avait pas assez d'argent pour en acheter une. Cependant, il détenait un trombone rouge. MacDonald a alors misé sur le concept de valeur relative, c'est-à-dire le fait que les déchets des uns sont les trésors des autres. Avec un rêve démesuré en tête et beaucoup de détermination, il s'est lancé dans l'aventure.

Les histoires comme la sienne sont comme des baumes pour l'âme. Alors qu'on nous harcèle avec les problèmes dans le monde et le côté sombre et violent de la nature humaine, les périples comme le sien tiennent lieu de phares qui nous éclairent en nous captivant. Le blogue de MacDonald a reçu plus de 3 800 000 visites, car des gens des quatre coins de la planète ont entendu parler du gars qui voulait troquer un trombone rouge contre une maison. Nous souhaitons tous vivre de grandes aventures. Nous espèrons célébrer des victoires. Nous voulons nous rappeler que des choses extraordinaires peuvent se passer.

Winston Churchill a déjà dit: «Le pessimiste voit des difficultés dans chaque possibilité, et l'optimiste voit des possibilités dans chaque difficulté.» Et certains d'entre nous voient une maison dans un trombone.

Il faut être courageux pour s'accrocher à son rêve de changer les choses, tout en faisant face aux embûches dont la vie est parsemée. Il est facile de baisser les bras et d'admettre la défaite ou de rejeter le blâme sur nos parents, nos enfants, le gouvernement ou la société. Mais on ne se nuit qu'à soi-même en niant notre part de responsabilité. Si on ne libère jamais la passion et la détermination qui enrichissent la vie, on en finit appauvri.

L'attitude que l'on adopte face à la vie a une incidence directe sur notre quotidien. Il faut parfois traverser des périodes difficiles, mais ceux qui sont armés d'une attitude positive ont toujours de plus de force et de plus de résistance.

La clef du succès du trombone rouge, qui a captivé l'attention d'innombrables personnes, réside-t-elle dans le fait que nous aimons nous identifier aux personnes audacieuses ? On faiblit en vieillissant, mais on souhaite tout de même mener une vie stimulante. Voilà où notre individualisme occidental, pourtant porté aux nues, nous a menés !

Si on se dit qu'il suffit de se lancer seul dans une aventure et se montrer inatteignable, on a oublié un élément.

MacDonald n'aurait jamais pu obtenir la maison sans les personnes qui ont bien voulu participer à son périple et l'encourager.

Tout comme MacDonald, nous avons tous besoin de gens pour nous injecter de la force par des encouragements. De la même façon, nous avons le privilège de rendre la pareille aux autres

La vie est trop courte pour être pessimiste. Ceux qui encouragent les autres s'en trouvent souvent eux-mêmes grandis.

Quelques mots ou une simple preuve de générosité sont parfois tout ce dont on peut avoir besoin pour continuer à avancer.

On peut mener une vie passionnée et grandiose. Il nous faut du courage pour entretenir de grands rêves, de la détermination pour rester positif et des gens pour nous encourager.

Et de temps à autre, il nous faut nous rappeler comment une tête carrée du Canada a transformé un trombone rouge en une maison.

— Ruth Limkin, Brisbane, Australie

L'article a déjà paru dans le *Brisbane Courier Mail*.

LA PENDAISON DE CRÉMAILLÈRE LA PLUS COURUE DE TOUTE L'HISTOIRE DE LA SASKATCHEWAN

Quelques semaines après que nous avons franchi le seuil du 503, Main Street, et plongé dans notre avenir, Kipling accueille la pendaison de crémaillère la plus courue de l'histoire de la Saskatchewan. La fête est à la hauteur des attentes. Les invités viennent de loin : du Canada, des États-Unis et même d'Europe. Des gens partent des côtes est et ouest, du Kentucky, du Kansas et d'autres endroits éloignés. Puisque ceci est un livre, je ne peux pas recourir à l'expression « il n'y a pas de mots pour décrire… » pour décrire l'atmosphère en ville, mais si je le pouvais, je le ferais. Voici ma vision de la fin de semaine, dans aucun ordre particulier.

Main Street est fermée à la circulation. D'une rue grise, elle s'est transformée en une rue grouillante de vie. Les gens apportent des tartes faites maison, des cigares au chou, etc. Des jours et même des semaines avant le grand jour, les gens se sont attelés aux fourneaux. Comme c'est l'époque de la moisson, on a aligné des ballots de foin dans les rues. Des épis de maïs sont empilés dans un camion. On trouve des repas hongrois. On distribue des repas à la salle de la Légion canadienne. On a prévu des châteaux gonflables et des trampolines pour les enfants. Les gens arrivent en voiture avec leurs sacs à dos et leurs tentes. Le terrain de camping est un véritable caravansérail. On a érigé des kiosques et fait des dessins à la craie sur la rue principale. Des vêtements en solde, des objets d'art et d'artisanat local sont en vente. Nirvan et Levi sont à un kiosque de *The 1 Second Film.* Tout le monde fait quelque chose.

C'est fabuleux de voir ce spectacle et d'en faire partie à la fois. Les membres de la communauté de Kipling ainsi que tous les invités mettent la main à la pâte afin que la fin de semaine soit parfaitement réussie. Bert et sa femme, Marcie, ainsi que plusieurs autres, travaillent sans relâche à l'organisation de l'événement depuis le 12 juillet. C'est maintenant le temps de se réunir. Une fête d'enfer bat son plein dans l'aréna de hockey, pendant trois soirs de suite. Les musiciens locaux Brad Johner, Butterfinger et Alex Runions, chanteur natif de Kipling sont au rendez-vous. Ils sont membres de la Gendarmerie royale du Canada. Sur des chevaux. Exactement comme on peut l'imaginer. La montgolfière de Sasktel s'élève au-dessus de la ville. Des feux d'artifice spectaculaires illuminent le ciel dans le décor scintillant des aurores boréales. Les gens viennent à la maison nous donner des cadeaux de bienvenue. L'air est saturé de l'énergie qui émane des personnes présentes.

Les personnes.

Toutes les personnes qui croyaient que mon idée était démente. Des membres de ma famille. Des amis. Des amis d'amis. De nouveaux amis. Presque tous ceux avec qui j'ai fait un troc sont présents. Brendan et Jody Gnant montent sur scène séparément, avec leur groupe respectif, puis ensemble, avant que Jody n'interprète sa chanson *Trombone rouge* pendant que chaque troqueur présent est sur scène. En train de danser. Colin Pearson, un vieil ami de la famille, chante une pièce qu'il vient de composer au sujet d'un trombone rouge, qui s'intitule *I Made a Friend Today.*

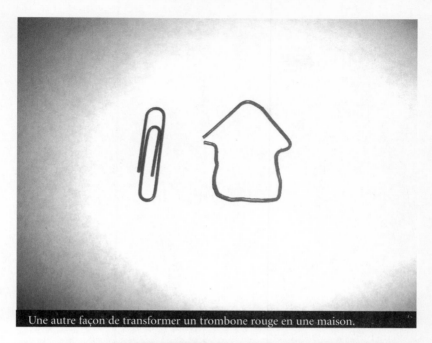
Une autre façon de transformer un trombone rouge en une maison.

Une petite partie de la foule d'invités à la pendaison de crémaillère la plus courue de toute l'histoire de la Saskatchewan, devant le 503, Main Street.

Kipling, en Saskatchewan, durant la pendaison de crémaillère (de gauche à droite) : ma mère, Annie, Kyle, Corinna, Mark, Jody, mon père et Shawn.

Être le maire honoraire pendant une journée, ça vient avec des privilèges !

Ed Clark, résident de Kipling, devant la foule sur la rue principale de Kipling, à la pendaison de crémaillère.

Mon père « trombone rouge » Kipling.

503, Main Street, pendant la pendaison de crémaillère la plus courue de toute l'histoire de la Saskatchewan

Nous nous faisons tous une foule d'amis pendant la fin de semaine, en pleine moisson. C'est ce que Bert appelle une « Skatchew-fête ». Il a parfaitement raison. C'est tonitruant. Je me fais même pousser une moustache en guidon pour l'occasion. Le matin, je suis assis dans la cuisine et je serre des mains en mangeant mes céréales. C'est fabuleux !

La pendaison de crémaillère la plus courue de toute l'histoire de la Saskatchewan est le résultat (impossible à reproduire) d'une symbiose merveilleusement improvisée par des gens sur la même longueur d'onde. C'est comme si nous étions tous des écrivains qui en étaient à leur premier livre. Nous faisons de notre mieux, nous faisons preuve de débrouillardise et nous demandons de l'aide quand c'est nécessaire. Comme quand j'ai demandé à ma mère de lire ce chapitre et de me donner ses commentaires.

Ma mère, « réviseure » : Décris un peu tout ce que la communauté a dû accomplir en seulement six semaines pour mettre sur pied cette foire… Des groupes communautaires ont organisé des repas et ont cuit des tartes, des fermiers et des fournisseurs d'équipement ont sorti leurs équipements dans la rue. Un camion à copeaux a ouvert boutique en plein milieu de la rue. *Chaque commerce vend des t-shirts où il est inscrit* I ♥ Kipling. *Le motel a préparé un buffet fantastique pour la foule. Tout le monde était stupéfait. J'étais stupéfaite. La mère, la grand-mère et les sœurs de Dom sont venues en avion. Elles étaient également stupéfaites. Tes parents sont venus en voiture. Ça leur a pris trois jours. Ils étaient stupéfaits. Ta cousine Carm est venue avec son mari Ricky et leurs deux garçons. Tous les membres de la famille et les amis étaient de la partie. Tous ceux qui le pouvaient.*

Oui, comme ma mère a dit, elle était stupéfaite. J'étais stupéfait. Tout le monde l'était. C'est ça que les jeunes disent maintenant, non ?

Ma mère dit qu'il y avait de la magie dans l'air. Je ne suis pas prêt à utiliser le mot *magie* pour décrire comment je me sens, parce que mes amis sont là, mais j'abonde dans le sens de ma mère.

Tout le monde est là : membres de la famille, amis, troqueurs, des gens de la ville, des gens de l'extérieur de la ville, des gens qui ont suivi l'aventure et des gens qui veulent seulement savoir ce qui crée toute cette agitation.

Kipling, en Saskatchewan, pendant la pendaison de crémaillère (de gauche à droite) : Kyle, Corinna, Annie, Shawn, Michel. Jeff, Bruno, Jody, Leslie, Mark, Corbin, Pat et Bert.

C'est une véritable pendaison de crémaillère, notre maison est chaleureuse comme s'il y brûlait un feu sous une crémaillère à laquelle serait suspendue une marmite.

La fin de semaine au complet ressemble à un rêve où tout le monde qu'on connaît est réuni en même temps. Sauf que c'est tout à fait réel. Je prends même la peine de me pincer pour en être certain. Aucun doute : ça pince. Nirvan dit que c'est comme la fin d'un épisode de *Scooby Doo* où tout le monde se réunit pour résoudre le mystère. Chaque troqueur a pu se libérer pour venir poser pour la photo.

Dans plusieurs sens, il a parfaitement raison. Sauf pour ce qui est du méchant démasqué.

Je pourrais continuer à décrire la fin de semaine en détail jusqu'à ce que les poules aient des dents. Et puisque nous nous trouvons à Kipling, en Saskatchewan, il y a sûrement des poules dans les parages, mais elles sont sûrement édentées.

Je tenterai donc d'abréger l'histoire. Je promets de faire de mon mieux.

Samedi soir, les auditions publiques ont lieu au centre communautaire pour le rôle dans *Donna on Demand*. Des centaines de gens se massent dans le foyer pour regarder plus d'une douzaine de candidats interpréter des rôles choisis par Corbin. On a droit à des interprétations brillantes. C'est un superbe éventail d'artistes locaux. Mais seulement une personne héritera du rôle. On voit auditionner plusieurs personnes talentueuses, qui méritent le rôle, mais il n'y a qu'un seul rôle à offrir. Et Corbin annoncera le nom du gagnant le lendemain matin, dimanche.

Dimanche, c'est le jour J. Je me réveille en sursaut, ouvre mes yeux et fixe le plafond.

C'est aujourd'hui le grand jour. Je le sens.

Une foule se presse à la fin de Main Street, juste devant notre maison. Heureusement, on a érigé des estrades. Des estrades sur la rue principale ! La présentation sur scène va bientôt commencer.

Oui, c'est maintenant le temps. Je sais ce que je veux faire, mais j'ignore comment je vais m'y prendre.

Des centaines, sinon des milliers de personnes sont réunis sur Main Street et chantent *Ô Canada*. Jody interprète l'hymne national américain. Elle est si touchante qu'elle arrache des larmes aux gens. Quelques membres de la Gendarmerie royale du Canada sont sur place, sur leur monture, ainsi qu'un orchestre, des danseurs, des politiciens, alouette !

La mairesse Pat Jackson monte sur scène et raconte brièvement mon aventure. Elle m'invite alors sur scène pour me proclamer maire d'honneur de la ville pour une journée.

Je monte sur scène.

Mais il manque un important morceau du casse-tête, qui est essentiel. Ça ne marche pas. J'attendrai une autre fois.

Je suis donc proclamé maire d'honneur pour une journée. Pat me tend le maillet du maire, qui se marie à merveille avec la clef en bois de la ville dans ma main gauche ainsi que mon « écharpe » de maire en bandoulière. Je la remercie de cet honneur et je descends de la scène. Je tiens le maillet dans les airs, je regarde loin dans la marée humaine puis je lance :

« Il est grand temps de nettoyer cette ville de toute la racaille ! »

Tout le monde éclate de rire. Il fallait que je le dise. La situation l'exigeait. Peut-être ne serai-je plus jamais maire de ma vie.

Je ris un bon coup puis dis :

« J'imagine que je devrais en profiter pour décréter une loi ».

Je continue à parler pendant quelques instants, au cours desquels je dis des choses telles que « Tous les moustachus se font taper dans la main gratuitement ! » Après avoir divagué et digressé à souhait, j'invite chacun des troqueurs ainsi que Dom à monter sur scène. Douze des quatorze troqueurs sont là : Corinna, Annie, Shawn, Michel, Jeff, Bruno, Brendan, Jody, Leslie, Mark, Corbin et Bert. Avec Dom, ils nous rejoignent, Pat et moi, sur scène. Corinna porte le trombone rouge initial au cou, bien protégé par de la vitre dans une monture en bois. Je fais les présentations et raconte toute l'histoire à partir du trombone rouge jusqu'à la maison. Je parle de la chemise de Ricky et je l'invite sur scène pour gracieusement la remettre à son propriétaire initial. Je le remercie, mais je lui dis que sa chemise était un peu trop grande pour moi. Ma version de l'histoire est celle qui figure dans ce livre, sauf qu'elle est plus courte. Sauf si, bien sûr, vous êtes un lecteur rapide. Dans ce cas, elle est sans doute plus longue. Quelle scène émouvante !

Presque tout le monde qui a participé au projet est au même endroit en même temps.

Je regarde la foule. *Presque tout le monde que je connais est là. C'est parfait. Comment faire? Il doit y avoir une solution. Réfléchis.* Je creuse. Rien. Je regarde tout le monde sur scène. *Il doit y avoir une solution.*

Je descends de la scène, puis Corbin s'avance pour annoncer le gagnant du rôle dans son film. Je me tourne vers tous les troqueurs et leur demande de bien vouloir rester sur scène une fois le gagnant annoncé, puisque j'ai autre chose à dire. Corbin livre un discours poignant sur l'accueil chaleureux qu'il a reçu de la part des gens de Kipling. Il fait des compliments à toute la ville. Quel discours édifiant! Tous, nous ressentons le lien étroit entre Corbin et la ville de Kipling.

Puis je le vois. *Oui, c'est parfait.* Je souris. *C'est aujourd'hui le grand jour.*

Corbin passe en mode de présentateur de Hollywood pour annoncer le gagnant du rôle dans le film. La plupart des gens dans le public étaient aux auditions la veille, et tout le monde

Sur scène, Corbin annonce le gagnant des auditions pour le rôle dans le film.

a hâte au dévoilement du nom. Pour l'occasion, Corbin s'est vêtu d'un t-shirt noir par-dessus un t-shirt blanc. Le nom du gagnant est écrit sur le t-shirt blanc, caché.

Il dit :

« Et le gagnant du rôle dans le film est… »

Il se tourne et lève son t-shirt noir (je me demande s'il finira dans sa collection). Des canons à confettis dans les coulisses propulsent des petits bouts de papier dans les airs. Un tonnerre d'applaudissements rugit de la foule.

On peut lire sur le dos du t-shirt le nom du gagnant : Nolan G. L. Hubbard.

Pour Nolan, âgé de 19 ans, né et élevé à Kipling, c'est un rêve qui se réalise. Sa prestation à l'audition de la veille a abasourdi le public. C'est maintenant à son tour d'être abasourdi. Il se hisse sur la scène, incrédule. Il serre la main de Corbin, le remercie à profusion, enfile le t-shirt, et s'approche du lutrin. Nolan tremble tellement il est fébrile. La joie qui se lit sur son visage est univoque.

Il dit :

« J'ai toujours voulu jouer dans un film. Je n'arrive pas à y croire. »

Nolan Hubbard après avoir reçu le rôle..

Il se tourne vers Corbin, le remercie encore une fois et retourne dans la foule, un immense sourire illuminant son visage. Le moment est parfait.

Nolan parle énergiquement pendant quelques moments puis s'éloigne du lutrin.

C'est le temps. C'est le moment parfait. Je sais que c'est le temps, mais j'ai peur.

Dom perçoit mon hésitation. Elle me regarde dans les yeux et me demande :

« Tu voulais ajouter quelque chose ?

- Oui », dis-je avec nervosité.

Que ferais-je si je n'avais pas peur ? Est-ce que je mangerais du fromage ? Sans doute. Comme tout le monde. Mais que puis-je faire d'autre ?

Nolan Hubbard sur scène à Kipling, à la pendaison de crémaillère. Il vient tout juste d'apprendre qu'il a décroché le rôle.

Je prends une profonde inspiration et j'avance. Je me tourne vers Corinna, pointe le trombone rouge dans le petit écrin autour de son cou, puis demande :

« Est-ce que je peux l'emprunter deux secondes ? »

Corinna hoche de la tête et me le tend.

Je regarde mon frère Scott. Un sourire confiant aux lèvres, il lève ses pouces en me regardant. Il le sait. J'ignore comment il le sait, mais il le sait.

Ça y est.

Je m'approche du lutrin.

C'est parfait. C'est brûlant de réalité, brûlant de…

Mes lèvres tremblent quand j'ouvre la bouche.

Donc… c'est maintenant.

Des mots sortent alors de ma bouche.

« Il y a cinq ans, j'ai rencontré Dom dans un sous-sol d'auberge à Edmonton. C'était pendant ma semaine de vacances, je travaillais comme ouvrier sondeur sur les plateformes pétrolières. Elle retournait au Québec avec sa sœur, Marie-Lou, après un voyage de trois mois à Whistler. Je leur ai offert de les déposer à la station d'autobus de Greyhound, où elles devaient prendre un autobus pour Montréal. Elles ont accepté l'offre, nous avons passé quelques heures ensemble à l'auberge puis nous avons mis leurs bagages dans ma voiture. J'ai demandé à un dénommé Mark, qui passait le temps avec nous, s'il voulait venir avec nous. Il a accepté. Nous sommes allés à la gare routière, nous avons salué Dom et Marie-Lou, puis Mark et moi sommes sortis pour retourner vers ma voiture. Avant que nous n'atteignions la voiture, Mark me regarde et me demande :

« As-tu leur numéro de téléphone ou leur courriel ?

- Non, pourquoi ? Je ne suis pas le genre de gars qui demande des numéros de téléphone. Donc, j'étais nerveux.

- 'Pourquoi ?' Pourquoi pas ! répond Mark. On ne sait jamais, tu pourrais aller au Québec. Dominique et Marie-Lou sont gentilles. Ce serait bien de les revoir. Et la plus vieille, Dominique, elle te trouve de son goût.

- Ah oui ?

- Fais-moi confiance ! »

Je suis donc rentré, les mains dans mes poches. J'avais le trac. Je baisse le regard, botte le sol et demande timidement si elles souhaitent que nous échangions nos numéros et puis… bon. Dom me regarde, un large sourire au visage, et me répond «Mais oui!»

Six mois plus tard, je me trouvais sur un volcan actif en Indonésie et j'ai rencontré un Québécois, Mathieu. J'ai dit à Mat que j'étais resté en contact avec Dom et Marie-Lou et que je voulais aller au Québec. Au cours de notre voyage dans l'Asie du Sud-Est pendant les semaines qui ont suivi, Mat m'a convaincu de venir au Québec dès l'été. À peu près en même temps, mon frère, de retour au Canada, m'a envoyé un courriel pour me demander si je voulais me joindre à lui et ses amis, qui s'apprêtaient à traverser le pays en fourgonnette. C'était parfait. Tout s'imbriquait. J'ai acheté un petit poisson en bois sur un traversier en Indonésie, je l'ai transporté à travers le Canada sur la planche de bord de la fourgonnette et, quand nous sommes arrivés au village de Dom, à Saint-Alexis-des-Monts, je l'ai donné en cadeau à Dom. Je devais rester au village avec Dom pendant quelques jours, mais en fait, je ne suis jamais vraiment parti. Dom et moi sommes ensemble depuis que je lui ai donné le poisson en bois.»

Je regarde la foule massée devant la scène sur la rue principale à Kipling. On entendrait une mouche voler. Parfaitement, une mouche. Je prends une grande inspiration. Je tiens le trombone rouge dans les airs. Le trombone rouge initial, que j'ai troqué contre le stylo en forme de poisson. Le plus important de tous les trocs que j'ai faits.

Je souris et dis:

«Même si elle n'a jamais fait de troc au cours de mon périple qui m'a mené jusqu'à la maison, Dom y a joué un rôle tout aussi important que ceux qui sont sur scène. Elle m'a aidé plus que je ne pourrai jamais l'exprimer. Quand je suis devenu obsédé par le troc au point d'oublier de faire des choses simples comme manger ou dormir, Dom était là. Si Dom n'avait pas été là, tout ça n'aurait été qu'un rêve. Et maintenant que nous sommes tous ici réunis, mon rêve se réalise.

Je regarde Dom et plie le trombone pour en faire une boucle. Un cercle.

Je tourne les deux bouts ensemble pour les nouer. Ça crée la forme d'un jonc.

Dom arbore son jonc en trombone rouge.

La boucle est bouclée.
Je marche vers Dom.
Dépose un genou par terre.
Je lève mon bras.
Je tends le trombone rouge.
Et la regarde dans les yeux.

ÉPILOGUE : AU TOUR DE GRAND-PÈRE !

Steve (un ami de Kyle depuis le début du secondaire) : Je n'en reviens pas, tu as oublié le meilleur ! Le bout avec ton grand-père !

KYLE

Quel bout avec mon grand-père ?

STEVE

Tu n'as pas entendu ce qu'il a dit ?

KYLE

Non.

STEVE

Ah, mon gars, ça n'avait pas de prix ! Tout de suite après que Dom a dit oui, quand tout le monde est parti à pleurer, et que tout le monde débordait de joie et était submergé par l'émotion, et que les gens se serraient dans leurs bras et se serraient la main dans les coulisses, ton grand-père est monté sur scène et a dit : « Je suis le grand-père de Kyle et j'aimerais dire quelque chose. » Le public pousse une clameur, une sorte de grognement… *Oh, c'est le grand-père de Kyle ! Il va tout gâcher en racontant sa vie et en rendant tout le monde mal à l'aise.*

KYLE

Et puis ?

STEVE

Il a dit : « Je voudrais simplement dire qu'il y a quelqu'un d'autre sans qui tout ça ne serait pas arrivé. »

KYLE

Qui ?

Kyle et son grand-père au 503, Main Street.

STEVE
Il se lève et se tient droit, avec fierté. Il se pointe lui-même et dit «Moi.»

REMERCIEMENTS

Tout d'abord, avant que je devienne trop sentimental, j'aimerais remercier Google de m'avoir constamment permis de copier et de coller dans le livre des mots à l'orthographe difficile à partir de votre site Web fantastique. Par exemple « remerciements » ou « Stroumboulopoulos ».

L'important, dans le projet du trombone rouge, ça n'a jamais été un vulgaire petit trombone rouge ou une maison au 503, Main Street, à Kipling, en Saskatchewan. Ce qui compte, ce sont les gens qui ont rendu l'aventure possible. Merci à vous, Corinna, Rhawnie, Annie, Shawn, David, Marcin, Michel, Jeff, Bruno, Brendan, Jody, Leslie, Mark, Corbin, Bert, Pat et tout le monde de Kipling. J'ai assemblé les pièces du casse-tête, mais c'est grâce à vous qu'ont été faits les trocs. Donnez-vous une bonne tape dans le dos. Nous avons réussi.

Alice Cooper, un merci tout spécial pour avoir passé « l'après-midi » avec Mark, même après que je vous ai troqué contre une boule à neige de KISS. Merci à George Stroumboulopoulos, à tout le monde à *The Hour*, et à tous les gens de Yahk qui ont contribué à trouver une situation où tout le monde est sorti gagnant, grâce au résultat d'une pétition en ligne qui prenait la forme d'un ultimatum et qui dénonçait un mensonge impliquant l'hypnose. Nous avons contribué à faire de Yahk ce que personne n'aurait pu imaginer. Je suis ravi d'avoir choisi Yahk pour rigoler.

À tout le monde à Kipling, en Saskatchewan, merci pour votre incroyable accueil. Dom et moi vous sommes très reconnaissants de faire partie de votre communauté. Kipling est vraiment un endroit où « si » devient réalité.

Dan, merci d'avoir partagé la conduite avec moi. As-tu faim ?

Ricky, merci de m'avoir prêté ta chemise.

Marc, Brandon et tout le monde qui a participé à la mise sur papier de ces mots, merci. C'est vrai : le iBook n'est pas encore exactement un livre.

Maman, papa, Scott, grand-papa et tous les membres de la famille et les amis qui méritent que je les mentionne, mais je suis trop nerveux pour commencer à nommer des noms, car si j'oublie quelqu'un, j'en entendrai parler jusqu'à la fin des temps. Un petit instant :

Un merci très spécial à_____pour ton_____et ton inoubliable_____. Tu es vraiment_____. P.-S. Tu as de splendides_____.

Venez me trouver. Apportez un stylo. Et que je n'entende rien à propos de failles…

À tout le monde qui m'a encouragé, et à tous ceux qui m'ont dit que j'étais fou : merci, les deux ont aidé.

Et à Dom. C'est grâce à toi si j'ai réussi. Moi qui croyais que tout s'arrangerait tout seul.

J'espère que vous avez apprécié l'aventure. Moi, si !

Amusez-vous bien !

Kyle

Ma photo d'auteur.

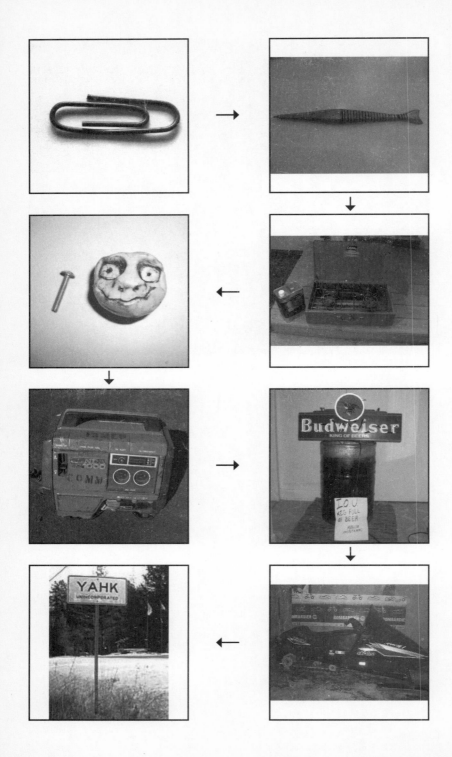

Antonio le Grand

Sylvain Laquerre

«*Un hommage qui se poursuit avec
ce petit livre simple et touchant*»
Stéphane Baillargeon, *Le Devoir*

«*Le Grand Antonio a droit à un dernier hommage
avec le livre* Antonio le Grand *de Sylvain Laquerre*»
Philippe Renault, *Journal de Montréal*

Entre légende et réalité, le Grand
Antonio forgea lui-même son
mythe. Aux journalistes dont il
cherchait l'attention à la fin de
sa vie, il faisait des déclarations
contradictoires sur ses origines
comme sur son propre nom. Du
livre des Records Guinness au
Tonight Show en passant par les
autobus qu'il tirait, il n'atteignit
qu'une gloire éphémère.

Dans ses vêtements en lambeaux,
il vendait aux passant des collages
représentant l'étendue de sa puis-
sance. Sa force épuisée, il ne lui restait rien, sinon une légende à
propager : celle du Grand Antonio, l'homme le plus fort de tous
les temps.

· 12,95$
ISBN 10 : 2-923543-00-9
ISBN 13 : 978-2-923543-00-0

Un Whisky pour l'esprit

Marcel Béliveau

Dès l'âge de 22 ans, Marcel Béliveau fit une série de « conférences » sous les traits d'un père franciscain. Des farces, il en fit d'autres avec

Surprise sur prise, une émission qu'il créa de toutes pièces. Créateur, animateur et producteur de la célèbre émission, il piégea les plus grandes personnalités, de Céline Dion à Thierry l'Hermitte en passant par Pierre Péladeau. Après l'avoir animée au Québec et en France, puis ayant vendu le concept partout dans le monde, Marcel Béliveau tourna la page sur cet épisode de sa vie.

Plus tard, des restaurants aux agences de voyages, Marcel Béliveau s'essaya à tous les métiers. Il fut parfois riche, et parfois pauvre, mais il garda toujours en tête que la vie n'est peut-être qu'une bonne blague. Diplômé de l'école de la vie, ce *self made man* nous dévoile ici ses réflexions à propos de tout et de rien. Grâce à ces pensées qui se consomment à petites doses, il a toujours su prendre de la distance face aux événements qui ont jalonné sa vie. Il a toujours su prendre les choses avec philosophie et éclater de rire en sirotant un whisky.

8,95$

ISBN 13 : 978-2-923543-01-7

MEMBRE DU GROUPE SCABRINI

Québec, Canada
2007